Amor, *teoricamente*

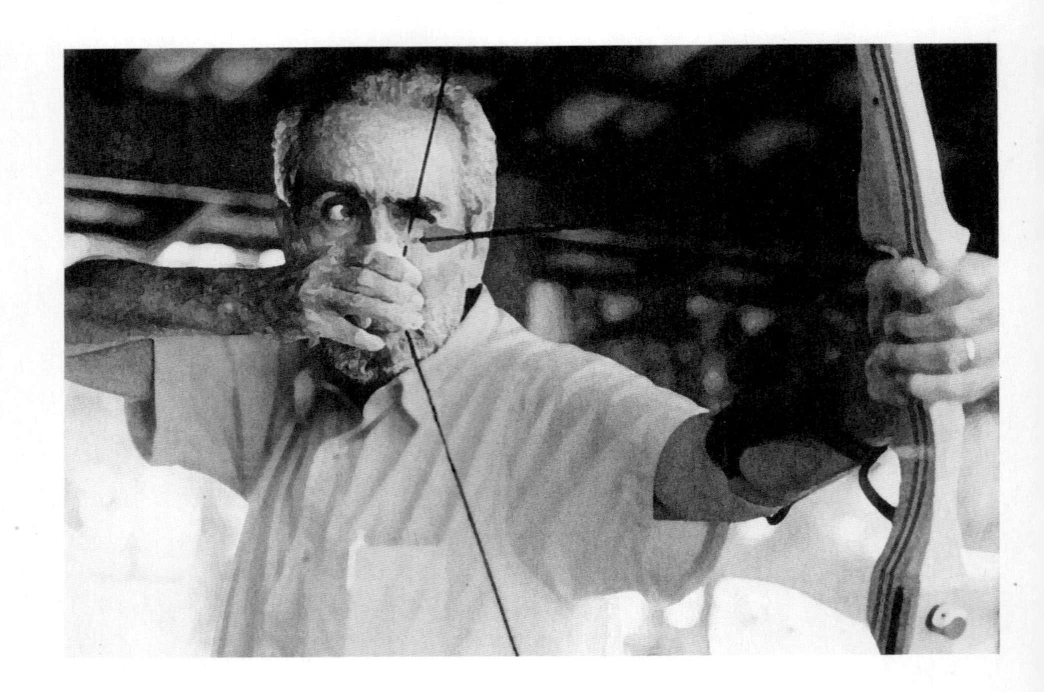

O ARQUEIRO

GERALDO JORDÃO PEREIRA (1938-2008) começou sua carreira aos 17 anos, quando foi trabalhar com seu pai, o célebre editor José Olympio, publicando obras marcantes como *O menino do dedo verde*, de Maurice Druon, e *Minha vida*, de Charles Chaplin.

Em 1976, fundou a Editora Salamandra com o propósito de formar uma nova geração de leitores e acabou criando um dos catálogos infantis mais premiados do Brasil. Em 1992, fugindo de sua linha editorial, lançou *Muitas vidas, muitos mestres*, de Brian Weiss, livro que deu origem à Editora Sextante.

Fã de histórias de suspense, Geraldo descobriu *O Código Da Vinci* antes mesmo de ele ser lançado nos Estados Unidos. A aposta em ficção, que não era o foco da Sextante, foi certeira: o título se transformou em um dos maiores fenômenos editoriais de todos os tempos.

Mas não foi só aos livros que se dedicou. Com seu desejo de ajudar o próximo, Geraldo desenvolveu diversos projetos sociais que se tornaram sua grande paixão.

Com a missão de publicar histórias empolgantes, tornar os livros cada vez mais acessíveis e despertar o amor pela leitura, a Editora Arqueiro é uma homenagem a esta figura extraordinária, capaz de enxergar mais além, mirar nas coisas verdadeiramente importantes e não perder o idealismo e a esperança diante dos desafios e contratempos da vida.

ALI HAZELWOOD

Amor, teoricamente

ARQUEIRO

Título original: *Love, Theoretically*

coordenação editorial: Gabriel Machado
produção editorial: Ana Sarah Maciel
tradução: Roberta Clapp
preparo de originais: Beatriz D'Oliveira
revisão: Carolina Rodrigues e Mariana Bard
capa e ilustração de capa: lilithsaur
diagramação e adaptação de capa: Gustavo Cardozo
impressão e acabamento: Lis Gráfica e Editora Ltda.

CIP-BRASIL. CATALOGAÇÃO NA PUBLICAÇÃO
SINDICATO NACIONAL DOS EDITORES DE LIVROS, RJ

H337h
Hazelwood, Ali
Amor, teoricamente / Ali Hazelwood ; tradução Roberta Clapp. - 1. ed. - São Paulo : Arqueiro, 2023.
368 p. ; 23 cm.

Tradução de: Love, theoretically
ISBN 978-65-5565-525-4

1. Ficção italiana. I. Clapp, Roberta. II. Título.

23-84145 CDD: 853
CDU: 82-3(450)

Meri Gleice Rodrigues de Souza - Bibliotecária - CRB-7/6439

Todos os direitos reservados, no Brasil, por
Editora Arqueiro Ltda.
Rua Artur de Azevedo, 1.767 – Conj. 177 – Pinheiros
05404-014 – São Paulo – SP
Tel.: (11) 2894-4987
E-mail: atendimento@editoraarqueiro.com.br
www.editoraarqueiro.com.br

Para todos os meus leitores, desde os tempos do AO3 até onde estamos hoje.
A participação especial de Adam e Olive é para vocês. ❤

PRÓLOGO

AO LONGO DA VIDA, experimentei arrependimento, constrangimento, talvez até uma leve angústia. Mas nada, *nada* mesmo me preparou para a vergonha de me ver na cabine de um banheiro prensada contra o arrogante irmão mais velho do cara que tenho fingido namorar nos últimos seis meses.

Este momento, sem dúvida, é o fundo do poço. Principalmente levando em conta que *Jack Smith está salvando a minha pele*. Quando ele me agarra pela cintura para virar meu corpo dentro do espaço apertado, com uma pegada incrivelmente forte, não sei ao certo o que é pior: o fato de que suas mãos são tudo que me impede de murchar feito um balão ou a vergonhosamente imensa gratidão que sinto por ele.

– Fica tranquila, Elsie – diz ele contra a minha bochecha, sério como sempre, mas também incongruentemente tranquilizador.

Ele está perto, perto demais. Eu estou perto, perto demais. Mas *ainda assim* não perto o suficiente?

– E vê se para de se mexer – completa ele.

– Eu *não tô* me mexendo, Jack – digo, me mexendo.

Mas, depois de um segundo, acabo cedendo. Fecho os olhos. Relaxo contra o peito dele. Sinto seu cheiro em minhas narinas, me ancorando na sanidade. E me pergunto qual, dentre as milhões de escolhas estúpidas que fiz na vida, me levou a este momento.

1

ONDAS E PARTÍCULAS

Vinte e quatro horas antes

DURANTE OS ÚLTIMOS ANOS do ensino fundamental, me fantasiei de dualidade da luz para o Halloween.

Usando uma canetinha, desenhava diversos círculos e linhas em zigue-‑zague em uma das camisetas brancas do papai que havia resgatado do lixo. Pensando bem, ficava tão malfeito que nem o professor de física conseguia adivinhar o que era. Mas eu nunca me importei com isso. Andava pelos corredores ouvindo a voz de Bill Nye na cabeça, sua bela explicação de como a luz podia ser duas coisas ao mesmo tempo, dependendo do que os outros queriam ver: uma partícula *e* uma onda.

Parecia uma ideia e tanto. E fazia com que eu me perguntasse se também poderia ser duas – não, ser várias Elsies. Cada uma seria confeccionada, feita sob medida, cuidadosamente selecionada, levando-se sempre em consideração uma pessoa diferente. Eu daria a todo mundo a versão de mim que quisessem, desejassem, necessitassem e, em troca, eles gostariam de mim.

Molezinha.

É curioso como minha carreira na física e minha carreira em agradar pessoas começaram na mesma época; como é possível traçar uma linha reta desde os livrinhos infantis de física quântica até meu emprego atual. Na verdade, até meus *dois* empregos atuais. O primeiro, no qual ganho praticamente nada elaborando teorias físicas que explicam por que pequenas moléculas se juntam como grupos de meninas malvadas durante o recreio. E o outro, no qual...

Bem, o outro, no qual finjo ser outra pessoa, pelo menos paga bem.

– O tio Paul vai tentar de novo convencer a gente a fazer um *ménage* – diz Greg, os olhos castanhos expressivos se desculpando profundamente, e eu não me abalo.

Não demonstro irritação. Não estremeço de repulsa ao pensar no hálito de esgoto de tio Paul ou em seu cabelo oleoso que me lembra pelos pubianos. Tá, talvez eu estremeça um pouco. Mas disfarço com um sorriso e respondo em um tom profissional:

– Pode deixar.

– Além disso – prossegue ele, passando a mão pelos cachos bagunçados –, nos últimos tempos o papai desenvolveu uma intolerância severa a lactose, mas se recusa a pegar leve nos laticínios. Pode ser que rolem...

– Ocorrências gastrointestinais.

É compreensível. Eu também relutaria em abrir mão de queijo.

– E tem a minha prima Izzy... Ela é conhecida por sair no tapa com gente que discorda dela sobre o valor literário da saga Crepúsculo.

Fico animada.

– Ela é a favor ou contra?

– Contra – diz Greg em um tom sombrio.

Eu amo *Crepúsculo* ainda mais do que queijo, mas posso segurar meu TED Talk sobre por que Alice e Bella deveriam ter deixado todos aqueles idiotas para trás e cavalgado rumo ao pôr do sol.

Team Bellice 4ever.

– Entendido.

– Desculpa, Elsie. É o aniversário de 90 anos da vovó. A família toda vai estar presente. – Ele suspira, seu hálito virando vapor branco no ar noturno deste janeiro gelado em Boston. – A mamãe vai estar no pior humor possível.

– Não se preocupa com isso.

Toco a campainha da casa da avó de Greg e abro meu sorriso mais encorajador. Ele me contratou para fingir ser sua namorada e vai ter a Elsie que quer que eu seja: tranquilizadora, sim, mas também delicadamente mandona. Uma dominatrix que não gosta de empunhar um chicote, mas que poderia fazê-lo se necessário.

– Lembra do nosso código pra ir embora?

– Beliscar o seu cotovelo duas vezes.

– Eu digo que não estou me sentindo bem e a gente sai. E, quando a proposta do *ménage* vier, insinuo fortemente que tenho gonorreia.

– Isso não seria problema para o tio Paul.

– Verrugas genitais?

– Hmm. Talvez? – Ele massageia a têmpora. – A única coisa boa é que o meu irmão vem.

Fico tensa.

– Jack?

– É.

Que pergunta idiota, Greg só tem um irmão.

– Você não tinha dito que ele não vinha?

– O jantar de negócios dele foi cancelado.

Resmungo internamente.

– O que foi?

Merda, resmunguei alto.

– Nada. – Sorrio e aperto o braço dele por cima do casaco. Greg Smith é meu cliente favorito, e vou cuidar para que saia desta noite ileso. – Deixa que eu cuido da sua família, tá? Afinal, é pra isso que você me paga.

É verdade. E agradeço todos os dias por nunca ter precisado lembrá-lo dos termos. Muitos de meus clientes se perguntam mais ou menos abertamente quais outros serviços eu devo oferecer, mesmo que as regras de utilização do aplicativo Faux sejam bastante explícitas. Eles pigarreiam, coçam o queixo e perguntam: "O que *exatamente* está incluído nesse... serviço de namoro de mentira?" Muitas vezes fico tentada a revirar os olhos e dar uma joelhada nas bolas deles, mas tento não me ofender, sorrio gentilmente e digo: "Sexo *não* está."

Além disso – já respondendo às perguntas que costumam vir em seguida –, nada de beijo, de pegação, de falar putaria, de ficar pelada, nada de anal nem de boquete, punheta, espanhola ou qualquer outra coisa semelhante que possa existir sem que eu tenha conhecimento. Não deixo que façam xixi em mim nem acariciem meus pés, nem facilito e/ou permito orgasmos perto de mim.

Não que haja algo de errado nisso: o trabalho sexual é legítimo, e as pessoas que se dedicam a ele são tão merecedoras de respeito quanto bailarinas, bombeiros ou gerentes de investimentos. Mas, dez meses atrás, quando obtive meu doutorado em física teórica na Universidade Northeastern, imaginava que a esta altura teria um trabalho razoavelmente bem remunerado na academia. Eu não imaginava *mesmo* que, aos 27 anos, o que estaria pagando minhas contas seria um serviço para ajudar homens adultos a fingir que têm vidas amorosas. No entanto, cá estou, fingindo ser a namorada de alguém para pagar meus empréstimos estudantis.

Sem querer ser estraga-prazeres, mas estou começando a desconfiar que a vida nem sempre é do jeito que a gente quer. É inevitável perder a fé: depois de ser contratada tantas vezes para projetar a ideia de que um cliente é encantador, equilibrado e emocionalmente disponível, um ser humano capaz de manter um relacionamento de médio prazo com outro adulto igualmente funcional, a fim de... Bem, aí varia. Nunca perguntei a Greg por que Caroline Smith é tão obcecada com a ideia de seu filho de 30 anos ter uma namorada. Com base em trechos de conversas ouvidas dentro do Universo Cinemático dos Smiths, suspeito que tenha a ver com a imensa herança que estará em jogo assim que a matriarca morrer, por Caroline acreditar que, caso ele forneça o primeiro bisneto da família, seja mais provável que herde... uma mangueira de água cravejada de diamantes, eu acho?

Pessoas ricas... São gente como a gente.

Mas a mãe intrometida de Greg ainda é muito melhor do que o irmão dele, desagradável por uma série de razões que não vale a pena mencionar. Sinceramente, é um alívio que *ela* seja meu alvo. Isso significa que, quando a porta da Mansão Smith se abre, posso me concentrar apenas nela: a mulher retraída e com coração palpitante que consegue nos cumprimentar com beijinhos no ar, bagunçar o cabelo de Greg e colocar duas taças cheias de vinho em nossas mãos, tudo de uma vez só.

– Como vai a vida no mundo das finanças, Gregory? – pergunta Caroline ao filho. Ele vira metade do vinho de um só gole; suspeito que seja porque já o ouvi explicar que, na verdade, não trabalha com finanças. Pelo menos quatro vezes. – E você, Elsie? – acrescenta ela, sem esperar por uma resposta. – Como vão as coisas na biblioteca?

Seguindo as diretrizes do Faux, não digo nada sobre mim a meus clientes – meu nome completo, o que faço da vida, minha verdadeira opinião sobre coentro (é excelente se você gosta de comer sabonete). E, resumindo, é isso que significa ser uma namorada de mentira. A princípio, parecia duvidoso que as pessoas fossem pagar por um encontro falso na era do Tinder e do Pornhub e que pagariam a *mim* – Elsie Hannaway, nada notável, mediana em tudo. Altura mediana. Cabelos e olhos castanho-médio. Nariz, bunda, pés, pernas, seios medianos. Bonita, sim, claro, mas de uma forma mediana e discreta. Mas minha medianidade mediana é a lousa em branco perfeita a ser preenchida. Uma tela vazia a ser pintada. Um espelho, refletindo apenas o que os outros querem projetar. Um pedaço de tecido que pode ser costurado sob medida para... Bem, tenho certeza de que todo mundo está conseguindo acompanhar a metáfora.

A Elsie que Caroline Smith quer é alguém capaz de se dar bem com pessoas que usam comumente o verbo *veranear*, pouco chamativa o suficiente para não atrair um cara melhor do que Greg e com instintos protetores para cuidar do filho que ela até pode amar, mas não se dá ao trabalho de conhecer. Bibliotecária infantil parecia uma excelente profissão falsa. Tem sido divertido vasculhar fóruns on-line em busca de anedotas fofas.

– Hoje eu encontrei três biscoitinhos dentro do nosso melhor exemplar de *Matilda* – digo com um sorriso. *Ou pelo menos o usuário iluvbigbooks, do Reddit, encontrou.*

– Isso é *hilário* – diz Caroline sem rir, sorrir nem demonstrar ter achado um pingo de graça. Então ela se aproxima, sussurrando como se seu filho, que está a trinta centímetros de distância, não pudesse nos ouvir: – Nós estamos *tão* felizes por você ter vindo, Elsie. – Esse *nós*, creio eu, inclui o pai de Greg, parado em silêncio ao lado dela, colocando três cubos de queijo Colby-Jack na boca com o sorriso vago de alguém acostumado a devanear desde 1999. – Estávamos tão preocupados com o Gregory. Mas agora ele está com você e nunca esteve tão feliz. – *Será mesmo?* – Gregory, tente passar bastante tempo com a sua avó hoje. Izzy está tirando umas fotos com a Polaroid para dar a ela no final da noite... Certifique-se de estar em *todas* elas.

– Eu vou garantir que ele esteja, Sra. Smith – prometo, entrelaçando o braço no de Greg.

Quebro a promessa quinze segundos depois, no final do deslumbrante corredor. Ele vira o que resta do vinho, rouba dois grandes goles da minha taça e, antes de se trancar no banheiro, sussurra:

– Te vejo daqui a dez minutos.

Dou uma risada e o deixo em paz. Eu me sinto protetora em relação a ele, o suficiente para quebrar o protocolo do Faux e repetir os encontros, o suficiente para querer defendê-lo de assaltantes e piratas e de familiares distantes. Talvez seja porque a primeira frase que ele me disse – "Minha mãe não para de perguntar por que eu não namoro" – estava tomada de pânico e foi seguida de uma explicação hesitante e exaustiva de por que *isso* não aconteceria tão cedo; uma explicação com a qual me identifiquei até demais. Talvez seja porque ele sempre parece se sentir exatamente como eu me sinto: cansada e sobrecarregada. Em outra linha do tempo, seríamos melhores amigos, unidos por conta das inevitáveis úlceras de estresse que logo destruirão nosso estômago.

Encontro a cozinha vazia, entro e observo o redemoinho vermelho escorrendo pelo ralo enquanto despejo o que sobrou da minha taça na pia. Um desperdício. Eu deveria ter recusado, mas isso levaria a perguntas, e não quero explicar que o álcool é um perigoso terrorista glicêmico e que meu pâncreas debilitado *não* negocia com...

– Não gostou?

Dou um pulo. E um gritinho. E quase deixo cair a taça, que provavelmente custou mais do que a minha pós-graduação.

Achei que estivesse sozinha. Eu não estava sozinha? Eu *estava* sozinha. Mas o irmão mais velho de Greg está no recinto, encostado na bancada de mármore, os braços cruzados. Seus característicos olhos multicoloridos estão me encarando com a mesma expressão inescrutável de sempre. Estou parada entre ele e a única entrada – ou não percebi que ele estava ali, ou ele fez uma dobra no espaço-tempo.

Ou eu o confundi com a geladeira. Afinal, eles são *praticamente* do mesmo tamanho.

– Você tá bem? – pergunta ele.

– Eu... Sim. Sim, desculpa. Eu só... – Forço um sorriso. – Oi, Jack.

– Oi, Elsie.

Ele diz meu nome como se fosse familiar para ele. A primeira palavra que aprendeu. Um ato instintivo, não apenas um monte de vogais e consoantes que mal teve motivos para usar antes. Ele não sorri, claro. Bem, ele *sorri*, mas nunca para mim. Sempre que estamos no mesmo local, ele é uma presença imponente, assomante e severa, cujo principal passatempo parece ser me julgar indigna de Greg.

– Não gostou do vinho?

– Não é isso.

Hesito um pouco, nervosa. Há uma tatuagem em seu antebraço, aparecendo discretamente sob a manga arregaçada da camisa. Porque é claro que ele está vestindo jeans e uma camisa xadrez, embora o convite enviado por e-mail informasse especificamente que o traje deveria ser semiformal. Mas ele é Jack Smith. Pode fazer o que quiser. Provavelmente tem uma autorização esculpida naqueles bíceps ridículos dele. Carimbada na parte azul de seu olho direito, que se destaca vividamente no castanho de suas íris.

– O vinho estava ótimo – digo, me recompondo. – Mas tinha uma mosca na taça.

– Ah, é?

Ele não acredita em mim. Não sei como sei disso, mas sei. E ele sabe que eu sei. Dá para ver. Não... Dá para *sentir*. Um formigamento na base da minha coluna, que parece escorrer, vívido e quente. *Cuidado, Elsie*, diz a sensação. *Ele vai mandar prender você por cometer um crime contra as uvas. Você passará o resto da vida em um presídio federal. Ele vai te visitar uma vez por semana só para ficar te olhando através da divisória de acrílico e te deixar desconfortável.*

– Izzy deve estar atrás de você – digo, torcendo para me livrar dele. – Ela tá lá em cima.

– Eu sei – responde ele, mas *nem se mexe*.

Jack apenas me observa, atento, calmo, como se soubesse algum segredo a meu respeito. Que eu uso fio dental uma vez por semana, no máximo. Que não consigo entender o que é o Dow Jones, mesmo depois de ler o verbete da Wikipédia. Ou outras coisas mais assustadoras e *sombrias*.

– Sua namorada veio? – pergunto para preencher o silêncio.

Uma vez, ele trouxe uma moça para uma festa de família. Geóloga. A mulher mais linda que já vi. Fofa. Engraçada também. Queria poder dizer que ela era areia demais para o caminhãozinho dele.

– Não.

Silêncio mais uma vez. Continuamos a nos encarar. Sorrio para ele não ver que meu maxilar está agressivamente travado.

– Faz tempo que não te vejo.

– Desde o feriado do Dia do Trabalho, em setembro.

– Ah, é. Tinha esquecido.

Eu não tinha esquecido. Tirando hoje, já encontrei com Jack duas vezes, apenas duas vezes, e ambas estão teimosamente encravadas em meu cérebro, de forma tão agradável quanto folhas de espinafre presas entre os molares.

A primeira foi no jantar de aniversário de Greg, quando Jack e eu trocamos um aperto de mãos e ele me ofereceu um breve aceno de cabeça, depois passou a noite me lançando olhares longos e perscrutadores e o ouvi perguntar a Greg: "Onde você conheceu ela?" e "Há quanto tempo vocês estão juntos?" e "É sério mesmo?", com um tom inquisitivo e fingidamente casual que provocou um estranho arrepio na minha coluna.

Ou seja, Jack Smith não era meu fã. Muito bem. Tá certo, então. Beleza.

E aí houve a segunda vez. No final do verão, na festa na piscina que os Smiths deram no feriado do Dia do Trabalho, na qual não entrei na água. Porque de biquíni é impossível esconder meu sensor de glicemia.

Não tenho vergonha de ser diabética. Tive quase duas décadas para fazer as pazes com meu sistema imunológico hiperativo, que se diverte demais destruindo células necessárias. Mas a reação das pessoas ao saber que preciso injetar insulina em meu corpo regularmente pode ser imprevisível. Quando fui diagnosticada (aos 10 anos, após uma convulsão no ginásio da escola que me rendeu o apelido cruel, mas pouco criativo, de Elsie Tremelique), ouvi meus pais conversando aos cochichos atrás das cortinas divisórias do quarto do hospital.

– *Agora essa também.* – *Mamãe soou exausta.*

– *Eu sei.* – *Papai soou igual.* – *Só pode ser nossa culpa. Lance tá pra ser reprovado na escola. Lucas vai acabar preso uma hora dessas por arrumar briga no estacionamento de um Walmart qualquer. Claro que a única criança tranquila que a gente criou tinha que ter* alguma coisa.

– *Não é culpa* dela.
– *Não.*
– *Mas vai ser caro.*
– *Vai.*

Não julgo meus pais: meu irmão Lance foi *mesmo* reprovado no ensino médio (e hoje em dia ganha muito bem como eletricista), assim como Lucas acabou *mesmo* sendo preso (embora tenha sido nos fundos de um Shake Shack e por posse de drogas que hoje em dia são legais). Mamãe e papai estavam cansados, sobrecarregados. Meio pobres. Eles torciam por um respiro, algo que pela primeira vez na vida fosse fácil, e fiquei realmente triste por não proporcionar isso a eles. Para compensar, tentei tornar meus problemas de saúde – e quaisquer outros problemas subsequentes – o mais ignoráveis possível.

Acho que as pessoas gostam mais de mim se não têm que gastar energia emocional comigo.

Foi por isso que não entrei na piscina durante a festa dos Smiths, optando por ficar sentada em uma manta e comer uma fatia de bolo, com um sorriso artisticamente montado no rosto. Por isso calculei mal os carboidratos que comi e a insulina de que precisaria. E por isso saí cambaleando pelo jardim da casa de férias dos Smiths, que mais parecia saída do filme *Manchester à beira-mar*, com a glicose nas alturas, visão embaçada, cabeça latejando, tentando lembrar onde havia colocado meu celular para poder ajustar minha taxa de insulina e...

Dei de cara com Jack.

Literalmente. Eu não o vi e dei com o rosto no peito dele, como se fosse um gigantesco buraco negro. Não era. Um buraco negro, quero dizer. Era gigantesco, no entanto.

– *Elsie?* – *Aff. A voz dele.* – *Você tá bem?*

– *Sim. Sim, eu...* – Vou vomitar.

Ele segurou meu rosto, me examinando.

– *Quer que eu chame o Greg?*

– *Não precisa...* – *Senti uma dor lancinante na cabeça.*

– *Eu vou chamar o Greg.*

– *Não... não chama o Greg, por favor.*

Ele fez uma careta.

– *Por quê?*

– *Porque...* – Porque uma boa namorada de mentira exige pouco de seus parceiros. Elas sorriem, não têm opinião sobre coentro e nunca, jamais, arrastam o namorado de uma festa na piscina. – *Você pode... Eu preciso ir ao banheiro e... do meu celular...*

Um segundo depois, eu estava em um banheiro que parecia um spa de luxo, com a bolsa no colo. E adoraria dizer que não me lembro de como cheguei lá, mas tenho uma vaga memória, uma lembrança de braços fortes me levantando; de ser carregada, flutuando feito um pássaro; de um hálito quente em minha têmpora, murmurando palavras das quais não consigo me lembrar.

E, infelizmente, foi isso que aconteceu. Jack foi gentil e prestativo? Foi. Ele acreditou na história que mais tarde inventei sobre não querer incomodar Greg com minhas enxaquecas? Acho que não, levando em consideração seu olhar cético, frio e insistente. Talvez ele suspeite que eu estivesse drogada. Talvez tema que eu contamine a linhagem Smith com meus fracos genes suscetíveis a dores de cabeça. *Certamente* ele acredita que o irmão pode arrumar coisa melhor.

Mas não importa: Jack não é meu alvo, sua mãe, sim. Isso é bom, porque não faço a menor ideia de quem é a Elsie que Jack quer.

Essa é uma situação sem precedentes. Sou profissional em captar pistas, mas Jack... ele não deixa *nada* transparecer. Não sei o que aumentar, o que diminuir; o que esconder e o que fingir; que personalidade sacrificar em seu nome. É como se ele estivesse tentando me decifrar sem provocar nenhuma mudança em mim – e isso é impossível. As pessoas não são assim, não comigo.

Então, quando ele pergunta "Como você está, Elsie?", com um tom que parece um pouco curioso demais, sorrio da forma mais neutra possível.

– Como sempre. Ótima. – *Não estou prestes a desmaiar em cima de você, pelo menos.* – E você? Como estão as coisas no trabalho?

Ele é uma espécie de professor de educação física, Greg mencionou. Não é de surpreender, já que a aparência dele é de alguém que usa adesivo com propaganda de crossfit no carro e toma shakes de proteína enquanto lê a coluna de powerlifting da *Men's Health.* Os outros Smiths são esguios, de cabelos castanhos e um pouco mirrados. E aí aparece esta muralha com cabelos cor de areia, trinta centímetros mais alto que seu parente mais alto, com traços masculinos clássicos e voz grave e cortante. Minha teoria: enfermeira sobrecarregada, troca de bebês na maternidade.

– Tá tendo um bom semestre?

Ele resmunga algo incompreensível e então responde:

– Não matei nenhum aluno. Ainda.

Surpreendentemente, me identifico.

– Parece uma vitória.

– Não pra mim.

Merda. Ele está me fazendo sorrir.

– Por que você quer matar seus alunos?

– Eles reclamam de tudo. Não leem o programa da disciplina. – Programa da disciplina de educação física? O currículo do meu professor de educação física incluía apenas nos constranger por não conseguirmos escalar uma corda. A educação está avançando. – Eles mentem.

Engulo em seco.

– Mentem sobre o quê?

– Várias coisas. – Os olhos dele brilham, seus lábios se contorcem, seus ombros se avolumam sob a camisa e…

Eu costumava achar – não, eu costumava *ter certeza* – que caras de cabelos claros não eram atraentes. Na pré-adolescência, todo mundo morria de amores pelo Legolas, mas eu era fã do Aragorn. Nos questionários do BuzzFeed sobre "De qual casa de *A Guerra dos Tronos* você é?", nunca dava Targaryen. Odeio olhar para Jack Smith, com seu belo maxilar, suas belas covinhas e aquelas belas mãos, e achá-lo bonito.

Acho que simplesmente não vou olhar. Isso, excelente plano.

– Com licença – digo, educadamente. – Aposto que Greg está procurando por mim.

Eu me viro antes que ele possa responder, imediatamente sentindo que consegui me libertar de uma singularidade espaço-tempo.

Ufa.

A sala de estar fica a alguns corredores e curvas de distância, é grande, mas está lotada, bonita apesar da superabundância de pinturas navais e do mobiliário pesado de couro. Passo alguns minutos assegurando à tia de Greg que vamos consultá-la antes de escolher o bufê do casamento; fingindo não notar tio Paul passando a língua nos lábios enquanto olha para mim; conversando amigavelmente com uma série de primos sobre o tempo, o trânsito e as tomadas ruins de *Crepúsculo*. A aniversariante abre os presentes junto à lareira, dizendo a uma das noras: "Cupom para um banho de lama? Maravilha. Vai ser um treinamento para quando descerem meu caixão ao túmulo e vocês começarem a brigar pelo meu dinheiro."

Isso é a cara de Millicent Smith: na primeira vez que nos vimos, ela colocou as mãos nos meus ombros e disse: "Ter filhos foi o pior erro da minha vida." Seu filho mais velho estava parado ao lado dela. Ainda não me decidi se ela é uma megera de fato ou apenas involuntariamente cruel. Enfim, ela é minha Smith favorita.

Afasto-me, sorrindo, e vou parar junto ao tabuleiro de *Go* com uma partida largada pela metade, no canto da sala. Está assim desde a minha primeira visita, os quadrados de madeira e as pedras de porcelana um tanto incongruentes com a decoração litorânea. Greg está conversando com o pai e me pergunto se vamos embora logo. Tenho 33 redações sobre vibrações, ondas e ótica para corrigir, o que certamente me fará sonhar com uma morte violenta. Um teste de múltipla escolha sobre fundamentos da ciência dos materiais para elaborar. E, claro, a apresentação da minha pesquisa para preparar. Eu quero – não, eu *preciso* – mandar muito bem. Não tenho espaço para errar, pois essa é a minha chance de sair desta vida em que passo as noites em namoros de mentira e meus dias trocando e-mails com sexxxy.chad.420@hotmail.com discutindo se a alergia a glúten de sua chinchila é motivo para dispensá-lo da prova de Introdução à Física. Vou ter que ensaiar a apresentação no mínimo onze vezes – ou seja, o número de dimensões de acordo com a Teoria-M, minha versão favorita da teoria das supercordas e...

– Sabe jogar?

Levo um susto. *De novo.* Jack está parado do outro lado do tabuleiro, os olhos escuros me analisando. Todos os seus parentes estão aqui, por que ele está perdendo seu precioso tempo importunando a namorada de mentira do irmão quando poderia estar com a família?

– Elsie? – Meu nome, de novo. Dito como se o universo tivesse feito aquela palavra só para ele. – Eu perguntei se você sabe jogar. – Ele parece estar se divertindo. Odeio ele.

– Ah. Hmm, um pouco. – Eufemismo. *Go* é um jogo perturbador e penosamente complexo, portanto a atividade extracurricular escolhida por muitos físicos. – E você?

Jack não responde. Em vez disso, acrescenta algumas pedras brancas ao tabuleiro.

– Ah, não. – Balanço a cabeça. – É o jogo de outra pessoa. A gente não pode...

– Você fica com as pretas, pode ser?

Na verdade, não. Mas engulo em seco e, hesitante, pego as pedras e as coloco no lugar. Meu orgulho joga um belo cabo de guerra contra meus instintos de sobrevivência: não vou esconder minhas habilidades no *Go* e deixar Jack vencer, mas, até onde sei, perder pode transformá-lo em um bisão cuspidor de fogo que vai incinerar as paredes. Não quero morrer no desabamento de uma casa ao lado de Jack Smith e seu tio obcecado por sexo a três.

– Como o Greg tá? – pergunta ele.

– Tá ali, com o seu primo – respondo distraidamente, observando-o colocar mais pedras sobre o tabuleiro.

Suas mãos são absurdamente grandes. Mas também graciosas, o que não faz sentido. Outra coisa que também não faz sentido? Há duas cadeiras, mas não estamos sentados.

– Mas *como* ele está?

De acordo com a minha humilde experiência, irmãos, na melhor das hipóteses, se toleram e, na pior, cospem chiclete no cabelo um do outro. (Os meus irmãos. No *meu* cabelo.) Jack e Greg, porém, são próximos, por razões inimagináveis, visto que Greg é um adorável desastre humano cheio de energia caótica, enquanto Jack... Não sei exatamente qual é o lance dele. Tem um quê de bad boy, uma pitada de mistério, uma dose de suavidade. Além de certa voracidade, um ar rústico, bruto. E o mais importante: ele parece *descolado*. Descolado demais até para *ser* descolado. Como se no ensino médio ele tivesse trocado a festa de formatura por uma exposição de arte no Guggenheim e, mesmo assim, ainda conseguisse ser eleito rei do baile.

Jack parece distante. Desinteressado. Confiante por natureza. Carismático de uma maneira intrigantemente opaca e inacessível.

Mas ele gosta de Greg. E Greg, dele. Eu o ouvi dizer, com meus próprios ouvidos, que Jack é seu “melhor amigo”, alguém em quem “pode confiar”.

Mas, como sou uma namorada de mentira muito solidária, escutei tudo sem apontar o fato de que no fundo ele *não confia* em seu *melhor amigo* Jack, caso contrário seria sincero com ele sobre o namoro falso.

– Greg tá bem. Por que a pergunta?

– Quando a gente conversou outro dia, ele parecia estressado com o Woodacre.

Com... o quê? Isso é algo que a namorada de Greg deveria saber?

– Ah, sim – disfarço. – Um pouco.

– Um pouco?

Eu me ocupo com as pedras. Não estou ganhando com a facilidade que esperava.

– Tá melhorando. – Tudo melhora com o tempo, certo?

– Tá?

– Muito. – Assinto com entusiasmo.

Ele meneia a cabeça também. Com menos entusiasmo.

– Sério?

Jack até que não é *ruim* em *Go*. Como assim ainda não acabei com ele?

– Sério.

– Pensei que o Woodacre fosse daqui a alguns dias. Achei que o Greg estivesse chateado.

Fico tensa. Talvez eu devesse ter perguntado a Greg sobre os tópicos de conversa.

– Ah, é verdade. Agora que você mencionou...

– Me ajuda com uma coisa, Elsie. – Ele dá um pequeno passo para mais perto do tabuleiro, assomando sobre mim como uma torre imponente. Mas eu não me dobro. Eu *me recuso* a me dobrar. – O que é mesmo o Woodacre?

Merda.

– É... – Tento manter uma expressão descontraída. – Woodacre, ué.

Jack me lança um olhar de *não mete essa.*

– Isso não diz nada, né?

– É... – Dou um pigarro. – É uma coisa em que o Greg tá trabalhando. – O quanto eu sei sobre o trabalho de Greg? Que ele é um cientista de dados. – Não sei os detalhes. É alguma coisa complicada envolvendo ciência.

Sorrio alegremente, como se não passasse a vida construindo modelos matemáticos complexos para descobrir as origens do universo. Meu coração aperta.

– Alguma coisa complicada envolvendo ciência. – O olhar de Jack parece descascar minha pele como se eu fosse uma banana meio podre.

– É. Pessoas como eu e você não íamos entender.

Ele franze a testa.

– Pessoas como eu e você.

– É, tipo... – Mantenho os olhos nos dele e pouso outra pedra no tabuleiro. – Números são *bem* complicados...

Fecho a boca de repente. Acho que nos movemos para o mesmo quadrado. Meus dedos roçam os de Jack e algo elétrico e não identificável percorre meu braço. Fico esperando que ele se afaste, mas ele não o faz. Mesmo sendo a *minha* vez. Não era *minha* vez? Eu tenho certeza de que...

– Ora, ora, acho que temos um empate.

Recuo a mão. Millicent está ao meu lado, olhando para o tabuleiro. Sigo seu olhar e quase engasgo, porque... ela tem razão.

Eu *não dei* uma surra no maldito Jack Smith.

– Faz muito tempo desde a última vez que Jack perdeu uma partida – diz Millicent com um sorriso satisfeito.

Faz muito tempo desde a última vez que eu *perdi uma partida.* Como assim? Ergo o olhar para Jack – ainda me encarando, ainda franzindo a testa, ainda me julgando silenciosamente. Meu cérebro fica vazio. Entro em pânico e deixo escapar a primeira coisa que vem à mente.

– Existem mais posições válidas no *Go* do que átomos no universo conhecido.

Ouço alguém bufar.

– Tem uma pessoa que me fala isso desde que ainda usava fraldas. – Millicent olha astutamente para Jack, que está imóvel. *E ainda. Está. Me. Encarando.* – Você e Elsie formam um ótimo casal. Embora, Jack, meu querido, ela devesse assinar um acordo pré-nupcial.

Não entendo imediatamente sobre o que ela está falando. Então entendo, e fico completamente vermelha.

– Ah, não. Sra. Smith, eu... eu sou namorada do Greg. Seu *outro* neto.

– Tem certeza?

O quê?

– Eu... tenho. Claro.

– Não parece. – Ela dá de ombros. – Mas quem sou eu para julgar não é mesmo? Sou uma velha doida de 90 anos que fica chafurdando na lama.

Observo enquanto ela se arrasta em direção à mesa de canapés. Em seguida, me viro para Jack, dando uma risada nervosa.

– Uau. Isso foi...

Ele *ainda* está olhando fixamente. Para mim. Seriamente. Atentamente. Heterocromia setorialmente. Como se eu fosse interessante, muito interessante, muito, *muito* interessante. Abro a boca para perguntar o que está acontecendo. Para exigir uma revanche até a morte. Para implorar que ele pare de contar os poros do meu nariz. E é quando...

– Ei, vocês dois, sorriam!

Viro a cabeça e o flash da Polaroid de Izzy me cega instantaneamente.

– O aniversário de casamento dos meus pais, no mês que vem, deve ser a última vez que vou precisar te levar junto. – Greg liga a seta para a direita e entra no estacionamento do meu prédio. – Depois, vou dizer pra mamãe que você terminou comigo. Que eu implorei pra gente continuar. Fiz uma serenata. Comprei um caminhão de bichos de pelúcia. Tudo em vão.

Eu faço que sim, solidária.

– Você está de coração partido. Inconsolável demais pra namorar outra pessoa.

– Talvez precise encontrar consolo em uma playlist do Spotify.

– Ou fazer mechas no cabelo.

Ele faz uma careta. Dou risada e, uma vez que o carro para, eu me apoio na porta do passageiro para analisar seu belo perfil sob as luzes amarelas.

– Fala pra ela que eu te traí com o entregador de comida. Isso vai te dar o direito de sofrer por mais tempo.

– Genial.

Ficamos em silêncio enquanto penso na situação de Greg. A razão para ele ainda precisar de uma namorada de mentira. Tudo que ele se sentiu à vontade para *me* contar, uma desconhecida, em vez de contar à própria família. Como somos parecidos.

– Depois que isso tudo acabar, se você precisar... se você *quiser* conversar com alguém. Uma amiga. Eu adoraria...

Seu sorriso é genuíno.

– Obrigado, Elsie.

Saio do carro, o gelo estalando sob o salto da minha bota, e logo me viro.

– Ah, Greg?

– Oi?

– O que é Woodacre?

Ele dá um resmungo e recosta a cabeça no banco.

– É um retiro de meditação silenciosa que nosso chefe tá forçando a gente a fazer. Vamos partir amanhã... Quatro dias sem contato com o mundo exterior. Sem e-mail, sem Twitter. Ele roubou a ideia de uma newsletter da Goop.

Ah.

– Então não tem nada a ver com... coisas complicadas envolvendo ciência?

Ele me lança um olhar desesperado.

– Pelo contrário. Por quê?

– Ah... – Fecho os olhos. Deixo a vergonha cravar as presas em meu cérebro. – Por nada. Boa noite, Greg.

Fecho a porta do passageiro, aceno sem entusiasmo e deixo o ar gelado entrar em meus pulmões. A Estrela Polar pisca para mim do céu, e eu me lembro da entrevista de emprego de amanhã.

Não importa se esta noite fiz papel de boba com o irmão irritante de Greg. Com um pouco de sorte, talvez eu nunca mais veja Jack Smith.

2

FISSÃO NUCLEAR

De: sexxxy.chad.420@hotmail.com
Assunto: Re: Re: Re: Minha chinchila

Oi, Dra. H.,

Eu entendo que você não se importa com a alergia a glúten do Chewie McChewerton, mas e com o fato de ontem à noite eu ter sido pego dirigindo bêbado? Isso me livra do primeiro teste de Introdução à Física?

Chad

. . . .

De: McCormackE@umass.edu
Assunto: não posso ir na aula

em anexo foto do meu vômito de hoje de manhã

Emmett

. . . .

De: Dupont.Camilla@bu.edu
Assunto: Redação com reflexões sobre o Mercador de Veneza

Dr. Hannaday,

Queria saber se você poderia me dar um feedback rápido em relação ao que escrevi sobre a imagética do caixão de chumbo. O arquivo de Word está anexado.

Atenciosamente,
Cam

. . . .

De: michellehannaway5@gmail.com
Assunto: ELSIE ENTRE EM CONTATO COMIGO O MAIS RÁPIDO POSSÍVEL SEUS IRMÃOS ESTÃO SENDO COMPLETAMENTE IRRACIONAIS DE NOVO E PRECISO DE AJUDA TENTEI LIGAR ONTEM À NOITE MAS NINGUÉM ATENDEU

[não há mensagem no corpo do e-mail]

. . . .

De: Monica.Salt@mit.edu
Assunto: Entrevista do MIT – Vaga para o corpo docente

Prezada Dra. Hannaway,

Gostaria de reforçar o quanto estou entusiasmada por você ser entrevistada para um cargo de professora titular aqui no Departamento de Física do MIT. Estamos extremamente impressionados com seu currículo e reduzimos nossas opções a você e outro candidato.

O comitê de seleção e eu estamos ansiosos para conhecê-la informalmente esta noite, durante o jantar no Miel, antes de sua entrevista de amanhã no campus.

Se estiver tudo bem por você, gostaria que nós duas nos encontrássemos a sós alguns minutos antes do jantar no Miel para conversar um pouco. Há algumas coisas que eu gostaria de lhe explicar.

Abraços,
Monica Salt, Ph.D.
Professora de Física no A. M. Wentworth
Chefe do Departamento de Física
MIT

Meu coração dispara de emoção.

Apoio meu chá na mesa da cozinha e clico em Responder, para garantir a Monica Salt que sim, claro, *com certeza* vou encontrá-la quando e onde ela quiser, mesmo que seja nas planícies de Mordor às duas e quinze da manhã, porque ela detém a chave para o meu futuro. Mas, no segundo em que minha mão se fecha em torno do mouse, uma dor excruciante apunhala minha palma e sobe pelo meu braço.

Dou um grito e pulo da cadeira.

– Mas que porr…?

– Cadê eles? *Cadê eles?* – Minha colega de quarto entra cambaleando na cozinha, vestindo um pijama de macacão e uma máscara de dormir com a cara do Noam Chomsky levantada até a testa. Para completar, está sacudindo um taco de beisebol de plástico feito uma louca. – Vão embora agora ou eu vou ligar pra polícia! Isso é invasão de propriedade!

– Ceci…

– Uma contravenção *e* um crime! Vocês vão ser presos por agressão! A minha prima vai tirar a carteira da ordem este ano e vai processar vocês em *milhões* de dólares…

– Ceci, não tem ninguém aqui.

– Ah. – Ela gira o taco mais algumas vezes, piscando feito uma coruja. – Por que a gente tá gritando, então?

– *Talvez* porque seu porco-espinho tenha decidido se passar pelo meu mouse.

– Ouriço. Você sabe que ela é um ouriço.

– Sei?

Ela boceja, jogando o taco de volta na direção do seu quarto, mas erra o alvo e ele quica pelo piso de linóleo lascado.

– É menor. Mais bonita. Mais espinhuda. Além disso, Ouriçabeth Bennet? Isso não é nome de porco-espinho.

– Tá certo. Desculpa. – Coloco a mão sobre o peito. – A dor lancinante me deixou um pouco nervosa.

– Tudo bem. A Ouriça é muito gentil, ela perdoa você. – Ceci a pega. – Não perdoa? Você perdoa a Elsie por confundir você com um porco--espinho, bebê?

Olho feio para Ouriça, que me encara com seus olhos redondos e triunfantes. Aquela almofada de alfinetes de alma maligna. *Vou fritar você com cebolinha*, falo para ela sem emitir som.

Os espinhos dela inflam um pouco, juro por Deus.

– Onde você estava ontem à noite? – pergunta Ceci, felizmente alheia a nossa guerra interespécies. Eu me pergunto o que o fato de a melhor amiga da minha melhor amiga ser um ouriço diz a meu respeito. – Faux? Aquele tal de Greg?

– Isso.

– Como foi?

– Bom. – De repente, lembro-me de *não* ter esmagado Jack Smith feito um ovo. – É, foi tudo bem. E você?

Ceci e eu começamos a trabalhar como namoradas de mentira durante a era das trevas financeira e emocional de nossas vidas: a pós-graduação. Eu estava reduzida a dois pares de meias descombinadas, vivendo de teoremas de cosmologia computacional e macarrão instantâneo. Olhando agora para trás, percebo que estava perigosamente perto de desenvolver escorbuto. Então, em uma noite escura e tempestuosa, enquanto pensava em vender uma válvula cardíaca, meu ex-amigo J.J. me mandou uma mensagem com um link para a página de recrutamento do Faux. A legenda era um emoji dando risada, aquele com lágrimas saindo dos olhos, e um mero "Dá uma olhada! É tipo aquilo que a gente fazia na faculdade".

Fiz uma careta, como sempre acontece quando me lembro da existência de J.J., e nunca respondi. Mas notei que o valor pago por hora era alto. E entre ser professora adjunta de Cálculo Multivariável, formar opinião sobre gravidade quântica em loop e tentar não socar meus colegas do sexo masculino por presumirem constantemente que *eu* deveria preparar o café *deles*, me vi criando um perfil. Depois veio a entrevista. Em seguida, um *match* com meu primeiro cliente, um idiota de 20 anos que me lançou um olhar suplicante e perguntou:

– *Você consegue fingir ter a minha idade? E ser canadense? Nós nos conhecemos no oitavo ano em um acampamento de verão e seu nome é Klarissa, com K. Além disso, se alguém perguntar, eu* não *sou virgem.*

– *Tem chance de alguém perguntar?*

Ele refletiu por alguns segundos.

– *Se ninguém perguntar, será que você poderia mencionar isso casualmente?*

Acabou não sendo *tão* ruim assim, então perguntei a Ceci se ela também tinha interesse em experimentar. Juro que não a odeio secretamente. Foi só a única coisa em que consegui pensar ao perceber que nós duas tínhamos feito a escolha de carreira mais estúpida possível (ou seja, a academia). Somos superqualificadas e mal temos dinheiro para sobreviver – como evidenciado por nosso apartamento de merda, cheio de fios expostos e aranhas assustadoras que parecem um cruzamento de vespas-mandarinas e caranguejos-eremitas. Se tivéssemos um grupo de amigos tipo aqueles de séries de TV, daríamos uma festa para remover o amianto. Infelizmente, somos apenas nós. E o escorbuto que por pouco conseguimos evitar.

– Então… – começa ela, roubando minha caneca de chá e se sentando na bancada. Eu deixo: não preciso de cafeína após a agonia de mil agulhas me perfurando. – Eles me passaram um cara…

– Qual o problema dele?

Significado: *Que trauma profundo e devastador tirou esse pobre coitado do pântano primordial e o fez desembolsar pilhas de dinheiro para fingir que não está sozinho?*

– Ele é um dos seus.

– Dos meus?

– Das exatas.

Ceci é linguista, está terminando o doutorado em Harvard. Nós nos conhecemos quando seu ex-colega de quarto se mudou: aparentemente, Ouriça havia comido uma das cuecas boxer dele. E também porque, aparentemente, tocar "Immigrant Song" enquanto prepara ovos pochê nas manhãs de sábado não é algo que pessoas normais toleram. Ceci estava desesperada para encontrar alguém que a ajudasse com o aluguel. Parecia que eu tinha acabado de ser esfolada viva, estava louca para não morar mais com J.J. Duas almas desesperadas que se encontraram em tempos de desespero e se uniram desesperadamente – além disso, eu conseguia arcar com setecentos dólares por mês, não era apegada às minhas roupas de baixo e tinha fones de ouvido com cancelamento de ruído.

Para ser sincera, eu dei sorte. Rixas entre colegas de quarto são um saco, considerando as mensagens passivo-agressivas e o envenenamento agressivo-agressivo por produto de limpeza. Eu estava pronta para me desdobrar, me contorcer e esculpir minha personalidade de um milhão de maneiras diferentes a fim de me dar bem com Ceci. Acontece que a Elsie que Ceci deseja é convenientemente próxima da Elsie que eu sou: alguém que se entope de queijo junto com ela enquanto falamos mal da academia; que, como ela, *opta* pelo Tylenol infantil porque tem gosto de uva. Tenho que fingir gostar de cinema experimental, mas ainda assim é uma amizade surpreendentemente tranquila.

– Que parte das exatas? – pergunto.

– Não é tudo a mesma coisa? – O comentário dela me faz sorrir. Ceci continua: – Ele é químico. Ou engenheiro? Ele é... bonito. Engraçado. Fez uma piada sobre compostagem. Minha primeira piada envolvendo compostagem. A primeira vez é sempre especial. – Seu tom é vagamente sonhador. – Ele só... parece alguém com quem você *gostaria* de namorar, sabe?

– Que *eu* gostaria de namorar?

– Bom – diz ela, acenando com a mão –, não *você*, você. Você prefere entrar no mar cheia de pedras nos bolsos a namorar alguém, mas isso porque você tem um conceito equivocado da sua parte de que relacionamentos românticos só funcionam se você se esconder e se moldar de acordo com o que acha que *os outros* querem que você seja...

– Não é equivocado.

– ... mas outras pessoas *não* dispensariam o Kirk.

– Kirk, é?

A princípio, temi que Ceci fracassasse miseravelmente como namorada de mentira. Para começar, ela é bonita demais. Com olhos bem separados, queixo pontudo e lábios bem delineados, sua beleza pode ser pouco convencional, mas ela parece o inseto mais sexy e deslumbrante do universo. Em segundo lugar: ela é o oposto de uma lousa em branco. Uma força da natureza que faz xixi com a porta aberta e come biscoitinhos de açúcar como se fosse cereal, cheia de anedotas infames sobre a vida sexual de linguistas mortos que ela conta com uma charmosa língua presa. Eu quase não deixo transparecer minha personalidade, mas Ceci *bombardeia* as pessoas com a dela.

E isso acabou mesmo sendo um problema: os clientes gostam demais dela.

– O que você fala quando eles te chamam pra sair de verdade? – perguntou ela uma noite. Estávamos dividindo um pedaço de queijo enquanto assistíamos a um filme mudo russo em oito partes.

– Sei lá. – Fiquei me perguntando se o cara que me ofereceu setenta dólares para transar com ele em seu carro parado ali perto se enquadrava nisso. Provavelmente não. – Isso nunca me aconteceu.

– Peraí... Jura?

– Nunca. – Dei de ombros. – Ninguém nunca me chama pra sair, na verdade.

– Impossível.

Deixei o queijo derreter na boca. Na tela, alguém estava chorando há 25 minutos.

– Acho que as pessoas não me enxergam como alguém pra namorar.

– Elas ficam intimidadas. Porque você é um gênio. E bonita. Simpática. A Ouriça te ama, e ela é a melhor juíza de caráter que existe. Além disso, você sabe *muito* sobre a Galáxia do Girino.

Verificação de fatos: nada disso é verdade, exceto a última parte. Infelizmente, listar fatos aleatórios sobre aglomerados de estrelas a quatrocentos milhões de anos-luz de distância não faz de uma pessoa um bom interesse romântico.

– Kirk perguntou se podia me contratar de novo – diz Ceci. – Semana que vem. Eu disse que sim.

– O Faux tem uma política de encontros únicos – falo, tentando soar casual.

– Eu sei. Mas você também quebrou as regras pelo Greg. – Ela dá de ombros, tentando parecer casual também. Muita casualidade em jogo. Hmm. – Claro, pode ser que eu cancele, já que na semana que vem você vai ter seu emprego chique no MIT, e talvez eu me aposente desse lance de namoro de mentira pra me tornar sua melhor amiga sustentada.

Eu me recosto na cadeira – quero tanto, *tanto* esse emprego que dou um gemido. Minha saída dessa história de namorada de mentira. Acima de tudo, minha saída do círculo mais chato e sem graça da academia: o de professores adjuntos.

Eu sei que pareço dramática. Sei que o título evoca imagens grandiosas. *Professor?* Tem prestígio, nutre mentes, usa jaquetas de tweed. *Adjunto?* Palavra bonita, começa com a primeira letra do alfabeto, lembra vagamente um espirro. Quando digo às pessoas que sou professora adjunta de física em várias universidades de Boston, elas pensam que me dei bem na vida. Que vivo como uma adulta. E eu deixo que pensem assim. Minha mãe, por exemplo: ela tem muito com o que se preocupar, entre meu irmão idiota e meu outro irmão idiota. É bom que ela acredite que a filha é um ser humano totalmente funcional com acesso a cuidados básicos de saúde.

Sabe o que não é bom para ela? Saber que dou nove disciplinas e me desloco entre três universidades, portanto cerca de quinhentos alunos me enviam fotos de estranhas erupções na virilha para justificar a ausência nas aulas. Que eu ganho tão pouco que é quase *nada*. Que não tenho contrato nem benefícios de longo prazo.

Entra uma triste sonata para violino.

Não é que eu não goste de ensinar. A verdade é que… Eu não gosto *nem um pouco* de ensinar. Nem um pouquinho, nada, nada *mesmo*. Estou constantemente afundando na areia movediça de e-mails dos alunos e tenho a cabeça ferrada demais para moldar mentes jovens e transformá-las em qualquer coisa que não seja aberrante. Meus sonhos de acadêmica da física sempre envolviam uma carreira integralmente dedicada à pesquisa, além de um quadro-negro e longas horas ponderando teorias sobre planos equatoriais de buracos de minhoca de Schwarzschild.

E, no entanto, aqui estou eu. Professora adjunta e namorada de mentira nas horas vagas. Carga de ensino: cem por cento. Carga de desespero: incalculável.

Mas pode ser que as coisas estejam mudando. Professores adjuntos são mão de obra barata, os peões da academia, já professores titulares... Ah, os titulares. Sinto um arrepio só de pensar nisso. Se os adjuntos flutuam como boias em mar aberto, os titulares são uma espécie de plataforma de petróleo cimentada no fundo do oceano. Se os adjuntos abrem shows do Nickelback, os titulares serão a atração principal do Coachella. Se adjuntos são fatias de queijo barato, os titulares são queijo artesanal, feito com amor a partir do leite de burras sérvias dos Bálcãs.

O que quero dizer é que já estou bancando a namorada de mentira descartável da academia há algum tempo e estou exausta. Já chega. Estou pronta para assumir um relacionamento de verdade, de preferência algo duradouro com o MIT – que, além de uma aliança, vai me oferecer um plano de aposentadoria.

A não ser que escolham o outro físico que estão entrevistando. Ah, meu Deus. E se eles o escolherem?

– Elsie? Você tá aí se perguntando se eles vão contratar o outro candidato?

– Para de ler a minha mente, por favor.

Ceci dá risada.

– Olha só, eles não vão fazer isso. Você é foda. Passou anos de pós-graduação pensando em multiversos e equações binomiais e... prótons? – Eu ergo a sobrancelha. – Tá, não tenho a menor ideia do que você faz. Mas você deixou de lado sua vida social... e muitas vezes a higiene pessoal também... pra se *elevar* sobre esse mar de homens brancos e medíocres que compõem a física teórica. E agora abre uma vaga de emprego este ano, *uma* vaga, e, entre centenas de candidatos, você tá na última fase...

– *Duas* vagas de emprego. Eu não consegui a entrevista pra Universidade Duke...

– Porque a Duke é um pântano nepotista e essas vagas estão sempre reservadas pra lhama da namorada do filho do primo do reitor, ou algo do tipo. – Ela pula da bancada e se senta na minha frente, estendendo a mão para segurar a minha. – Você vai conseguir esse emprego. Eu sei disso. Apenas seja você mesma durante a entrevista. – Ela morde o lábio. – A não ser que você possa ser o Stephen Hawking. Existe alguma maneira de você...

– Não.

– Então serve você mesma. – Ela sorri. – Pensa no futuro. No seu salário decente, que vai permitir que a gente contrate um carinha musculoso pra vir instalar a parte de *cima* do nosso móvel sobre a parte de *baixo* do móvel. – Ela aponta para o aparador no canto da sala. Ceci e eu paramos bem no meio da montagem. Três anos atrás. – E, é claro, vai me permitir manter o estilo de vida ao qual eu tô acostumada. Tô me referindo aos queijos.

Com Ceci, é fácil sorrir e me permitir acreditar.

– Pecorino romano ilimitado.

– E toda a insulina que seu pâncreas inútil quiser.

– Tijolos de concreto. Pra esmagar as aranhas-mandarinas-eremitas resistentes a inseticida.

– Uma pequena TV de plasma pro terrário da Ouriça.

– Tatuagens iguais de "odeio a vida acadêmica".

– Um banheiro dourado.

– Um *bidê* dourado.

Nós suspiramos. Damos risada. Então volto à realidade.

– Eu só quero ser paga pra contemplar modelos cosmológicos do universo observável, sabe?

– Eu sei. – O sorriso dela se suaviza. – O Dr. L. acha que você tem chance?

Laurendeau – ou Dr. L., como eu jamais ousaria chamá-lo pessoalmente – foi meu orientador no doutorado e é a pessoa a quem devo cada migalha do meu sucesso acadêmico. Ele continua tão envolvido na minha carreira quanto antes de eu me formar, e agradeço sempre por isso.

– Ele tá otimista.

– Olha aí! Quantos dias vai durar o processo seletivo?

– Três.

– Começa hoje?

– Sim. Um jantar informal hoje à noite. – Penso na chefe do departamento querendo encontrar comigo mais cedo. Isso é promissor? Esquisito?

Nada promissor? Não faço ideia. – Prova de aula amanhã. Uma conversa sobre minhas pesquisas e um coquetel no dia seguinte. Várias reuniões com membros do corpo docente nesse meio-tempo.

– Você tá preparada?

– "Preparada" significa meio maluca? Contemplando minha própria mortalidade? Sacrificando uma criatura viva aos deuses da academia? – Olho para Ouriça, que parece acuada.

– Você já stalkeou o comitê de seleção na internet?

– Ainda não recebi a lista com os nomes nem um itinerário detalhado. Tudo bem... Eu preciso responder a alguns e-mails. Comprar uma meia-calça. E ligar pra minha mãe.

– Não, não, não. – Ceci levanta a mão. – *Não* liga pra sua mãe. Ela só vai despejar todos os problemas dela em você. Você precisa se concentrar, não gastar seu tempo ouvindo ela reclamar que seus irmãos estão se matando pra ver quem fica com o último cachorro-quente.

– Com uma mulher. Eles estão se matando por causa de uma mulher. – Os Hannaways: conteúdo de primeira para o programa do Jerry Springer.

– Não importa. Me promete que, se a sua mãe ligar, você vai contar pra ela do processo seletivo. E dizer também que a sua infância foi medíocre, na melhor das hipóteses.

Reflito sobre o assunto.

– E se eu prometer evitá-la por alguns dias?

Ceci semicerra os olhos.

– Tá. Então você vai comprar uma meia-calça?

– Aham.

– Pode passar em algum lugar e comprar cereal pra mim?

Na verdade, não tenho tempo para isso. Mas o que não mata fortalece. Ou faz você se ressentir de sua incapacidade patológica de estabelecer limites, uma das duas coisas.

– Claro. Qual cereal voc...

– Não! – Ela dá um tapa na mesa. – Elsie, você tem que aprender a dizer *não*.

Eu massageio a têmpora.

– Quer parar de me testar, por favor?

– Eu só vou parar quando *você* parar de colocar as necessidades dos outros na frente das suas. – Ela pousa sua (*minha*) caneca vazia na bancada e pega Ouriça. – Preciso fazer xixi. Você ainda quer o meu vestido vermelho emprestado pra hoje à noite?

Eu franzo a testa.

– Eu nunca pedi seu vestido emprestado...

– E, já que você insiste, também vou fazer sua maquiagem.

– Eu não preciso que...

– Tá bem, você venceu... Vou fazer suas sobrancelhas também.

Ceci dá uma piscadela. Ouriça observa, empoleirada em seu ombro feito um papagaio. A porta do banheiro se fecha depois que elas entram.

O relógio na parede marca 18h45. Suspiro e me permito uma pequena indulgência: clico duas vezes no arquivo de Word no canto superior esquerdo da tela. Rolo até o fim do artigo pela metade e depois volto para o início. O título, "Uma teoria unificada do cristal líquido bidimensional", acena melancolicamente para mim. Por alguns segundos, deixo minha imaginação correr para um futuro próximo, no qual consigo reservar um tempo para finalizá-lo. Talvez até tentar publicá-lo.

Suspiro profundamente ao fechar o arquivo. Em seguida, passo os dedos pelas minhas sobrancelhas e volto aos e-mails.

Processos seletivos na academia são notoriamente otimizados para garantir o máximo de sofrimento do candidato. Portanto, não fico surpresa quando chego ao Miel e descubro que é um desses restaurantes com dezenas de talheres, porções tipo Lego e garçons usando frases como *Posso recomendar um Sauvignon Blanc de 1934*.

Faço um minuto de silêncio pelos queijos caros e deliciosos que vou pedir e não desfrutar, uma vez que estarei ocupada lutando pelo meu futuro: bleu d'Auvergne, brie, camembert (significativamente diferente do brie, apesar do que dizem os pagãos). Então entro no restaurante, as pernas bambas nos saltos feito as de um bezerro recém-nascido.

Não tinha meia-calça na loja, logo estou usando meias 7/8 – uma homenagem apropriada ao burlesco que é minha vida. Também tenho 56 por cento de certeza de que não deveria ter deixado Ceci me convencer a usar seu vestido vermelho-carmesim, seu batom vermelho-cardinal ou seu esmalte vermelho-lava.

– Você parece a Taylor Swift de 2013 – disse ela, satisfeita, terminando de fazer babyliss no meu cabelo.

– Eu estava mirando mais numa Alexandria Ocasio-Cortez de 2020.

– Pois é – disse ela com um suspiro. – Todas nós.

Pego meu celular. Sob as rachaduras na tela que inexplicavelmente apresentam o formato de uma vulva – o iXota, como Ceci o chama –, vejo um e-mail de última hora do meu orientador:

> Você vai impressionar todo mundo. Lembre-se: mais do que qualquer outro candidato, você tem *direito* a esta vaga.

A confiança dele é como a mão de alguém em meu ombro: reconfortantemente morna e desconfortavelmente pesada. Eu não deveria estar tão nervosa. Não porque o emprego esteja garantido – *nada* está garantido, exceto a morte, os empréstimos estudantis e o fato de que dentro da minha bolsa sempre tem uma bala Mentos de três anos de idade com uma crosta de fiapos. O que eu *tenho* é muita prática em mostrar às pessoas que sou quem elas querem que eu seja, e é disso que se trata a entrevista. Uma vez, interpretei de forma convincente uma bailarina apaixonada, ajoelhada no meio de um restaurante lotado para pedir em casamento um homem careca de meia-idade que cheirava a chulé – só para que ele pudesse negar o pedido na frente de seu arqui-inimigo do trabalho. Acho que sou capaz de convencer meia dúzia de professores do MIT de que sou uma boa física. Certo?

Não sei. Talvez. Acho que sim. Sim.

É só me concentrar no protocolo da namorada de mentira, que Ceci e eu chamamos de APE. (Bem, *eu* chamo de APE. Ceci apenas balança a cabeça e pergunta: "Qual é o problema dos cientistas? Vocês todos sofreram bullying no ensino médio?") Primeiro, *avalie* a necessidade: o que a pessoa à minha frente quer ver? Em seguida, *planeje* uma resposta: como posso me tornar o que eles querem? E por último, *encene*...

– Dra. Hannaway?

Eu me viro. Uma mulher de cabelos escuros me analisa enquanto ensaio mentalmente como agir feito um ser humano.

– Dra. Salt?

Seu aperto de mão é forte. Profissional.

– É um prazer conhecê-la pessoalmente.

– O prazer é meu.

– Vem, vamos para o bar.

Eu a acompanho, me sentindo um pouco tiete. A Dra. Monica Salt escreveu o manual de física teórica – literalmente. *The Salt* está na minha estante há mais de uma década. Novecentas páginas de um excelente conteúdo. Bônus: esmaga as aranhas-mandarinas-eremitas lindamente.

– Dra. Hannaway? – Ela soa assertiva. Carismática. Durona. Como eu gostaria de me sentir.

– Pode me chamar de Elsie.

– Monica, então. Estou feliz por você ter se candidatado para essa vaga. Quando vi o seu currículo, tive certeza de que alguma outra universidade já teria contratado você a esta altura.

Eu sorrio, evasiva. *Pois é, essa é a minha vida. Rebatendo ofertas de emprego com um bastão.*

– A sua tese sobre distorções estáticas em cristais líquidos na fase nemática biaxial é brilhante, Elsie.

Sinto que estou corando. Não ligo para sexo, mas talvez esse seja o meu fetiche: ser elogiada pelos principais estudiosos da minha área. Que tesão, hein?

– Gentileza sua.

– Mal acredito no quanto seu trabalho já afetou nossa compreensão de sistemas de não equilíbrio e movimento macroscópico coerente. Os cristais líquidos são um tema em voga na física teórica, e você se posicionou como um especialista.

Estou completamente lisonjeada. Bem, quase completamente: há algo em seu tom que me deixa nervosa. Algo estranho. Incômodo.

– As suas descobertas terão um impacto de longo alcance em muitos setores, de telas a exames de imagens, até entrega de medicamentos. Realmente impressionante.

Como se talvez houvesse um *mas*.

– Não consigo exaltar o suficiente o material científico que você produziu em um período tão curto.

Definitivamente há um *mas*.

– Você será um trunfo para qualquer instituição que escolher, e o MIT seria o lar perfeito para você. Quero ser sincera e admitir que, com base no que vi, *você* deveria ser a pessoa contratada.

... Mas?

– Mas...

Eu sabia. Eu sabia. Eu *sabia*, mas meu coração se aperta mesmo assim.

– Elsie, chamei você para esta conversa a sós porque acho que seria melhor se estivesse ciente das questões... políticas que estão em jogo atualmente.

– Questões políticas? – Eu não deveria estar surpresa. O meio acadêmico das áreas STEM é feito 98 por cento de política e um por cento de ciência (o restante, suspeito, são memes sobre "eu deveria estar escrevendo"). – Como assim?

– Pode ser que você receba várias propostas de emprego e quero ter certeza de que vai escolher a gente apesar de... de qualquer coisa que aconteça durante o seu processo seletivo.

Eu franzo a testa.

– Qualquer coisa que aconteça?

Ela suspira.

– Como você sabe, nos últimos anos houve certa... insatisfação entre físicos teóricos e experimentalistas.

Reprimo um risinho irônico. *Insatisfação* é uma palavra pomposa para dizer que, se o Expurgo fosse anunciado neste exato momento, três quartos dos experimentalistas do mundo tocariam a campainha dos teóricos com seus facões recém-amolados. Obviamente, seria tudo em vão: descobririam que os teóricos haviam partido muito tempo antes e que já estavam sacudindo suas cimitarras nos jardins dos experimentalistas.

Sim, neste meu cenário muito repassado, nós, teóricos, temos as armas mais legais.

Somos apenas de raças diferentes. Água e vinho. Anões e elfos. Cientistas descolados e cientistas menos descolados. Nós, teóricos, usamos matemática, construímos modelos, explicamos os porquês e comos da natureza. Somos *pensadores*. Experimentalistas... Bem, eles gostam de pagar pra ver. Construir coisas e sujar as mãos. Como engenheiros. Ou crianças de 3 anos em uma caixa de areia.

Os teóricos acham que são mais espertos (alerta de spoiler: somos mesmo) e os experimentalistas acham que são mais úteis (mais um alerta de spoiler: não são). Para alguns, isso gera... sim, insatisfação.

Monica, graças ao universo e às partículas subatômicas das quais ele é feito, é uma teórica. Trocamos um olhar longo, intenso e compreensivo.

– Estou ciente – respondo.

– Ótimo. E você deve ter ouvido falar que Jonathan Smith-Turner ingressou recentemente no MIT.

Meu corpo enrijece.

– Não.

– Mas *já ouviu* falar de Jonathan Smith-Turner. E do... artigo dele.

Não é uma pergunta. Monica é sábia e plenamente consciente de que não há dimensão, universo paralelo, plano de existência hipotético autocontido no qual um físico teórico não saiba quem ele é. Porque Jonathan Smith-Turner é um experimentalista – não, ele é *o* experimentalista. E vários anos atrás, quando eu estava no ensino médio e ele provavelmente já era um homem adulto – e que por isso deveria ter um pouco mais de noção –, ele fez algo horrível. Algo imperdoável. Algo abominável.

Ele fez os físicos teóricos parecerem burros.

Impulsionado pelo que só posso presumir ser amargura, excesso de tempo livre e celibato involuntário, ele decidiu provar ao mundo que... Na verdade, não sei o que ele queria provar. Mas ele escreveu um artigo científico sobre mecânica quântica que estava cheio de palavras difíceis e cálculos matemáticos suficientes para parecer ter sido escrito por um teórico.

Só que o artigo era completamente inventado. Uma baboseira. Uma paródia, pode-se dizer. E virou uma pegadinha quando ele o submeteu à *Anais da Física Teórica*, nossa publicação de maior prestígio, e esperou (esfregando as mãos maldosamente, é a única coisa que podemos supor).

E foi aí que as coisas deram errado. Porque, apesar de passar por uma revisão supostamente rigorosa de colegas da área, o artigo foi aceito. E publicado. E ficou no ar por várias semanas, ou pelo menos até que a merda fosse jogada no ventilador – por meio de uma postagem em um blog de alguém provavelmente associado a Smith-Turner, lá na época em que blogs eram populares.

"A física teórica é pseudociência?" era o título. A postagem, que detalhava como Smith-Turner havia conseguido publicar um monte de bobagens no veículo mais respeitado da física teórica, era ainda pior. "A física perdeu o rumo? É tudo invenção?" E, pessoalmente, meu trecho favorito: "Se a física teórica é balela, é justo recompensar os teóricos com o dinheiro de impostos federais?"

Não estou sendo nem um pouco dramática ao dizer que foi um absoluto caos. No Facebook. Nos noticiários, incluindo o *60 minutes*. Até mesmo a Oprah falou sobre o assunto – o Caso Jonathan Smith-Turner, a Farsa Teórica, o Escândalo da Física. Einstein se revirou no túmulo. Newton vomitou sua maçã. Feynman silenciosamente entrou em um tanque de hélio líquido. A jovem Elsie, que no início da adolescência já sabia o que queria ser quando crescesse, fervilhou de ódio, resmungou e boicotou integralmente a cobertura do assunto, proibindo todos os meios de comunicação na casa dos Hannaways. (A proibição não foi atendida, já que a família Hannaway tendia a esquecer a existência da jovem Elsie; seus pais provavelmente estavam ocupados demais tentando impedir os outros dois filhos de jogar ovos no quintal do vizinho.)

O interesse popular logo se desvaneceu. A *Anais da Física Teórica* retirou o artigo do ar e se desculpou pelo descuido, um bando de teóricos em suéteres idiotas e cabelos cheios de spray foram ao YouTube para defender a honra, e Jonathan Smith-Turner nunca falou em público sobre o assunto. Felizmente, a quantidade de energia mental que seres humanos convencionais gostam de gastar com física é limitada.

Mas a farsa foi um golpe humilhante e devastador, e o setor nunca se recuperou totalmente – tudo por causa de uma pegadinha estúpida. Mais de uma década depois, o financiamento da física teórica continua sendo cortado. As vagas de emprego foram dizimadas. A piada corrente ainda é que a física teórica é igual à escrita criativa, existem livros sobre como os teóricos são lunáticos aproveitadores e as principais previsões de preenchimento automático do Google para *física teórica* são "não é ciência de verdade", "é uma bobagem", "morreu".

(Calúnia. Isso que o Google faz é calúnia e deveríamos todos migrar para o Bing.)

A situação ainda consegue piorar – por dois motivos que tornam tudo isso pessoal para mim. Em primeiro lugar, uma das principais consequências do artigo foi que a comunidade da física teórica, sob a premência de salvar a própria pele, encontrou logo um bode expiatório: censuraram formalmente o editor-chefe da *Anais*, a versão acadêmica de atirar alguém aos leões e deixar a pessoa lá para morrer.

O editor era Christophe Laurendeau – meu orientador.

Pois é.

O segundo motivo é que, infelizmente, Smith-Turner e eu trabalhamos na mesma subárea da física. Nosso trabalho com cristais líquidos se sobrepõe parcialmente, e de vez em quando me pergunto se isso é motivo suficiente para redirecionar meus estudos para algum outro tópico. Buracos negros? Modelos de rede? Supremacia quântica? Eu ainda estou tentando decidir. Nesse ínterim, venho fazendo um boicote. Durante anos, eu me recusei a me importar com o que Jonathan Smith-Turner está fazendo – me recusei a ler seus artigos, a reconhecer sua existência, até mesmo a mencionar seu nome.

Olhando para trás, percebo que eu provavelmente deveria ter acompanhado o trabalho dele.

– Claro que Jonathan é um experimentalista talentoso e um trunfo para o departamento – diz Monica. – Ele se juntou à equipe no ano passado, saiu da Caltech com bolsas de pesquisa consideráveis para liderar o Instituto de Física do MIT. Temos sorte de tê-lo conosco. – Sua expressão deixa bem claro que ela não acredita nisso. – A vaga para a qual você está sendo entrevistada é híbrida: metade do seu salário será pago pelo meu departamento, metade pelo Instituto de Física. Que é chefiado por Jonathan. Que, por sua vez, favorece fortemente o outro candidato que estamos entrevistando. – Monica dá um suspiro. – Não posso dizer quem é o outro candidato, por motivos óbvios.

– Imagino que a outra pessoa concorrendo à vaga seja experimentalista.

– É. E já colaborou com Jonathan no passado.

Fecho os olhos e sinto aquela sensação de *Que merda*.

Esta entrevista é uma competição. Teóricos contra experimentalistas. Departamento de Física contra Instituto de Física. Monica contra Jonathan.

Comitê de Seleção: Guerra Civil.

– Se eu conseguir a vaga, Jonathan Smith-Turner será meu chefe?

Pode ser que haja um limite para as coisas de que estou disposta a abrir mão em nome de tempo garantido às minhas pesquisas, plano de saúde e ilimitado poder de compra de queijos.

Monica balança a cabeça energicamente.

– Não de maneira significativa.

– Entendi. – Uma sensação de alívio aquece minha barriga. Muito bem, então. – Obrigada por ser direta comigo. Vou ser igualmente direta: tem alguma coisa que eu possa fazer para ser a escolhida?

Ela me observa, séria por um momento. Então seu rosto se abre em um sorriso desafiador, e é aí – é *aí* que ela dá bandeira. É nesse momento que descubro quem é a pessoa que Monica quer que eu seja: uma campeã. Seu tributo nos Jogos Vorazes da física. Uma gladiadora para enfrentar Jonathan Smith-Turner, o Soberano das Ciências Exatas que ela tanto despreza.

Bom, posso fazer isso. Porque por acaso eu também desprezo esse mesmo cara.

– Você precisa saber do seguinte, Elsie: a maioria dos membros do corpo docente aos quais você será apresentada durante a entrevista, incluindo o Jonathan, já decidiu qual candidato vai recomendar que seja contratado, com base na preferência pessoal por um teórico ou um experimentalista. Eles já sabem se vão votar em você ou em George, e não há muito que a gente possa fazer pra que mudem de ideia.

Minha sobrancelha involuntariamente se arqueia. Acho que Monica não tinha intenção de deixar escapar o nome da pessoa em quem Jonathan Smith-Turner vai votar, mas não fico nem um pouco surpresa. É óbvio que ele ia querer contratar um homem.

– Mas tem uma meia dúzia de professores que vivem na fronteira entre o teórico e o experimental – continua ela. – Os doutores Ikagawa, Álvarez, Voight... Eles fazem parte da equipe de pesquisa do Volkov e o acompanham em tudo. Isso significa que Volkov será o voto decisivo. Meu conselho é: converse com ele no tempo livre que tiver durante o processo. Se possível, adapte suas apresentações de acordo com os interesses dele. E... não sei se Jonathan pode tentar dar alguma vantagem para o candidato dele e te deixar em alguma situação complicada, mas... tome cuidado com ele. Tome muito cuidado.

Eu faço que sim lentamente. Então assinto de novo, respirando bem fundo, desembaraçando meus pensamentos conturbados.

Sim, entrevistas acadêmicas são otimizadas a fim de garantir o sofrimento máximo do candidato, mas isso aqui é politicagem do nível de estratégia de guerra, e não me preparei para tanto. Sou uma garota simples. Com necessidades simples. Tudo que quero é passar meus dias resolvendo equações hidrodinâmicas para calcular o caos espaço-temporal em grande escala exibido por materiais secos ativos em fase nemática. E talvez, se possível, comprar a preços razoáveis quantidades de hormônios pancreáticos que garantam a minha vida.

Mas – mordo meu lábio inferior, pensando rapidamente – talvez eu *consiga*. Sou uma ótima física, uma profissional em dar aos outros o que desejam, e, assim que conseguir este emprego, serei apenas eu e minha ciência. E ser escolhida em detrimento do candidato de Smith-Turner? Seria como vingar o Dr. L. e a física teórica, ainda que só um pouco. Que pensamento adorável e comovente.

– Está bem – digo a Monica. Eu a conheci há dez minutos, mas estamos nos olhando como aliadas de uma vida inteira. O tipo de camaradagem apressada que surge quando as pessoas planejam um assassinato juntas. O de Jonathan Smith-Turner, é claro. – Posso fazer isso.

Ela parece satisfeita.

– Eu sei que não é nada ortodoxo. Mas você é a candidata ideal. A melhor para o departamento.

– Obrigada. – Sorrio, projetando uma autoconfiança que não sinto. – Não vou decepcionar.

Ela sorri de volta, ao mesmo tempo calorosa e severa.

– Muito bem. Vamos. O restante do comitê de seleção já deve ter chegado – diz, e eu a acompanho até a entrada, a cabeça girando com todas as novas informações, tentando não andar feito um tiranossauro. – Ah, lá estão eles.

As pessoas reunidas na área de espera são, me dói dizer, embaraçosamente fáceis de identificar como físicos. Não são as calças cargo nem os coletes-suéter ou a difundida síndrome do cabelo incontrolável. Não são as correntes para óculos, usadas sem qualquer ironia. Não é nem por serem todos homens, em conformidade com a hiperabundância de caras na minha área.

É o fato de estarem no meio de uma competição de trocadilhos envolvendo física.

– Qual é o melhor livro sobre gravidade quântica? – pergunta um senhor idoso usando óculos com lentes fotocromáticas. Ele parece uma versão benevolente do Pinguim do *Batman*. – O que não te coloca pra baixo! Pegaram?

A gargalhada que se segue parece genuína. Ai, a minha turma.

– Pessoal. – Monica dá um pigarro. – Esta é a Dra. Elsie Hannaway. Estou muito feliz por ela se juntar a nós essa noite.

Sorrio calorosamente, sentindo como se estivesse fazendo um teste para um reality show.

Ídolos da Academia. Dança dos Professores. Sou cumprimentada com apertos de mão hesitantes e desajeitados de pessoas que se sentem mais à vontade olhando para um quadro branco do que fazendo contato físico, mas não as julgo. Eu sou igual, só aprendi a disfarçar um pouco melhor.

Vários docentes me são familiares, tanto teóricos quanto experimentalistas; alguns apenas de nome, outros de conferências e palestras. O Pinguim na verdade é Sasha Volkov, e seu sorriso é mais aberto que o dos outros.

– Sou fã dos seus artigos sobre matéria escura – digo. Não é mentira: Volkov é um cara importante. Estou familiarizada o suficiente com seu trabalho para puxar um pouco seu saco. – Eu adoraria conversar sobre...

– Dra. Hannaway – interrompe ele, com seu sotaque sibilante e sua barriga protuberante –, eu tenho uma pergunta muito importante a fazer.

Ah, é?

– Claro.

– Você sabe qual é a fórmula para um velociraptor?

Eu franzo a testa. Qual é *o quê*? Ele está me *testando*? A fórmula para... Ah!

Entendi.

Dou um pigarro.

– Por acaso seria, hã... um *deslocamentoraptor* dividido por um *temporaptor*?

Ele me olha friamente por um segundo. Então dá uma gargalhada lenta, contente, que vem do fundo da barriga.

– Essa daqui, hein? – Ele aponta para mim, olhando para Monica. – Gostei dela. Ótimo senso de humor!

Claramente, a Elsie que Volkov quer conta piadas de tiozão da física. Vou ter que criar um repertório.

– Acho que todo mundo já chegou. Vamos indo pra mesa... Ah. – Monica para, olhando para algum ponto bem atrás do meu ombro. Sua expressão endurece. – Aí vêm o Jonathan e a Andrea. Antes tarde do que nunca.

Respiro fundo, me preparando para esse encontro. Eu posso ser simpática com Jonathan Smith-Turner. Posso ser educada com esse desperdício de espaço acadêmico. E posso fazê-lo chorar ao conseguir este emprego.

Retribuo o olhar de Monica por uma fração de segundo, uma promessa silenciosa, e então me viro, pronta para ser absolutamente agradável, pronta para apertar a mão do babaca sem dizer *Eca* ou *Eu te odeio* ou *Obrigada por estragar a física para todos nós, seu bosta.*

Então eu paro.

Porque a pessoa que acabou de entrar...

A pessoa parada na entrada do restaurante, com flocos de neve derretendo em seu cabelo claro...

A pessoa desabotoando o casaco North Face...

... é ninguém menos que Jack Smith.

3

REAÇÃO EM CADEIA

PISCO FEITO UMA TONTA – uma, duas, sete vezes.

Então pisco de novo, só para garantir.

O que Jack está fazendo aqui, limpando a neve de sua parca, encolhendo o hall de entrada à metade do tamanho com seus ombros grandes demais? É noite do cardápio cetogênico no Miel? Ele se perdeu a caminho de uma convenção de calistenia?

Estou me perguntando se devo ignorá-lo ou acenar brevemente para ele quando Monica diz:

– Você está atrasado.

Soa como uma bronca. E ela parece muito estar conversando com Jack, que verifica o relógio de pulso (um relógio de pulso, *em que ano estamos?*) e calmamente responde:

– Eu estava no laboratório. Devo ter perdido a noção do tempo.

– Eu tive que arrancar ele das pinças óticas – intromete-se a loira ao lado dele (Andrea?).

Monica quase revira os olhos. Os meus se desviam de um para outro – sinto-me desorientada. Jack conhece Monica? Eles são colegas da aula de spinning? Ele está atrasado para quê?

– Já que você finalmente nos agraciou com a sua presença, essa é a Dra. Elsie Hannaway, uma das candidatas ao cargo de docente. Elsie, essa é a Dra. Andrea Albritton, professora associada do departamento. E o Dr. Jonathan Smith-Turner, chefe do Instituto de Física do MIT.

Eu quase olho ao redor. Quase examino o restaurante em busca do obscuro Jonathan Smith-Turner. Mas não faço isso, porque Jack está me encarando com uma expressão que define exatamente como me sinto.

Confusa. Intrigada. Preocupada com a saúde mental de Monica.

– Você se enganou – diz ele a Monica com sua bela voz, balançando a cabeça, achando graça. – Elsie não é...

Ele se interrompe e seu comportamento muda: não acha mais graça. Algo se contrai em sua ridícula mandíbula de super-herói. O vinco entre seus olhos se aprofunda, formando um W que, suponho, significa "Mas que porra é essa?".

Jack Smith é sempre teimoso, peculiarmente ilegível, mas agora percebo que ele está *puto da vida*. Ele quer me xingar. Me matar. Se banquetear com o tenro tutano dos meus ossos.

Mas ele não faz nada disso. Seu rosto muda novamente, desta vez para uma educada expressão vazia enquanto ele estende a mão. Não tenho escolha a não ser cumprimentá-lo.

– Dra. Hannaway – diz ele, a voz grave e perturbadoramente familiar. Sua pele é fria do jeito típico de alguém sem luvas no inverno de Boston. Calejada. Assustadora. – Obrigada por seu interesse no MIT.

– Dr. Turner – digo, lutando contra o nó na minha garganta.

– Smith-Turner.

A correção é um soco no peito. Não pode ser. Jack Smith e Jonathan Smith-Turner *não podem* ser...

– Mas pode me chamar de Jack.

A mesma pessoa.

– A Dra. Hannaway atende por Elsie, *Jonathan* – diz Monica com um tom malicioso, que Jack ignora.

– Elsie – diz ele, como se estivesse dizendo meu nome pela primeira vez. Como se não o tivesse pronunciado ontem à noite, na única partida de *Go* que eu não venci em anos.

Merda.

Fico esperando – em vão – que um de nós admita publicamente que já nos conhecemos. Minha boca continua fechada. A dele também. Os olhos castanhos fixam-se nos meus e sinto-me presa feito uma libélula exótica espetada por um alfinete.

Isto está errado. Jack Smith é professor de educação física. Greg me disse isso quando nos encontramos para planejar nossa história. Não foi?

– E eu tenho um irmão. Mais velho. Três anos – diz Greg, pousando sua xícara. – Não vou contar a ele que te contratei, mas ele é ótimo, ao contrário de... bem, dos meus outros parentes.

Eu faço que sim, digitando Irmão *no meu aplicativo de notas.* Próximos, *acrescento.*

– Posso saber o nome dele e alguma coisa a seu respeito?

– Alguma coisa sobre o Jack?

– Que eu possa comentar quando estiver com ele. Algo do tipo "Greg fala de você o tempo todo. Você é equoterapeuta, certo? E adora fazer esculturas de sabão! Que bom que você conheceu sua esposa enquanto escalava o Machu Picchu".

Greg balança a cabeça.

– Jack não é casado.

– Ele tem namorada?

– Não. Ele não sai com ninguém, na verdade.

Ergo a sobrancelha e Greg imediatamente balança a cabeça de novo.

– Não como eu. Ele... tem amigas, mulheres com quem... Mas ele deixa muito claro que não quer ter um relacionamento.

Eu assinto. Digito: Pegador? *Eca.*

– A sua mãe enche o saco dele para arrumar alguém, como faz com você?

– É complicado. – A expressão de Greg é quase culpada. – Mas não. A mamãe não liga muito para o que ele faz. Vamos ver, alguma coisa sobre o Jack... – Ele tamborila na mesa. – Ele parece um pouco durão à primeira vista, como se não se importasse com nada além de trabalho, mas... ele é legal. Gentil. Por exemplo, ele foi a única pessoa que foi à montagem do musical Jesus Cristo Superstar *quando eu estava no ensino médio. – Ele dá um suspiro. – Eu interpretei Pedro.*

– A única pessoa da sua família?

– A única pessoa na plateia. Bateu palmas à beça. *– Greg dá de ombros. – E ele é assustadoramente inteligente. Gosta de jogos de tabuleiro. Faz pouco tempo que voltou da Califórnia para Boston.*

– Ele trabalha com o quê?

– Ele é professor. De... – um ruído alto de uma mesa próxima nos faz estremecer – ... física.

Uma criança segue batendo com o punho na mesa, gritando com a mãe:

– Banana, não: biscoito!

– Querida, você tá dodói.

– Eu não tô dodói. Eu... – De repente, há uma poça de vômito na frente da camiseta da criança.

Greg e eu trocamos um olhar antes de ele prosseguir:

– Além disso, hã... ele pratica esportes com os amigos. Coisas assim.

Aceno novamente e escrevo: Professor de Educação Física. *Monopoly*? Rato de academia? Não é o alvo. Não é um problema.

Até agora.

De repente, Jonathan Jack Jesus Cristo Superstar Smith-Turner, que gosta de jogos de tabuleiro e ensina algo que inclui *física* e definitivamente *não é* educação física, se torna um grande problema.

Impossível. Loucura. Devo estar em algum programa de pegadinhas. A relatividade geral estava certa: viajei no tempo, estou de volta ao início dos anos 2000. Uma equipe de filmagem e o apresentador estão escondidos atrás daquele pretensioso vaso de samambaia no canto. A entrevista foi uma armação. Minha vida inteira é uma piada.

– Ei, Jack – chama Volkov atrás de mim, com seu agudo sotaque do Leste Europeu –, você sabe o que são as grandes potências?

– Grandes correntes ao quadrado vezes a resistência – murmura Jack, os olhos grudados em mim.

Sinto calafrios enquanto todo mundo ri. Como sempre, Jack é inacessível; não faço ideia do que se passa na mente dele. Como sempre, sinto que ele está me descascando feito uma banana, acessando todas as minhas partes moles, secretas e escondidas.

Será que Ceci vai me matar se eu vomitar no vestido dela?

– Encontro do MIT? – A *hostess* sorri. – Vou levar vocês até a mesa.

Eu me viro desajeitadamente, como se estivesse andando na água. Meu cérebro não para. Então Jack é físico – péssimo. Um experimentalista – péssimo. *O* experimentalista – péssimo. Ele quer contratar um tal de George – péssimo. Ele me conhece como bibliotecária, a namorada de seu irmão

– péssimo. Ele nunca gostou de mim – péssimo. Ele acha que eu inventei ter um doutorado – muito pior – e que estou enganando o MIT para ser contratada – o pior de tudo.

– Não deixa ele te intimidar – sussurra Monica em meu ouvido.

– O-o quê?

– O jeito como Jonathan estava olhando para você, como se você estivesse tentando passar com um frasco de xampu pelo raio-x do aeroporto... É exatamente o tipo de joguinho de poder que ele faz. Ignora.

Merda, e se ele me denunciar para Monica? Para Volkov? Ah, meu Deus, vou ter que explicar aos meus futuros colegas sobre o bico que eu faço? Sobre o Faux? Aposto que filé-mignon combina muito bem com anedotas sobre aquele cara que veio cobrar dívidas e ameaçou quebrar meus joelhos.

– Está bem. – Abro um sorriso fraco.

Estou chafurdada na merda, afundada pelo menos uns três metros. Não, cinco. Escavando depressa quando Monica percebe que me sento longe de Volkov e diz:

– Está passando uma corrente de ar horrorosa aqui. Alguém pode trocar de lugar comigo? Elsie, você se importaria?

Começa uma dança das cadeiras. Ela dá um jeito de que eu fique entre ela e Volkov. Fantástico. Sabe o que não é tão fantástico? Jack, bem na minha frente. Ele está curvado sobre a mesa, duas vezes mais largo que o experimentalista folheando o menu ao seu lado. Ele me encara como se eu fosse uma romã da qual ele está prestes a arrancar as sementes.

Tento pensar em pelo menos uma maneira menos auspiciosa de essa entrevista ter começado e não consigo encontrar nenhuma. Talvez se Godzilla entrasse no Miel e começasse a destruir a orquídea no centro de mesa.

Olho para a entrada. Será que Godzilla está prestes a...

– Onde você está atualmente, Elsie?

Viro a cabeça para Jack. Seus olhos estão fixos em mim, e apenas em mim, como se estivéssemos sozinhos no restaurante. Em Boston. No superaglomerado de galáxias de Virgem.

– Eu... não entendi a pergunta.

– Onde você trabalha. Se está trabalhando atualmente.

Minhas bochechas esquentam.

– Eu dou aulas na UMass Boston, na Emerson e na Boston University.

– Ah. – Com esse único som ele preenche planetas inteiros (nenhum dos quais eu gostaria de visitar). – Me relembra: a UMass está no topo da classificação de instituições de pesquisa?

Minhas narinas dilatam. Me lembro do que minha mãe sempre diz (*Você parece um leitão quando faz isso*) e faço um esforço consciente para relaxar.

– Está no nível 2.

Jack assente como se já soubesse a resposta e toma um gole despreocupado de água. Fico me perguntando o que aconteceria se eu o chutasse por debaixo da mesa.

– Você deveria se transferir para uma instituição de nível 1, Dra. Hannaway. – Volkov me lança um olhar de preocupação paternal. – Simplesmente não há comparação. Mais recursos. Mais fundos.

É mesmo?

– Sim, Dr. Volkov.

– E você já tem um cargo titular, Elsie? – pergunta Jack.

– Sou professora adjunta.

Definitivamente vou dar um chute nele. No saco. É a única utilidade do meu pé.

– Tenho tanta inveja de adjuntos – murmura Volkov distraidamente, folheando o cardápio. – Eles têm mobilidade. Flexibilidade. Mantêm o coração jovem.

Coloco um sorriso no rosto.

– Muita flexibilidade.

Parece grosseiro compartilhar com ele os artigos de opinião quinzenais que o *Atlantic* publica sobre como somos a subclasse da academia, então silenciosamente desejo a ele uma gigantesca pedra no rim.

– E onde você fez o doutorado? – pergunta Jack.

– Na Northeastern.

– Northeastern, é? – Ele assente, pensativo. – Excelente curso. Uma amiga trabalhava lá.

– Ah. No Departamento de Física?

– Não. Biblioteconomia.

Uma onda de calor me envolve. *Ele está falando de...*

– Jonathan, eu te mandei o currículo da Dra. Hannaway e várias publicações dela – diz Monica docemente. – Você não recebeu?

– Talvez tenham ido para o spam. – Ele não tira os olhos de mim. – Peço desculpa, Dra. Hannaway.

Ele cruza os braços e se inclina para trás, preparando-se para me analisar à vontade. Está usando uma camisa henley verde-escura neste restaurante chique. Desrespeitando o código de vestimenta *de novo*, como se seu estilo fosse "lenhador sexy do Instagram" e ele não pudesse correr o risco de ser visto usando roupas profissionais.

– Você tem irmãos?

Aonde ele quer chegar com isso?

– Dois.

– E irmãs?

– Não.

– Estranho. Você se parece muito com uma mulher que meu irmão namorava. Acho que o nome dela era... – Ele tamborila na mesa. – Não me lembro, que pena.

Meu rosto fica vermelho, e olho ao redor com cautela. A maioria das pessoas não presta atenção, ocupada demais decidindo o que pedir, já que é a faculdade que vai pagar. Enterro a cara no menu e respiro fundo. *Ignore Jack Smith. Jack Turner. Jack Smith-Turner.* Não *fure ele com o garfo da salada, não perca a cabeça.*

Na verdade, o que eu preciso é explicar a ele a situação. Que não sou uma vigarista. Tirá-lo da minha cola. Sim, eu preciso...

– Jack, como anda o experimento com nemáticos ferroelétricos? – pergunta alguém do outro lado da mesa.

– Muito bem. Tão bem que estou pensando em tirar uma licença. – Ele dá tapinhas no queixo teatralmente. – Alguns anos mochilando, talvez.

Volkov ri.

– Não teve sorte, é?

– Não. – Ele franze a testa. – Estamos fazendo alguma coisa errada. Mas não consigo descobrir o quê. Como é a Rússia nesta época do ano, Sasha?

Mais pessoas dão risada.

– Se você acha que deve ir embora, quem somos nós para impedi-lo? – murmura Monica.

Faço uma careta para a página de saladas: Jack não tem o direito de passar de um completo babaca para alguém charmoso que faz piada de si mesmo.

– As coisas vão melhorar, Jack. Você sabe que a física experimental é... uma *experiência* difícil. – Volkov ri da própria piada. – A física teórica também. Você às vezes não fica teoricamente triste, Dra. Hannaway?

Dê risada, eu me ordeno. *Seja encantadora. Seja sociável. Dê o seu melhor.*

– Com certeza.

– Boa – diz Jack. – Sasha, você já ouviu falar sobre a namorada de Schrödinger?

Volkov esfrega as mãos.

– Não, conta!

– É a minha favorita. A namorada de Schrödinger é ao mesmo tempo bibliotecária *e* física teórica...

Fecho o cardápio com força, vergonha e fúria pulsando dentro de mim. Estou tendo um derrame de tanta raiva? Meu nariz está sangrando?

– Com licença. – Eu me levanto, forçando-me a sorrir para Monica e Volkov. Preciso de ar. Preciso me recompor. Preciso de um segundo para pensar sobre essa confusão toda sem Jack me cutucando. – Eu, é... fiz carinho em um cachorro mais cedo. Vou lavar as mãos e já volto.

Volkov parece satisfeito com minha preocupação repentina com a higiene.

– Sim, sim, boa ideia. É melhor prevenir do que *espumar*.

Ele ri como se estivesse doido de óxido nitroso. Adoro um bom trocadilho, de verdade. Mas não quando minha única chance de liberdade financeira está sendo sabotada pelo irmão malvado do meu namorado de mentira.

Estou a vários metros de distância quando a voz de Jack faz meu estômago revirar:

– Sabe de uma coisa, fiz carinho em um *gato*. Acho que vou me juntar à Dra. Hannaway.

Os banheiros ficam do outro lado do restaurante, no final de um longo corredor mal iluminado, decorado com fícus e fotos monocromáticas de Paris. Saí da mesa primeiro e deveria estar em uma vantagem considerável, mas Jack me alcança em poucos passos, sem sequer parecer esbaforido.

Eu me preparo para ouvi-lo dizer algo maldoso e ofensivo. Será minha desculpa para fazê-lo tropeçar – quem precisa de sexo quando se pode assistir a Jack Smith cair de cara no chão? Mas ele fica em silêncio. Caminha ao meu lado, grosseiramente despreocupado, como se não tivesse nenhuma apreensão em mente. *O tipo de joguinho de poder que ele faz*, disse Monica mais cedo, e eu cerro os dentes, desejando ter algum poder para usar contra ele. Se eu conseguir este emprego, vou transformar a vida dele em um inferno: colocar seus equipamentos dentro de gelatina, cortar minhas unhas na mesa dele, lamber a borda do copo dele quando estiver resfriada, espalhar tachinhas no...

Fim do corredor. Ele abre a porta à esquerda – banheiro masculino – e eu sigo para a direita – banheiro feminino. Livre desse incômodo, finalmente. Só que cometi um erro crucial: me virei para um último olhar ressentido e Jack estava parado ali. Com uma expressão de expectativa.

Segurando a porta do banheiro aberta.

Solto o ar com força, dando uma risada baixa e confusa. Isso é um convite? Para o banheiro masculino? Para... para quê? Sentar nos mictórios e tomar chá com bolachas? Ele é *maluco*?

Não. *Eu* sou. Porque, por razões que justificam uma varredura cerebral e avaliações neuropsicológicas abrangentes, eu aceito. Mal olho em volta para ter certeza de que nenhum reitor do MIT está vindo pelo corredor e entro.

O banheiro está deserto, ninguém por perto para testemunhar essa sandice. O lugar fede, como se alguém tivesse mergulhado as bolas em um balde de desinfetante cítrico depois de voltar da academia. Há o som de uma torneira pingando, e meu reflexo no espelho de corpo inteiro é uma mentira: a mulher esbelta no vestido justo está nervosa demais, furiosa demais, *vermelha* demais para ser a meiga e adaptável Elsie Hannaway.

Eu me viro. Jack fica parado junto à porta, me analisando como sempre, avaliando, dissecando. Começo uma contagem regressiva mental. Cinco. Quatro. Quando chegar a *um*, vou explicar a situação. Em um tom calmo e digno. Dizer a ele que isso tudo é um mal-entendido. Três. Dois.

– Parabéns – diz ele.

Hein?

– Pelo doutorado.

– O-o quê?

– Um feito notável – prossegue ele, sério, calmo –, considerando que há menos de 24 horas você sequer estava fazendo um.

Solto o ar devagar.

– Olha só, não é o que você...

– Você vai largar o seu emprego na biblioteca ou está planejando uma carreira dupla? Eu ficaria preocupado com a sua agenda, mas ouvi dizer que a física teórica geralmente consiste apenas em olhar para o vazio e às vezes anotar um símbolo matemático...

– Eu... Não. Não é *isso* que a física teórica... – Fecho os olhos. Acalme-se. Seja razoável. Isso tudo pode ser corrigido com uma simples conversa. – Jack, eu não sou bibliotecária.

Seus olhos se arregalam fingindo surpresa.

– Jura?

– Eu sou física. Terminei o doutorado há mais ou menos um ano.

A expressão dele endurece. Ele se aproxima e me sinto como um gnomo de jardim.

– E presumo que o Greg não faça a menor ideia disso.

– Faz, sim. Eu... – Peraí. Não. Eu nunca contei ao Greg sobre ter um doutorado, porque era irrelevante. – Tá, tudo bem. Ele *não* sabe, mas é só porque...

– Você anda mentindo pra ele.

Fico surpresa.

– Mentindo?

– Você está fazendo um joguinho maldoso com o meu irmão, fingindo ser alguém que não é. Não sei exatamente por quê, mas se você acha que vou deixar que continue...

– O quê? Não. Não é isso... – Não acredito que a conclusão à qual ele chegou é que estou dando um golpe em Greg. *Até parece.* – Eu *gosto* do Greg.

– É por isso que você esconde as coisas dele?

– Eu não escondo nada!

– E quando você desmaiou nos meus braços e me implorou que eu não contasse pra ele?

Eu me retraio.

– Eu não desmaiei *nos seus braços*, apenas *perto* dos seus braços, e isso foi... Eu não queria incomodar ele com isso!

– E como você não sabia que ele estava prestes a viajar? – Jack é frio e intransigente e está furioso com a ideia de eu fazer mal a seu irmão. – Você não parece se importar com o trabalho dele. Com os problemas dele. Com a *vida* dele.

– Nem o resto da sua família!

– É verdade. – Ele franze a testa. – Mas irrelevante.

Quase passo a mão pelo rosto antes de me lembrar da frase de Ceci. *Se estragar sua maquiagem, vou enfiar você em um espeto feito um churrasquinho.* Meu Deus, eu vou ter que explicar a Jack o conceito de namoro de mentira. Ele não vai acreditar que isso realmente exista – homens com vozes graves e tatuagens e barbas por fazer perfeitamente desalinhadas simplesmente *não são* o alvo do Faux. Jack provavelmente tem legiões de mulheres enfileiradas querendo formar dupla com ele para uma mera aula de alongamento, imagina quantas não gostariam de ter um encontro *de verdade*. E quais são as chances de ele não usar meu trabalho paralelo contra mim durante a entrevista? Abaixo de zero Kelvin.

– Escuta, eu sei que *parece* que eu estou mentindo para o Greg, mas não estou. Eu posso explicar.

– Pode mesmo?

– Sim. Eu sou...

Meu cérebro gagueja, então congela no momento em que algo me ocorre. Se eu contar a Jack sobre o namoro de mentira, estarei não só me expondo, mas expondo Greg também.

Sim, Jack e Greg são próximos. Não, Greg não contou a Jack sobre o Faux, e não cabe a mim fazer isso. Eu poderia evitar dizer *por que* Greg decidiu me contratar, mas isso faria diferença? Jack saberia que Greg está escondendo alguma coisa. Que há algo para cutucar, investigar e...

– É só que... eu não sei como minha família encararia. – Greg esfrega os olhos com a palma da mão, como se precisasse de uma massagem profunda e quarenta horas de sono. – Eles podem agir como uns babacas ou ser ótimos ou podem tentar ser legais e, em vez disso, acabar sendo muito invasivos e... Eu prefiro não contar pra eles, por enquanto. Prefiro que não saibam que há algo pra contar.

Consigo ouvir a voz de Greg enquanto ergo o olhar. Os olhos escuros de Jack estão severos. Expectantes. Inflexíveis.

Eu preferia lamber os mictórios deste banheiro a contar para esse cara qualquer um dos meus segredos.

– Na verdade, eu *não posso* explicar, mas...

Duas vozes – risadas masculinas, passos arrastados do lado de fora do banheiro. Nós dois nos aproximamos da entrada.

– Tem alguém vindo – digo, desnecessariamente.

Merda. E se for alguém do nosso grupo? Lanço a Jack um olhar de pânico, imaginando que ele vai estar bem satisfeito. Em vez disso, seu rosto assume uma expressão urgente e calculista, e coisas *inesperadas* acontecem.

Sua mão enorme se levanta. Apoia-se na base das minhas costas. Me empurra até a cabine mais próxima. Ele quer me *esconder*?

– O que você...

– Entra aí – ordena ele.

– Não! Eu não posso só...

Acho que hesitei demais, porque as mãos de Jack se fecham ao redor da minha cintura. Ele me ergue sem esforço, como se eu pesasse menos que um bóson de Higgs, e me carrega para dentro da cabine, apoiando meus pés na borda do vaso sanitário. Meu cérebro congela – *nenhum pensamento, cabeça vazia* – e não faço a menor ideia do que está acontecendo. O que ele...

A porta da cabine se fecha.

A porta do banheiro se abre.

Dois homens entram, discutindo vantagens quânticas.

– ... dimensionar a correção de erro pelo número de qubits?

– Não dá. Sistemas escalonados se comportam de maneira errática. Como você leva isso em conta?

Merda. Merda, *merda...*

– Calma – murmura Jack ao meu ouvido, como se soubesse que estou a ponto de ter um aneurisma.

– Eles são do grupo do MIT – sussurro.

– Shh. – Suas patas gigantes me apertam, como se para me conter, a mim e a meu pânico. Envolvem toda a minha cintura. Nossa diferença de tamanho fica em algum lugar entre o absurdo e o obsceno. – Fica quieta.

Estou tonta.

– Por que eu tô em pé no vaso sanitário?

– Achei que você ia preferir que o Dr. Pereira e o Dr. Crowley continuassem conversando sobre acelerações superpolinomiais e não reparassem nos seus calcanhares por baixo da cabine. Me enganei?

Fecho os olhos, morrendo de vergonha. Esta não é a minha vida. Eu sou uma cientista sensata com opiniões perspicazes sobre spintrônica, não esta criatura acabada agarrada aos ombros de Jonathan Smith-Turner em cima de uma privada.

Ah, quem eu quero enganar? Minha vida é exatamente assim. Improvável. Constrangedora. Descabida.

– É só ficar quieta – repete Jack, tranquilizador.

Estamos muito próximos. Queria que seu hálito fedesse a alho e chucrute, mas é ligeiramente mentolado e agradavelmente quente. Queria que a pele dele tivesse um cheiro tosco, tipo mousse autobronzeador de manga, mas tudo que meu nariz capta é *gostoso, limpo, bom*. Queria que sua pegada fosse assustadora e digna de uma joelhada no saco, mas é exatamente o que eu preciso para evitar escorregar e cair dentro do vaso.

– Para de se mexer.

– Eu não...

Pereira e Crowley ainda estão falando de física – *não acredito em todo esse estardalhaço em torno das transformações quânticas Hadamard* –, acima do ruído de fluxo de água. Ah, meu Deus, eles estão mijando. Estou ouvindo um dos maiores estudiosos de neutrinos solares do mundo *mijando*. Jamais vou conseguir me recuperar dessa, vou?

– Elsie. – Os lábios de Jack roçam minha bochecha. – Se acalma. Eles vão embora assim que terminarem, e você vai poder voltar pra mesa. Rir dos trocadilhos de Volkov até ele votar em você. Contar mais algumas mentiras.

– Eu não tô *mentindo*. – Eu me afasto, nossos olhos estão na mesma altura. A parte azul em meio ao castanho-escuro é gélida, estranha, linda. – Eu não tenho como explicar, mas... *não* é o que você tá pensando. É... diferente.

– Diferente do quê?

– Do que você pensa que é.

Ele assente. Nossos narizes quase se tocam.

– Claro, agora tudo fez sentido.

Reviro os olhos.

– Monica vai adorar saber da sua identidade secreta de bibliotecária...

– Não! – Tenho dificuldades em manter a voz baixa. – *Por favor*, só liga para o Greg antes de falar com a Monica. Ele vai te explicar.

– Muito conveniente, já que não posso entrar em contato com ele enquanto ele estiver no retiro, e ele não vai voltar antes do fim da sua entrevista.

Merda. Eu tinha me esquecido do Woodacre.

– Deve ter algum jeito de falar com ele. E se você disser que é uma emergência? Que, sei lá, ele deixou a luz da varanda acesa? E que você precisa do código do alarme dele pra poder apagar. Salvar o meio ambiente.

– Não.

– Por favor. Pelo menos...

– Não.

– Você está sendo completamente *irracional*. Eu só estou pedindo que você...

– ... e o que você acha da garota? Hannaway, né? – pergunta uma das vozes no mictório.

Nós dois paramos para prestar atenção de imediato.

Um erro, obviamente.

– O currículo dela é muito bom. As teorias sobre cristais líquidos bidimensionais... coisa fina.

– Eu me lembro de ler um artigo dela no ano passado. Fiquei bastante impressionado. Não fazia ideia de que ela era tão jovem.

– Não é? Eu me pergunto o quanto daquele trabalho não veio do mentor dela. – Um leve "aham" de concordância faz minhas mãos apertarem os ombros de Jack. *Nada*, quero gritar. *O modelo era meu.* – Ela é jovem e bonita. Vai engravidar em alguns anos e nós vamos ter que dar as aulas no lugar dela.

É como um soco no peito, e quase escorrego de bunda para dentro do vaso sanitário. Jack me segura com uma mão entre minhas escápulas, contraindo o braço ao redor da minha cintura. Ele franze a testa como se estivesse tão enojado quanto eu. Embora não esteja. Ele não pode estar, porque Pereira, ou talvez Crowley, acrescenta:

– Não importa. Eu vou votar em quem Jack apoiar. Ele é influente e *odeia* teóricos.

– É mesmo? Ah, sim. Não acredito que me esqueci daquele artigo que ele escreveu.

– Foi brutal, cara. E hilário. Não quero estar na mira dele nunca.

Um secador de mãos dispara, abafando o resto das palavras. Jack ainda está me segurando, os olhos nos meus, nossas testas quase se tocando. Minhas unhas estão cravadas em seu peito, que parece uma mistura de granito com Kevlar, projetado por uma força-tarefa de experimentalistas a fim de exalar calor. Ele é um cobertor terapêutico em forma de gente, e eu…

Eu o odeio.

Nunca odiei ninguém, nem J.J. Nem o professor de Introdução ao Cinema que quase me reprovou depois de eu dizer que *Crepúsculo* é uma obra-prima subestimada. Nem mesmo meu irmão Lucas, que por mais de seis meses me fez acreditar que eu era adotada. Sou tranquila, adaptável, discreta. Me dou bem com as pessoas: ofereço a elas o que querem e tudo que peço em troca é que não desgostem de mim.

Mas Jack Smith… a porra do Jonathan Smith-Turner… tem sido hostil, desagradável e desconfiado desde o dia em que nos conhecemos. Ele cagou na minha área de pesquisa e acabou com o meu mentor e agora está entre mim e meus sonhos. Por isso, perdeu o privilégio que ofereço a todos os seres humanos: o de conviver com a Elsie que ele deseja.

A Elsie que ele vai ter é a que *eu* quiser dar a ele. E ela está puta da vida.

– Eu *quero muito* esse emprego, Jack – sibilo em meio ao ruído do secador de mãos. Na verdade, eu *preciso* desse emprego, mas... formas de falar.

– Eu sei que você quer, Elsie. – Sua voz é baixa e ressentida. – Mas eu quero que outra pessoa seja contratada.

– Eu sei, *Jack*.

– Então parece que estamos num impasse, *Elsie*.

Ele articula meu nome lentamente, com cuidado. Vou me inclinar para a frente e morder seus lábios idiotas até sangrar.

Não, não vou, porque estou acima disso.

Ou não estou?

– Você não quer bater de frente comigo – digo entredentes.

– Ah, Elsie… – Suas mãos são incongruentemente gentis e, ainda assim, estamos à beira do equivalente acadêmico a uma guerra nuclear. – Me parece que é exatamente isso que eu quero.

O secador desliga e o banheiro fica em silêncio, me salvando de cometer lesão corporal.

– Eles foram embora – digo. – *Me solta.*

Sua boca se contrai, mas ele me coloca no chão em um movimento quase cômico – no estilo *Dirty Dancing*. Suas mãos se demoram na minha cintura, mas, assim que me soltam, eu saio correndo da cabine, saltos estalando nos ladrilhos. Quase perco o equilíbrio. Com o cheiro de Jack longe do meu nariz, o fedor do lugar me atinge novamente.

– Fale com a Monica se quiser – blefo, virando-me para ele. – Vai ver que não vai adiantar de nada.

– Ah, eu vou falar.

Ele está claramente prestes a sorrir, dando a impressão de que quanto mais irritada eu fico, mais ele acha graça. Um círculo vicioso que só pode terminar comigo afundando a cabeça dele na privada.

– É a minha palavra contra a palavra de um cara que tem um histórico de uma década contra teóricos, afinal.

Ele dá de ombros.

– Talvez. Ou talvez seja a palavra de um físico contra a de uma bibliotecária.

Bufo e caminho até a porta, de repente confiante em meus sapatos de salto alto, determinada a não ficar na presença dele nem mais um segundo. Mas, quando chego à porta, algo dentro de mim desperta. Viro a cabeça para Jack, que está parado lá feito uma montanha, me analisando com uma expressão curiosa, como se eu fosse uma lagarta exótica prestes a se transformar em pupa.

Meu Deus, espero que ele tenha acne purulenta e coceira na bunda pelo resto da vida.

– Eu sei que você me odeia desde o momento em que a gente se conheceu – disparo.

Ele morde a parte interna da bochecha.

– Ah, é?

– Aham. E quer saber de uma coisa? Não importa se você me odiou logo à primeira vista, porque eu te odeio desde muito antes de a gente se conhecer. Eu te odiei na primeira vez que ouvi seu nome. Eu odiei você aos 12 anos, quando li o que você fez com a *Scientific American*. Eu te odeio mais, e há mais tempo, e por motivos melhores do que você me odeia.

Jack não parece mais achar tanta graça. Isso é novidade – falar com os outros como a pessoa que *realmente* sou. É novo, diferente e estranho, e eu simplesmente *adoro* a sensação.

– Sou muito boa em odiar você, Jack, então eis o que vou fazer. Eu não só vou conseguir esse emprego, como também, quando formos colegas no MIT, vou me certificar de que você tenha que olhar para mim todos os dias e desejar que eu fosse George. Vou fazer você se arrepender de cada implicância. E vou, sozinha, fazer um inferno tão grande na sua vida que você vai se arrepender de ter ficado contra mim, e contra a Monica, e contra a física teórica, até que você chore na sua sala todas as manhãs e finalmente peça desculpas à comunidade científica pelo que fez.

Ele não está achando *nenhuma* graça agora.

– É mesmo? – pergunta ele. Frio. Cortante.

Desta vez sou eu quem sorri.

– Pode apostar, *Jonathan*.

Abro a porta. Saio do banheiro.

E não olho para ele pelo resto da noite.

4

ENTROPIA

– ENTÃO, SÓ PARA VER SE EU ENTENDI DIREITO: você, Elsie Hannaway, a "sou alérgica a amendoim, mas mesmo assim comi os biscoitos que a Sra. Tuttle fez porque não queria magoá-la, por acaso você viu a minha injeção de epinefrina?", disse tudo *isso* pro Jack Smith?

Já sem o vestido vermelho, ando de um lado para outro, completamente neurótica, ostentando minhas meias 7/8, minha calcinha de algodão listrada e meu sensor de glicemia. Eu deveria estar com frio, mas a raiva me queima por dentro, como o núcleo de plasma do sol.

– É uma alergia fraca, a Sra. Tuttle é muito idosa *e* nossa senhoria, e sim, eu disse, porque o Jack *mereceu.*

– Não duvido. – Ceci se recosta no sofá, observando, como se meu colapso fosse o auge do entretenimento. Ouriça descansa em seu colo com um brilho demoníaco de puro *Schadenfreude*, claramente sentindo um aumento da serotonina diante da minha morte iminente. – Aquele artigo que ele escreveu foi algo muito sério, todo mundo na academia ainda fala sobre isso. Até o pessoal da linguística. Como *você* não sabia a cara dele?

Esfrego os olhos. Meus dedos ficam pretos feito fuligem.

– Eu estava participando de um boicote acadêmico.

– Talvez não tenha sido uma boa ideia.

– Se alguém escrevesse um artigo mentiroso daqueles falando mal de adjetivos, você também boicotaria a pessoa.

– Eu mataria a pessoa. E estou orgulhosa de você por finalmente ter gritado com alguém, um ponto alto da sua carreira. Mas a minha questão é: como você vai resolver "tudo isso"? – pergunta ela, sacudindo a mão no ar.

– Resolver o quê?

– Deixar de ser professora adjunta de uma vez por todas. Conseguir esse emprego. Fazer o Jack lamentar o dia em que nasceu. Qual é o seu plano?

– Ah, é. Claro. – Paro de andar. Massageio as têmporas. – Não tenho nenhum plano.

– Parece perfeito.

A única resposta em que consigo pensar envolve chutar a parte de cima do aparador. Faço exatamente isso, então volto a andar, agora mancando, o dedo mindinho inchado.

– Eu nunca vi você desse jeito, Elsie.

– Eu nunca me *senti* desse jeito. – Sou um Grande Colisor de Hádrons: partículas atômicas se chocam furiosamente pelo meu corpo, acumulando energia para queimar Jack até torrar. Ou pelo menos deixá-lo bem passado. Não me lembro da última vez que experimentei tantas emoções negativas. – Eu deveria ter suspeitado. Sempre tive um mau pressentimento em relação a ele, e ontem à noite... É por isso que ele é tão bom em *Go*. Ele era um físico, aquele... aquele *filho de Urano*...

– Xingamento científico. Gostei.

– Aposto que ele pensa em *Fahrenheit*...

– Nossa, pegou pesado!

– ... e no tempo livre pega um avião até a Abadia de Westminster para dançar em cima do túmulo do Stephen Hawking...

– Stephen Hawking *morreu*?

– ... e nem vai se dar ao trabalho de ligar para o Greg para pedir uma explicação, porque ele é um buraco negro sádico, egoísta e ignorante de mer...

– Elsie, querida, você precisa da gente aqui ainda, ou deveríamos ir para o nosso quarto lamentar pelo Stephen?

Eu paro de andar. Ceci e Ouriça estão me encarando, cabeças inclinadas na mesma posição.

– Desculpa – respondo, sem graça.

– Não vou mentir, é meio divertido ver você espumando feito um gêiser. Tenho certeza de que isso faz bem para a saúde. Mas antes que você saque um facão e a violência comece, deixa só eu falar uma coisa... Esse cara, o Smith-Turner... Ele não tem como te atingir.

– Ele pode não me dar uma joelhada na virilha nem envenenar meu chá com algum vírus contagioso, mas...

– Ele também não pode interferir na sua entrevista.

– Se o Jack contar para o Volkov ou para a Monica, eu...

– Tsc. – Ela gesticula no ar. – Ele não vai contar.

– Não vai?

Eu olho para Ceci. Ela está tentando me tranquilizar? Não faço ideia, nunca preciso que façam isso comigo.

– Primeiro, se ele admitir que conhece você fora do ambiente acadêmico, vai criar um considerável conflito de interesses. Jack seria forçado a se retirar do comitê de seleção. Ele perderia o poder de influenciar os outros membros.

– Ah. – Faço que sim. Lentamente no começo, depois um pouco mais forte. – Você tem razão.

– Além disso, você não está contrabandeando charutos nem organizando brigas de galo ilegais. Você contou uma mentira, pequena e irrelevante, sobre a sua vida pessoal para um conhecido distante. Até onde o Jack sabe, você pode estar no programa de proteção a testemunhas. Ou se expressou mal quando foram apresentados. Ou você e o Greg têm um fetiche de role-play que levam para fora do quarto... você finge ser uma bibliotecária no aniversário da avó dele, ele bate em você com uma prateleira de livros, e os dois têm orgasmos. Consensual, intelectual e, acima de tudo: privado.

– Isso é... meio pesado.

– Eu tenho assistido à HBO com a senha da Sra. Tuttle. A questão é que o Jack não vai contar nada pra ninguém. Você consegue imaginar ele indo até a Monica e compartilhando detalhes aleatórios dos seus relacionamentos românticos, que ele acha que deveriam te desqualificar? O RH ia adorar. Você não assiste aos webinars sobre prevenção de assédio?

– Eu... Eles são obrigatórios.

Ceci semicerra os olhos.

– São, mas você *assiste* ou só deixa passando enquanto faz cálculo integral e fica vendo imagens pornográficas de queijo no Pinterest? – Eu ruborizo e desvio o olhar, e ela suspira. Então retoma: – O resumo é o seguinte: Jack não pode perguntar sobre sua vida pessoal.

– Ele já perguntou.

– Mas ele não pode contar *para os outros*. Pegaria mal, como dizem os jovens. E, como dizem os advogados, seria ilegal. Além disso, a Monica, a fodona chefe do departamento, acertaria ele bem nas bolas. Ela parece bem predisposta a chutar umas bolas.

Solto o ar.

– Você tem razão. – Comemoro meu alívio rolando as meias para baixo. Pequeno milagre: nenhum furo ainda. – Quer dizer que ele está blefando. Botando banca. Assim como eu.

– Sim. – Ceci morde o lábio, repentinamente preocupada. – Com uma pequena diferença.

– Qual?

– Se essa banca dele não funcionar, ele continua sendo professor do MIT. Se a sua não funcionar…

Dou um gemido e caio na poltrona.

– Se a *minha* não funcionar, é mais um ano no poço dos professores adjuntos.

Sem tempo de pesquisa. Alunos me chamando de mãe e insistindo que seus cachorros comeram seus computadores. Insulina racionada. E, claro, quanto mais tempo passo sem um emprego estável, menos atraente serei como candidata. Eu odeio círculos viciosos, e os círculos acadêmicos são os mais viciosos de todos.

– Ei! – Ceci se ajoelha ao meu lado, colocando Ouriça em cima do meu peito. – Claramente o Jack sabe que você tem uma chance de conseguir a vaga, ou ele não tentaria te intimidar. E o Kirk disse que os cientistas…

Eu me sento.

– Kirk? O cara novo do Faux?

– É. – Ela está corando ou é apenas a iluminação fraca? Precisamos de lâmpadas novas. Também necessário: dinheiro para lâmpadas novas. – Ele disse que cientistas se tornam pessoas cruéis quando se sentem ameaçados.

– Hmm. – E se Jack realmente achar que tenho mais chances do que George? Pondero as possibilidades até que Ouriça rola de costas, os espinhos alfinetando meu seio direito. – Eu vou ferver você e fazer uma sopa com macarrão – murmuro.

Ceci franze a testa.

– O que você disse?

– Nada! Eu só... Você tem razão. Obrigada por me acalmar.

Ela sorri, e sinto uma onda de afeição por ela.

– Tá vendo? É por isso que vocês, cientistas, precisam do pessoal de humanas. Falta perspectiva.

– Nós não...

– Além disso, vocês, idiotas, estão treinando máquinas para que se tornem nossos soberanos robóticos. – Ela me dá tapinhas na cabeça. – Você contou isso para o Dr. L.?

Resmungo, mais uma vez minada da minha vontade de viver.

– Eu mandei um e-mail para ele. Ele quer se encontrar comigo no escritório dele amanhã de manhã.

– *Antes* da sua prova de aula? Você não pode simplesmente ligar para ele?

– Ele não gosta de falar no telefone.

– Hmm. Exigente.

Não é isso. O Dr. L. só quer o melhor para mim, e, considerando tudo que já fez por mim, acordar uma hora mais cedo é o mínimo. Ou *duas* horas, levando em conta o trânsito.

A primeira coisa que faço, já de pijama e com meu cobertorzinho escrito FÍSICA: POR QUE AS PARADAS FAZEM AS COISAS, é entrar em contato com Greg. Já havia tentado do Uber, depois de passar o jantar me rebaixando ao usar meu arduamente conquistado doutorado em física para fazer trocadilhos com Volkov – a origem da minha história como uma serial killer. Fico me perguntando se Jack tentou ligar para o irmão também, e dou risada. Claramente ele chegou à conclusão de que estou atrás da herança dos Smiths, como se eu fosse uma personagem do reboot de *Dynasty*. Ele provavelmente já ligou para a mãe intrometida e para o tio Paul, o Pervertido, e eles estão prestes a atacar Greg como uma horda de tubarões-duendes.

Mas Greg está inacessível. Envio uma mensagem que ele não verá. Coloco o iXota de lado, me perguntando se o celular de Jack por acaso está quebrado também. Provavelmente não. Da próxima vez que o vir, vou esmagá-lo na calçada e resolver isso.

Que ótimo plano.

Com um suspiro, pego meu MacBook Pro 2013. (*Decrépito*, como diz Ceci. Prefiro *vintage*. Ainda assim, o número de simulações de computação de alto desempenho que pude executar no ano passado é zero.) No amor e na guerra vale tudo, e isso aqui é uma carnificina. Então, eu me permito algo não muito apropriado: fuço a concorrência.

A comunidade da física tem um tamanho estranho: não é tão pequena a ponto de sermos todos amigos próximos nem tão grande que possamos ignorar a existência de alguém. Em especial alguém bom o suficiente para chegar à última fase de um processo seletivo no MIT. Eu, por exemplo: o que me tornou conhecida, e me colocou no radar de Monica, foi minha tese de doutorado – uma série de fórmulas matemáticas que preveem o comportamento de cristais líquidos bidimensionais. São materiais especiais, materiais que contêm multitudes, com propriedades tanto de líquidos quanto de sólidos, de mobilidade e inércia, de caos e organização. Como eu, basicamente. E o que mais gosto em relação a eles é que as próprias multitudes que contêm podem tê-los levado a desempenhar um papel fundamental na origem da vida, ajudando a construir as primeiras biomoléculas na Terra.

Instigante, eu sei. Aguarde a adaptação para o cinema.

Mas causou algum rebuliço, porque o que Monica disse também é verdade: as possíveis aplicações do conteúdo da minha pesquisa são praticamente infinitas. Pelo meu trabalho, recebi um daqueles prêmios da *Forbes* para as áreas STEM, aos quais apenas pessoas que *não* são da área dão valor, e fui entrevistada em alguns podcasts ouvidos por mais pessoas do que apenas os familiares do apresentador. Um dos meus artigos publicados na *Nature Physics* chegou a ser capa. Os grupos de pesquisa da Northeastern começaram a me lançar olhares cobiçosos e pararam de me pedir para fazer o café – o que é no mínimo justo, porque eu nem tomo café. Ceci me deu uma camiseta de GRANDES MULHERES DA CIÊNCIA, na qual meu rosto aparece com meu retrato espremido entre o de Alice Ball e o de Ada Lovelace. Meus pais... Bem, minha família não ligou para nada disso, porque eles estavam ocupados lidando com uma auditoria fiscal ou algo assim. Mas o Dr. L., quem eu considero família em todos os aspectos mais importantes, me deu um tapinha nas costas, disse que eu era a teórica mais promissora da minha geração e me garantiu que depois do doutorado eu ia poder escolher onde trabalhar.

E, se fosse em qualquer outro momento, talvez pudesse até ser verdade. Mas estamos em um desses períodos sem precedentes – paralisação nas contratações, corte sistemático de fundos no ensino superior, aumento na quantidade de professores adjuntos. E algumas semanas atrás, quando a jornalista da *Forbes* me contatou para fazer uma reportagem complementar, do tipo "por onde anda", tive que dizer a ela que não, não era um erro: eu não publicava fazia meses, minha pesquisa estava parada e eu *não* tinha conseguido arrumar um emprego bacana em uma instituição de ponta. Na verdade, tive sorte de encontrar *algum* emprego. Mesmo um cujas funções são descritas como *ser explorada pela academia.*

George, o Experimentalista Escolhido, por outro lado... Não faço ideia das coisas pelas quais *ele* é conhecido e não me lembro de ter visto nada dele por aí. Então pesquiso no Google quem já conheço: Jack. Ele tem um verbete na Wikipédia – por princípio, recuso-me a dar cliques para esse link – e uma página do Google Acadêmico – na qual eu *preciso* clicar, mas o faço com ânsia de vômito. Tento não notar o quanto tenho que rolar para baixo a fim de chegar ao final de sua lista de publicações, murmuro um "Exibido" e começo a vasculhar os coautores de seus trabalhos.

Encontro um Gabriel. Gayle. Giovanni. Gunner (sério?). Georgina Sepulveda, uma superestrela da física cujo trabalho admiro há anos (prefiro pensar que ela colaborou com Jack sob coação e doou os ganhos para o abrigo de animais local). Depois de um minuto, encontro o elusivo George – George Green. Ele está em dois artigos de pouco impacto – ambos recentes, ambos escritos com Jack. Quase não há rastros dele on-line, mas ele acabou de terminar o pós-doutorado em Harvard e posta em fóruns de física com seu nome verdadeiro.

– É sério isso?

Esse cara está sendo entrevistado? Sejam lá quais forem os pauzinhos que Jack mexeu, irei parti-los um a um. Seu pupilo medíocre não tem a menor chance... Meu telefone toca. Dou um pulo e imediatamente atendo – Greg. *Finalmente.*

– Ei! Eu...

– Eu preciso da sua ajuda.

Eu engulo um grunhido.

– Oi, mãe. – Cometi um erro fatal.

– A situação é *caótica*. Você precisa controlar os seus irmãos.

Depois de duas décadas e meia de APE, posso afirmar com segurança que a Elsie que minha mãe quer é um androide. Ela é poderosa, dinâmica, financeiramente bem resolvida. Ela já abafou todas as suas necessidades terrenas e vive em um estado de prosperidade perene. Seu principal objetivo é ganhar pontos em termos de prestígio quando a tia Minnie se gaba de seu filho que quase terminou a faculdade de direito. Seu propósito secundário? Intervir quando dois idiotas decidem embarcar em brigas que duram meses sobre coisas que, historicamente, incluem:

- Quem vai se sentar no banco da frente do carro;
- Quem merece o pedaço de bolo com o sapatinho de glacê no chá de bebê da prima Jenna;
- Quem é mais alto (eles são gêmeos idênticos);
- Quem é mais bonito (veja acima);
- Qual deles nasceu no ano em que, de acordo com o *Guinness*, foram registrados mais ataques de pítons (veja acima!);
- Quem vai escolher o nome do cachorro (nunca tivemos animais de estimação).

Esta lista está incompleta. Ao longo dos anos, as brigas se tornaram mais raivosas, papai, mais ausente, e mamãe, mais dependente de mim para resolver a situação.

– Você não pode ser responsável por resolver todas as tretas da sua família – diz Ceci uma vez por semana, mas faço o possível para deixar mamãe feliz, embora, dentre todas as Elsies que as pessoas desejam, a dela seja a mais falsa e a que tem raízes mais profundas. No fim das contas, fui eu mesma que cavei minha cova, de maneira meticulosa e incansável.

– Oi, mãe, como você…

– *Sobrecarregada.* Lucas e Lance estão brigando de novo. Quase se engalfinharam depois do futebol.

– Por causa do resultado?

– Por causa da *Dana*.

Esfrego a têmpora.

– Os dois tinham concordado em parar de sair com ela.

– Sim. Mas parece que a Dana precisava de uma carona pra algum lugar.

– Pra quem ela ligou?

– Pro Lucas. Lance cortou o pneu dele. Os vizinhos estão começando a comentar. Você *precisa* dar um jeito neles.

– Eu já dei, mãe. Duas semanas atrás. Um mês atrás. Três meses atrás.

Venho realizando uma série de seminários sobre mediação de conflitos no porão da casa de meus pais. Eles consistem principalmente em eu lembrar meus irmãos de que homicídio é crime.

– Bom, então dê de novo. Venha aqui em casa amanhã.

Eu me encolho, literalmente.

– Desculpa. Não vai dar.

– Por quê?

– Eu... – Não. Nada de *eu*. Pessoal demais. – É um momento estressante, agitado. O semestre acabou de começar e... – Será que digo a ela? Não deveria. Mas talvez ela queira saber, não? – Estou no meio de um processo seletivo para um emprego.

– Você tem um emprego.

– Este emprego é melhor.

– O seu emprego *já é* um emprego melhor.

Penso em trazer à tona conceitos como relatividade, precarização do trabalho e resistência à insulina.

– Esse é ainda melhor.

– Ah, é? E é de que esse trabalho?

– Professora.

– Então você deixaria de ser professora pra ser professora?

Não preciso nem dizer que não me dou ao trabalho de explicar aos meus pais a natureza delicada de minha situação profissional. Nem... mais nada, na verdade.

– Eu ligo para eles amanhã de manhã, está bem?

Ela passa mais cinco minutos resmungando e me obriga a ligar esta noite, depois começa a reclamar sobre algo relacionado a desodorantes tóxicos que viu no Facebook. Desligo e encontro uma notificação – não é do Greg, mas sim de um cara em busca de uma namorada de mentira para um encontro em grupo no Dia dos Namorados. Imediatamente culpo o Faux pelo show de horrores da noite anterior e arremesso o iXota no cesto de roupa suja.

Qual é o seu plano?, perguntou Ceci.

Tenho um total de zero ideias, o que significa que terei que aniquilar Jack Smith-Turner à moda antiga: sendo ótima no meu trabalho.

Suspiro profundamente. Então coloco meu Mac idoso no colo, clico na apresentação da minha aula e ensaio pra cacete.

5
CONSTANTE GRAVITACIONAL

NO FILME DA MINHA VIDA – uma tragicomédia pastelão de baixo orçamento –, o papel do Dr. Christophe Laurendeau seria interpretado por um daqueles atores franceses *old school* que costumam estrelar os filmes de Ceci. Não deve ser difícil encontrá-lo: um homem de rosto comprido que parece ao mesmo tempo severo e sábio, usa apenas gola alta e nunca deixa de ser bonito, nem mesmo aos 60 e muitos, quando seu cabelo fica grisalho e sua pele enruga. A sala dele cheira a chá de camomila e livros velhos, e sempre que venho aqui (e vim diariamente durante os cinco anos do doutorado e semanalmente desde que defendi a tese) ele faz a mesma coisa: ergue o corpo alto e esguio de detrás da mesa e me instrui, como se fosse minha primeira vez no campus da Northeastern:

– Sente-se, por favor. Naquela cadeira verde. – Seu inglês é sempre perfeito, mesmo que ainda conserve o sotaque pesado de um personagem da Disney. – Como você está, Elise?

Isso é algo que aprendi a não estranhar, o fato de ele sempre errar o meu nome. Em defesa do Dr. L., ele me chamou de Elise em nosso primeiro encontro, e eu nunca me preocupei em corrigi-lo. Cheguei a pensar em pedir que ele mudasse para Elsie quando ele me levou para jantar depois da defesa, mas me acovardei.

Além de Ceci, o Dr. L. foi o único ser humano que deu importância ao meu Ph.D – uma questão de circunstâncias, é o que digo a mim mesma. Depois que a farsa de Smith-Turner quase aniquilou a carreira dele, eu fui sua primeira pupila em muitos anos, o que significou não ter colegas de laboratório próximos. O grupo de pesquisa em física teórica da Northeastern não era muito fã de mulheres nas ciências a ponto de comemorar minha presença. E minha família... Eles não puderam fazer a viagem de duas horas por causa do jogo da liga adulta de Lance – e, provavelmente, porque jamais consegui explicar por completo a eles o que é um doutorado, embora mamãe uma vez tenha perguntado se eu tinha terminado "aquele trabalho que precisava entregar" (ou seja, minha tese), o que encarei como uma vitória.

Então, o Dr. L. me levou a um restaurante chique, só nós dois, onde a hostess me lançou um olhar curioso do tipo "Filha, neta ou sugar baby?". E quando ele olhou para mim durante um jantar que custou metade do meu aluguel e disse "Você se saiu muito bem, Elise. Estou orgulhoso de você", a rara centelha de iniciativa se extinguiu. Se eu tinha a aprovação do Dr. L., ele podia me chamar do que quisesse.

E essa é a história do meu trabalho de doutorado: do início ao fim sendo chamada pelo nome de outra pessoa.

Passei a acreditar que Elise é a Elsie que o Dr. L. deseja – uma brilhante física teórica com um trabalho ilustre que lhe renderá a admiração da comunidade científica – e embora ela possa não ser quem eu *sou*, ela é quem eu *quero* ser.

Pena que a existência dela é antitética à desse homem.

– Jonathan Smith-Turner. – A boca do Dr. L. é uma linha fina. Seus olhos têm uma expressão magoada. – Que desgraça.

Eu faço que sim.

– Pessoas como ele acabam com a imagem da física e da academia.

Faço que sim novamente.

– É evidente o que precisa ser feito.

Mais uma vez, de pleno acordo.

– Obviamente, você precisa retirar a sua candidatura.

Peraí. Talvez eu não esteja de *pleno* acordo, afinal.

– Retirar… a minha candidatura?

– Não posso permitir que você trabalhe no mesmo departamento daquele *animal*.

– Mas eu… – Fico constrangida e me inclino para a frente na cadeira. A elegância e a postura já eram. – Eu preciso desse emprego.

– Você *tem* um emprego.

– Não posso ser professora adjunta por mais um ano.

– Mas você é uma *professora* adjunta. Deveria se *orgulhar* do seu emprego atual.

Durante todo o doutorado, esperei defender a tese e depois avançar para um emprego que envolvesse apenas pesquisa. Os salários costumam ser melhores que os dos adjuntos, contam com plano de saúde e um número incrivelmente baixo de e-mails de alunos alegando a morte do sexto avô do semestre. Como sou alguém com… seja lá qual for o oposto de "dom para ensinar", a escolha era óbvia. Minha paixão, minha alegria, meu talento – tudo se encaixa em três palavras simples: cristais líquidos bidimensionais.

Laurendeau era contra, dizendo que as vagas envolvendo apenas pesquisa não são prestigiosas o suficiente. A princípio discordei (quem se importa com prestígio, se posso fazer o que amo *e* comprar hormônios pancreáticos?) e por um tempo me preocupei que ele não fosse me ajudar a encontrar o tipo de trabalho que eu queria. Professorados à parte, a maioria das vagas acadêmicas não são anunciadas na internet, e sim descobertas por meio de redes profissionais formadas por colegas e orientadores. No final das contas, não foi um problema: o Dr. L. disse que respeitava meus desejos e entrou em contato com todos os seus colegas para informar que eu estava em busca de um cargo de pesquisadora.

Nem uma *única* pessoa se interessou em me contratar. E como também não havia nenhum cargo titular disponível…

– Eu usei os meus contatos para encontrar os seus empregos atuais, Elise – diz ele, os olhos cheios de preocupação. – Você está tendo algum problema com eles?

Imediatamente mergulho em culpa. O Dr. L. mexeu seus pauzinhos. Ligou para antigos colegas, chegou a entrar em contato com pessoas que lhe deram as costas após o que aconteceu envolvendo Smith-Turner. Engoliu seu orgulho por *mim*.

– Não! Ficar me deslocando entre diferentes *campi* é demorado, mas... – Começo a roer as unhas, então lembro que parei com esse hábito três anos atrás. Com a ajuda de Ceci e um borrifador de água. – Mas é ótimo. A variedade. – Abro um sorriso.

Ele sorri de volta, satisfeito, e tenho uma sensação inebriante de alívio e afeição. O Dr. L. é meu único aliado na floresta da Chapeuzinho Vermelho que é a academia. Se não fosse por ele, eu jamais teria entrado no doutorado, para início de conversa. Meu coração se aperta quando me lembro do último ano da faculdade. Minhas notas baixas. Minha pontuação medíocre no Exame de Admissão à Pós-graduação piscando na tela, e a consciência de que eu não podia bancar refazê-lo. O indiferente "Ei, tudo bem?" de J.J. sempre que nos cruzávamos.

Lembro-me do pavor que senti ao compilar minhas inscrições e enviá-las para quatorze – *quatorze* – universidades e, nas semanas seguintes, meu estômago embrulhando, mais e mais. Outros alunos estavam sendo chamados para entrevistas no campus, e minha caixa de entrada não continha nada além de e-mails de spam e mensagens da minha mãe pedindo que eu cuidasse de meus irmãos.

Foi o inverno mais curto da minha vida, ao mesmo tempo que se arrastou a passo de tartaruga até o final de fevereiro, quando enfim soube que simplesmente não aconteceria. A única coisa que eu sempre quis foi me tornar uma física e esse sonho nunca se realizaria por causa de um erro estúpido.

Até que Christophe Laurendeau entrou em contato comigo.

– Eu estava passando por alguns... problemas pessoais – disse a ele durante nossa primeira reunião, torcendo para conseguir explicar a queda em minhas notas. – Coisas de relacionamento.

– Entendo. – Ele me analisou, inescrutável. – Espero que esteja tudo resolvido.

– Está, sim. Pra sempre.

Nada de relacionamentos, eu esperava que ele lesse nas entrelinhas, e quando ele assentiu com um sorriso satisfeito, achei que talvez tivesse entendido mesmo.

– A física teórica, se levada a sério, dificilmente é compatível com... problemas pessoais.

Por mim, tudo bem. Desde que aprendi que o universo está sujeito a regras que podem ser descritas e compreendidas, tive apenas *um* sonho. *Uma* constante, ao longo das iterações de Elsies que construí cuidadosamente para os outros. Se não fosse pelo Dr. L., eu teria que abrir mão desse sonho, e é por isso que sempre confiarei nele.

Mas pagar por insulina do meu próprio bolso por mais um ano...

– Elise, é minha responsabilidade cuidar de você – diz ele, a voz cheia de preocupação. – Você merece mais do que trabalhar com Jonathan Smith--Turner...

– Ele não está no Departamento de Física – falo às pressas. O que, tecnicamente, é verdade.

O Dr. L. semicerra os olhos.

– Como assim?

– Jac... ele é chefe do *Instituto de Física*. Ele... *mal faz parte* da pesquisa. Talvez eu nunca mais esbarre com ele. – Agarro um dos apoios de braço verdes.

Tá, isso é mentira. Mas uma bem pequena. Uma mentirinha de nada.

– Entendo. – Ele assente em silêncio, dedos acariciando o queixo. – Nesse caso...

Sempre confiarei minha carreira a Laurendeau, mas o salário anual dele *é* de *seis* dígitos. Ele não pega um ônibus desde o final dos anos 1980, e aposto que os aparadores de sua casa estão todos perfeitamente montados.

– Não retire a candidatura, então. Mas tome cuidado. Você sabe o que aquele homem fez – adverte ele. O Caso Smith-Turner não é, surpreendentemente, um tabu. Laurendeau é muito aberto quanto ao desprezo que sente. – Se eu não fosse professor titular, teria perdido meu emprego. E ele quase acabou com a minha reputação. Se não fosse por ele, eu teria recebido bolsas de pesquisa ao longo dos últimos dezesseis anos. Teria dinheiro para manter você aqui, trabalhando comigo.

Mais um motivo para odiar Jack. Meu maxilar se contrai.

– Eu sei.

– Muito bem, Elise – diz Laurendeau, os olhos fixos nos meus de um jeito um pouco intenso demais. – Pensando melhor agora, você conseguir esse emprego em detrimento do candidato escolhido a dedo por ele pode ser uma ótima oportunidade.

– Oportunidade de quê?

Ele lentamente abre um sorriso.

– De vingança.

6

ÂNODO E CÁTODO

De: Bobbylicious@gmail.com
Assunto: artigo termodinâmica

meu deus me esqueci completamente de fazer, posso mandar depois? desculpa eu fui num casamento fim de semana passado e fiquei tãããão louco que passei a semana inteira fora do ar.

· ·

De: kelsytromboli@umass.edu
Assunto: Não é justo!

Um 8 no meu artigo sobre Vibrações? Sacanagem.
Vou enviar um e-mail para o reitor para tratar disso.

Professores adjuntos não têm descanso.

Quer dizer, contratualmente, adjuntos não podem tirar folga. Como estarei ocupada com o processo seletivo, gravei as aulas com antecedência e fiz o melhor possível para encontrar monitores para cobrir minhas turmas. Mas preciso responder às mensagens dos alunos – enquanto fantasio sobre "acidentalmente" escrever errado meu endereço de e-mail no cronograma do ano que vem. Quando chego ao campus do MIT, ainda estou respondendo a um ou outro e-mail de *Você poderia prorrogar o prazo*. A única coisa que ganhei sendo adjunta foi um aprimoramento das minhas habilidades enquanto professora, então não estou nervosa com a prova de hoje.

Pelo menos até Monica me encontrar na entrada do prédio de física e me dizer em um tom sombrio:

– Você vai ser avaliada por mim, Volkov e Smith-Turner.

Imediatamente. Um nó. Na barriga.

– Entendi.

Será que funciona como na patinação artística durante as Olimpíadas de Inverno, em que as pontuações mais altas e as mais baixas são descartadas automaticamente?

– Mas não se preocupe. – Ela sobe as escadas e eu me esforço para acompanhá-la com minha saia lápis. (As meias 7/8 estão se mostrando surpreendentemente confortáveis, embora... bem ventiladas.) – Eu vi as avaliações dos seus alunos... Você é uma excelente professora. – Ela vira à direita e me guia por uma série de portas. – Você dará uma aula para uma turma de pós-graduação, e os alunos do doutorado serão convidados a te avaliar e compartilhar as impressões que tiveram sobre você. Tenha isso em mente e faça com que eles se sintam importantes. Não existem perguntas idiotas, blá-blá-blá. – Ela para junto a uma porta fechada e morde o lábio. – Tem mais uma coisa.

– O quê? – Estou um pouco sem fôlego.

Ela dá um pigarro.

– Eu tentei *muito* fazer com que a sua prova de aula fosse em outra turma.

Ah, é?

– Por quê?

– Porque o membro do corpo docente responsável por essa...

– Dra. Hannaway! – Nós duas nos viramos. Volkov está vindo em nossa direção, sorrindo como se nos conhecêssemos há anos e ele tivesse sido minha babá quando eu era criança. – Sabe como o elétron atende o telefone?

Eu me obrigo a sorrir. Jesus, estou cansada.

– Próton?

Ele ri, encantado. Monica discretamente revira os olhos, abre a porta e faz um gesto para que eu entre, nossa sessão de coaching interrompida.

A primeira coisa que noto é Jack – o que não é de surpreender. Afinal, ele é uma montanha gigante de músculos, e provavelmente existe uma equação física que explique seu irritante hábito de se tornar o centro de massa de todos os cômodos que sobrecarrega com sua presença. Ele está atrás do púlpito, mexendo no computador, vestindo jeans e camiseta, como se o mundo lá fora não estivesse entrando em uma era glacial. Os traços de sua tatuagem contornam um bíceps que, francamente, ninguém, *ninguém* que não trabalha com musculação deveria ter. Ainda não dá para saber qual é a tatuagem.

Na teoria, esse é um cenário que conheço bem. Os poucos minutos que antecedem o início da aula: alunos aproveitando os últimos segundos em seus celulares, o monitor da disciplina lutando contra todos os possíveis problemas técnicos para abrir o PowerPoint (falta de cabos, problemas de incompatibilidade, atualizações intermináveis do Windows 10). Na prática, há cerca de vinte pares de olhos na sala, e todos estão grudados em Jack, com um misto de admiração, respeito e fascínio, como se ele fosse o peru dominante na temporada de acasalamento.

Entendi.

Quer dizer que a galerinha da pós-graduação do MIT adora o Jack.

Que ótimo.

– ... é ou não é verdade que você trabalha como consultor em todos os filmes do Christopher Nolan? – pergunta um jovem de cabelo verde desbotado.

Jack balança a cabeça negativamente, e vejo os músculos de seu pescoço se estirando. Notícias de última hora: pescoços têm músculos.

– Não vou levar a culpa por *Tenet*, Cole – responde ele, e todos dão risada.

Eu o odeio. Embora isso não seja novidade. A novidade é como ele olha na minha direção e diz, educadamente, como se ontem à noite eu não tivesse ameaçado alimentar as minhocas com seu cadáver em decomposição:

– Bem-vinda, Dra. Hannaway. Já liguei o monitor pra você. – Ele está sorrindo, mas há algo por trás do gesto. Um desafio. Como se ele estivesse me pedindo para pular em uma poça que na verdade tem cinco metros de profundidade.

– Obrigada.

Nossos braços se roçam no meu caminho para o púlpito. Me lembro de suas mãos quentes, inabaláveis, ao redor da minha cintura, um *fique quieta* murmurado contra minha têmpora, e reprimo um arrepio.

Já disse que o odeio?

– Bom dia e obrigada por me receberem – digo assim que minha apresentação de PowerPoint é carregada.

A turma é (previsivelmente) 90 por cento masculina e (previsivelmente) composta por alunos mais ou menos da minha idade. É complicado ser mulher nas áreas STEM. Ainda mais quando se é jovem e sem uma trajetória relevante. E ainda *mais* quando se tem uma necessidade semipatológica de se dar bem com os outros. Como a única doutora do sexo feminino no meu departamento, tive muitas oportunidades de me equilibrar na corda bamba que todos que não são homens brancos cis héteros enfrentam nos espaços acadêmicos.

Quero ser vista como uma colega simpática e amigável? Sim, e, graças a uma vida inteira de APE, conheço a combinação perfeita para atingir esse objetivo: uma charmosa autodepreciação, modéstia, digressões bem-humoradas, admitir estar suscetível a dúvidas e falhas. Não é nada de outro mundo (aliás, um ramo da física experimental do qual sou obrigada a zombar). Usar piadas e exemplos simples com o intuito de ser um orador carismático e envolvente é uma maneira bastante didática de parecer um cara simpático.

Com destaque para a palavra *cara*. Porque, quando é uma mulher falando sobre a própria pesquisa, há algo entre um e um milhão de senhores das áreas STEM prontos para tirar proveito de cada pequena fraqueza – cada mínimo indício de que você não é uma máquina científica eficiente. A versão que eles querem de você é mordaz, impecável, perfeita o suficiente para justificar sua intrusão em um campo que por séculos tem sido masculino "por direito". Mas não perfeita *demais*, porque aparentemente apenas "piranhas sem coração" são assim, e elas não são consideradas colegas agradáveis e amigáveis. Já faz tanto tempo que as áreas STEM são um clubinho só para garotos que muitas vezes sinto que só posso jogar se seguir as regras feitas pelos homens. E as regras? São absolutamente desprezíveis.

Como eu disse, uma corda bamba. Com um bando de crocodilos de bocas abertas à espera de carne fresca.

Bem, vamos lá. Abro meu sorriso caloroso e confiante (e não natural) e digo:

– Como esta disciplina trata de tópicos atuais da física, preparei uma aula sobre os cristais de Wigner, um assunto muito discutido...

Um resmungo.

Alguém deu um resmungo?

Olho em volta, intrigada. Os alunos olham para mim, ansiosos.

Foi coisa da minha cabeça.

– A cristalização de Wigner ocorre quando gases de elétrons que vivem em uma rede de forma periódica...

– Com licença. – Cole. O do cabelo verde. – Dra. Hannaway, você vai falar sobre os cristais de Wigner de uma perspectiva teórica?

– Ótima pergunta. Principalmente teórica, mas também vou dar uma visão geral das evidências experimentais. – Próximo slide (e a transição perfeita). – Depois que alcançamos a capacidade de criar grandes distâncias intereletrônicas, a cristalização de Wigner...

– Com licença. – Cole. *De novo.* – Uma pergunta.

Sorrio, paciente. Estou acostumada com isso. A última vez que apresentei um trabalho em uma conferência, um cara começou a me questionar antes mesmo de eu abrir o PowerPoint.

– Claro, vá em frente.

– A minha pergunta é... qual é o sentido disso?

Várias pessoas riem. Eu suspiro internamente.

– Como assim?

– Não é meio inútil passar horas discutindo teorias? – Ele fala devagar, mas com objetividade. Como se fosse Steve Jobs apresentando um novo celular. – Não deveríamos nos concentrar em formas de aplicar tudo isso *na prática*?

Abro a boca para perguntar se ele está bravo – *Michio Kaku fez bullying com você, Cole? Feynman roubou o dinheiro da sua merenda?* –, mas meus olhos caem em Volkov. Ele me lança um olhar interessado, como se estivesse curioso para ver como eu vou lidar com essa merda. Ao lado dele, os lábios de Monica estão apertados e resignados. E atrás dela...

Jack.

Quem nem se deu ao trabalho de se sentar. Está apoiado na parede, braços cruzados com um ar casual do tipo *Sim, eu malho*, olhando para mim como uma aranha-marrom bombada. Seus olhos penetrantes e inflexíveis não deixam escapar nada, mas qualquer emoção que eu consegui arrancar dele ontem à noite se foi, e voltei a não fazer a menor ideia do que ele está pensando. É como um livro fechado.

Não, ele é como um livro em chamas. *Fahrenheit 451* – nenhuma palavra para ler, apenas as cinzas e o abismo.

Tudo se encaixa. Preencho as lacunas da minha conversa interrompida com Monica: é Jack quem dá essa aula. Jack, que tem muitas opiniões sobre teóricos. Jack, que doutrinou seus alunos a acreditarem que pessoas como eu são inimigas. Jack, cujas fantasias sexuais provavelmente envolvem meu fracasso em defender minha área de pesquisa para um bando de caras hostis. Aposto que ele ama meus vídeos errando a pronúncia da palavra *sizígia* na feira de ciências do segundo ano do ensino médio.

É uma armação. Essa prova de aula foi pensada para ser meu *Titanic* – o navio, não o filme de grande bilheteria.

Só que não.

Fixo meus olhos nos de Jack e dou a ele meu sorriso mais doce e selvagem, que diz *Você me subestimou*, e ele sabe disso. Porque meio que sorri de volta e assente discretamente – traiçoeiro, alerta, preparado. *Será, Elsie?*

Ele vai ver só.

– Ótimo ponto, Cole. – Largo o controle do monitor e saio de trás do púlpito. – A física teórica *pode* ser uma perda de tempo. – Tiro o blazer, embora esteja frio. Dou uma olhadinha para minha barriga para ter certeza de que a protuberância do meu sensor não está visível. *Sou basicamente uma de vocês. Dois, três anos mais velha? Olha, estou sentada na mesa. Vamos ser amigos.* – Quem concorda? Levantem a mão.

Eles levam alguns segundos trocando olhares de *Isso é uma armadilha?*, mas 80 por cento das mãos logo estão erguidas.

É quando ergo a minha também.

Eles dão risada.

– Você não é uma física teórica, Dra. Hannaway? – pergunta alguém.

– Sou, mas eu entendo. E, por favor, me chama de Elsie. – *Eu não sou uma teórica comum. Eu sou uma teórica legal.* Eca. Erwin Schrödinger, não olhe agora. – É injusto que a maioria dos físicos que ganham prêmios Nobel ou se tornam nomes conhecidos sejam teóricos. Newton. Einstein. Feynman. Kaku. Sheldon Cooper conseguiu um spin-off de sete temporadas, mas Leonard? Nada. – As pessoas riem, incluindo Volkov. A expressão de Jack não se altera. – A vantagem da teoria é que lidamos com ideias, e ideias são baratas e rápidas. Físicos experimentais precisam de equipamentos caros para resolver cada passo do processo, mas os teóricos podem simplesmente se sentar e escrever – digo, acrescentando um dar de ombros calculado – fanfics científicas.

Ouvi esse insulto de verdade quando fui a um evento social em Harvard como acompanhante de Ceci. Veio de um doutor em filosofia que, depois de três cervejas, decidiu fazer um *mansplaining* para o bar inteiro sobre o motivo de minhas publicações no fundo não valerem nada.

As coisas que faço por comida de graça...

– Os teóricos *se escondem* atrás de matemática sofisticada – diz Cole.

Ah, grande senhor das áreas STEM. Juro que você não é tão rebelde quanto pensa.

– O que eu não entendo é... qual é o sentido de construir teorias abstratas que nem mesmo estão sujeitas às leis da natureza? – pergunta o cara ao lado de Cole.

Ele está vestindo uma camiseta de manga comprida que diz PHYSICS AND CHILL na fonte do *Shrek*. Eu meio que adoro.

– Experimentos são muito mais úteis. – Outro cara. Na primeira fila.

– Vocês só se preocupam com o que *pode* ser, mas não com o que realmente é. – Um homem, lógico. Desta vez da terceira fila. – As possíveis aplicações vêm sempre em segundo plano.

Muitos alunos assentem. Eu também, porque posso lê-los como se estivessem escritos em fontes garrafais. Sei exatamente a Elsie que eles querem.

Chegou a hora de dar meu golpe final.

– O que vocês estão dizendo é que a física teórica nem sempre termina em um produto. E em relação a isso, tudo que posso dizer é... que concordo. A física é como sexo: pode trazer resultados práticos, mas muitas vezes não é *por isso* que fazemos. – *Pelo menos foi o que Feynman disse certa vez. Há também registros dele chamando mulheres de vadias inúteis, mas vamos deixar isso de lado, já que a citação dele fez vocês darem risada.* – Quantos de vocês são experimentalistas? – Quase todas as mãos se erguem, e a de Cole é a mais alta. Fico deprimida, mas nem um pouco surpresa. – A verdade é que vocês têm razão. Os teóricos se concentram, *sim*, em modelos matemáticos e conceitos abstratos. Mas fazem isso torcendo para que experimentalistas como vocês se deparem com nossas teorias e decidam provar que estamos certos. – *Eca.* Quero um banho e uma barra de sabonete industrial. – E é por isso que quero falar com vocês sobre minhas teorias sobre a cristalização de Wigner. Para que eu possa ouvir suas opiniões e melhorar a partir dos seus comentários. Não sei quando teóricos e experimentalistas se tornaram rivais, mas a física não deveria ser uma competição, e sim uma colaboração. Vocês podem chegar às próprias conclusões, e não vou tentar convencer ninguém de que vocês *precisam* das minhas teorias. Eu, por outro lado, reconheço que *preciso* dos seus experimentos.

Será que estou exagerando? Não. Bem, sim. Mas os alunos estão adorando. Eles concordam com a cabeça. Murmuram. Alguns sorriem presunçosamente.

É minha deixa para desembainhar meu sorriso mais caloroso.

– Isso responde à sua pergunta, Cole?

Sim. O ego voraz de Cole foi suficientemente alimentado com migalhas da minha dignidade. Ah, as coisas que faço para ter um plano de saúde e uma aposentadoria.

– Sim, Elsie. Obrigado por responder às minhas preocupações.

Cuzão.

– Ótimo. – Eu me afasto da mesa e volto para o púlpito. – Estou *muito* animada para falar sobre a cristalização de Wigner. Fiquem à vontade para interromper a qualquer momento, porque o importante é o que vocês tiram da matéria. – Um segundo de silêncio. Então dou meu golpe final. – A menos que vocês a multipliquem pela velocidade da luz. Nesse caso, vira *energia*.

Eeeee corta.

Ergo o olhar no momento em que Volkov começa a engasgar de tanto rir. Ao lado dele, Monica me lança um olhar encantado: sua gladiadora a deixou orgulhosa. Dou aos alunos alguns segundos para se revoltarem com meu trocadilho cafona e idiota que eles secretamente amam, porque... quem não ama?

– Obrigada, estarei aqui a semana toda.

Os grunhidos de revolta se transformam em risadas. E é então que me permito olhar para Jack. Empino o queixo apenas um milímetro. *Eu disse que você se arrependeria de me encarar, Dr. Smith-Turner.*

Jack olha de volta, inexpressivo. Não sorri. Não franze a testa. Não range os dentes. Ele apenas olha, de um jeito que realmente espero ser uma reavaliação da ameaça que ofereço ao seu plano de dominação da física. Ao seu precioso George. É passageiro, e provavelmente coisa da minha imaginação, mas quase posso jurar que vi um brilho na parte azul de seu olho.

Guardo isso como uma vitória e começo minha aula.

Seria ótimo tirar uma soneca depois da prova de aula, mas meu dia está lotado. Tenho uma reunião com o reitor da Faculdade de Ciências, um cara simpático que toma café em uma caneca cheia de tentáculos que me faz refletir sobre suas preferências pornográficas. Depois, tenho um almoço informal com dois professores de física – claramente um casal em crise, o que acaba comigo olhando para minha salada enquanto os dois brigam por causa de alguém chamado Raul. Em seguida, faço uma pausa de cinco minutos para ir ao banheiro (que passo tentando descobrir se meu sensor de insulina está com problemas ou se sou apenas um poço de paranoia), seguido de entrevistas individuais.

Obviamente, esse tipo de entrevista é minha especialidade. É pura matemática: ser a Elsie que uma pessoa deseja é muito mais fácil do que negociar entre as Elsies que doze pessoas diferentes exigem. Essas entrevistas em teoria servem para que eu faça perguntas sobre o departamento, que me ajudem a decidir se aceitarei uma oferta de emprego ou não, mas não vamos nos esquecer de que (1) minha atual situação profissional é uma merda e (2) fazer entrevistas se qualifica como trabalho acadêmico, e acadêmicos odeiam esse tipo de trabalho com a intensidade de mil quasares.

Felizmente, sou uma profissional em fazer com que as pessoas sintam que o tempo gasto comigo não foi um desperdício. O Dr. Ikagawa usa bolas infláveis de ioga em vez de cadeiras – não são ideais para uma saia lápis, mas levam a uma conversa íntima sobre nossos treinos de core e membros superiores. O Dr. Voight estava havia horas aguardando ao telefone, tentando fazer contato com seu plano odontológico, e, quando deixo que ele passe nossos quinze minutos discutindo com os atendentes, ele parece feliz ao ponto de me dar um beijo. Capturo um mosquito que estava perturbando a sala de Alvarez e faço um amigo para toda a vida. Ajudo o Dr. Albritton com o programa de sua disciplina; dou risada da professora do terceiro ano do filho do Dr. Deol, que ainda acha que Plutão é um planeta; aceno com a cabeça enquanto o Dr. Sader toma um Capri Sun e divaga sobre a matéria escura não ser um aglomerado, mas um superfluido que se propaga em ondas suavemente distribuídas.

Está indo tudo bem, digo a mim mesma enquanto uma estudante desajeitada encarregada de me acompanhar me conduz para a sétima entrevista do dia. *Estou transmitindo simpatia. Coleguismo. Interes...*

– É aqui – diz ela em frente a uma porta preta.

Encaro a placa com o nome por um segundo. Considero brevemente destruí-la. Resisto aos meus impulsos básicos e digo:

– Acho que houve algum engano. Meu cronograma diz que o próximo encontro é com o Dr. Pereira.

Eu estava ansiosa por esse encontro depois do que entreouvi ontem à noite? Não. Mas como não posso denunciar nem ele nem seu amigo ao RH sem admitir que invadi um banheiro, estava cem por cento preparada para deixá-lo desconfortável com perguntas passivo-agressivas sobre se ele estaria disposto a assumir minhas turmas caso eu quisesse começar uma família.

Afinal, não é como se eu fosse conseguir o voto dele mesmo.

– Houve uma mudança na agenda do Dr. Pereira. Jack... quer dizer, o Dr. Smith-Turner vai ser sua última entrevista.

Talvez eu tenha sido um assassino de filhotes de foca em uma vida passada. Ou um CEO de Wall Street. Isso explicaria a minha sorte.

– Tem certeza?

– Tenho. – Ela dá um pigarro. – Dra. Hannaway, eu queria dizer... que você é uma inspiração. Quando ganhou aquele prêmio da *Forbes*... Bom, quase nenhum físico ganha esse prêmio, muito menos mulheres. Além disso, eu estava na sua aula hoje. Você foi tão elegante e assertiva. O Cole é um babaca, e... – Ela ruboriza. – Enfim, foi inspirador.

– Eu... – gaguejo, ruborizando também. – Eu não sei o que... – Ela sai correndo antes que eu possa completar a frase.

Será que ela estava tirando sarro de mim? Alguém *realmente* me acha inspiradora? Mesmo que eu passe a vida adequando minha personalidade para evitar ser odiada? Mesmo sendo a mais fraudulenta dos impostores?

Não importa. Suspiro e bato à pior porta de Boston.

– Entra – diz uma voz grave, e eu entro, resignada.

Não olho ao redor da sala de Jack. Recuso-me a me importar se é bem iluminada, se tem papel de parede ornamentado ou se é um chiqueiro – embora, tragicamente, perceba que cheira bem. Sabonete e livros e madeira e café e Jack, o cheiro dele, mas em notas intensas e desconstruídas. Porque aparentemente a esta altura já conheço o cheiro dele, o que me dá vontade de arrancar minhas glândulas olfativas das narinas. Aff.

Há uma cadeira livre em frente à mesa. Vou direto até ela enquanto ele continua digitando no computador.

Digitando.

E digitando.

E – adivinha só – digitando.

Dez segundos se passam. Trinta. Quarenta e cinco. Ele nem sequer me olhou até agora e a mesma tensão antagônica da noite passada borbulha dentro de mim, preenchendo o cômodo. Sei exatamente o que ele está fazendo – *joguinhos de poder* – e, embora não possa detê-lo, eu me recuso a deixar que ele me afete.

Ok, eu me recuso a deixá-lo *saber* que me afeta.

Não olho em volta. Não bato o pé. Não demonstro impaciência nem aborrecimento com a grosseria dele. Em vez disso, tiro o iXota da bolsa e começo a fazer o que ele está fazendo: cuidar da minha vida de merda.

Dra. Hannaway,

Aqui é o Alan, da turma de mecânica quântica. Queria que você soubesse: não gosto muito. Tipo, de mecânica quântica. É muito chato. Mas não culpo você, não é sua culpa.

Tipo, não foi você que inventou as partículas subatômicas. (Se tiver inventado, me desculpa.) Mas não mate o mensageiro, certo? kk. Estava aqui me perguntando, será que você conseguiria tornar as aulas mais divertidas? Talvez a gente possa assistir a alguns filmes de mecânica quântica? São só algumas dicas.

Abs,
Alan da turma de mecânica quântica

. . . .

Srta. Hannaway,

Como assim a lei federal te proíbe de discutir as notas do meu filho comigo? Eu pago a mensalidade dele. Exijo saber se ele está indo bem. Isso é inaceitável.

Karen

. . . .

Oi, Srta. Elsie,

Se eu matar aula pra levar meu cachorro na pet shop, isso conta como falta justificada?

Halle

PS: Eu não queria pedir isso, mas ele precisa muito de uma tosa.

Reviro os olhos e é aí que percebo: Jack não está mais digitando. Em vez disso, está recostado na cadeira, os braços que provavelmente têm seu próprio verbete na Wikipédia (entre os mais lidos em todos os idiomas, o dia todo, todos os dias) cruzados sobre o peito. Sua tatuagem continua um mistério obscuro, e ele me encara em silêncio, tão nebuloso e impenetrável como sempre. Que apropriado.

Olho para o relógio na parede e inadvertidamente vejo cerca de metade do escritório, que é grande, ensolarado e mobiliado com bom gosto. Há um cacto perto da janela. Saco. Estou aqui há três minutos.

– Tá entediada? – pergunta ele com sua bela voz idiota.

– Não. – Eu sorrio, mortalmente simpática. – E você?

Ele não responde.

– Acho que esse tempo deveria ser dedicado a uma entrevista.

– Você parecia ocupado. Não quis atrapalhar.

– Estava respondendo a um e-mail urgente. – Eu duvido. Acho que ele estava escrevendo o próximo grande romance norte-americano. Fazendo uma lista de compras. Implicando comigo. – Nós deveríamos nos conhecer melhor, Elsie. – O meu nome. *De novo.* Saindo dos lábios dele. Aquele tom, timbre, inflexão. – Se não, como vou poder me decidir quanto à sua contratação?

Todo mundo sabe exatamente o que você pensa a respeito da minha contratação. Quase digo isso, mas não quero repetir o que aconteceu noite passada no banheiro. Não quero perder o controle. Sou capaz de me manter calma, mesmo diante da admirável babaquice de Jack.

– Sobre o que você gostaria de falar?

– Acho que a gente consegue pensar em alguma coisa. Tipo sanguíneo? Primeiro animal de estimação? Cor favorita?

– Se está tentando hackear minhas perguntas de segurança do banco on-line, fique sabendo que não há muito o que roubar.

Sua boca se contrai e penso em algo sem sentido: *Eu o odiaria menos se ele não fosse tão bonito. Menos ainda se ele fosse tão charmoso quanto um necrotério. E menos* ainda *se eu conseguisse interpretá-lo, só um pouquinho.*

– Se preferir aproveitar o tempo para descansar, fique à vontade.

– Obrigada. Não estou cansada.

– Jura? Parece cansativo ser você.

Eu franzo a testa.

– Cansativo?

– Não deve ser fácil... – diz ele, batendo levemente com o dedo na borda da mesa – ... agir assim o tempo todo.

Agir assim o tempo... o que ele quer dizer com isso? Não está se referindo a... Ele não tem como saber sobre o APE. Sobre as diferentes Elsies.

– Não sei exatamente do que você está falando.

Ele balança a cabeça afavelmente, como se eu estivesse dizendo o que ele esperava que eu dissesse e, com isso, o desapontasse. Ele não rompe o contato visual e, como sempre, sinto que arrancou uma camada da minha pele. Nua, da pior maneira possível. Percebo-me ajeitando a bainha da saia, que já está em um comprimento perfeitamente aceitável. Correu tudo bem hoje de manhã no gabinete do Dr. L. Correu tudo bem em cima de uma bola de ioga. Por que me sinto tão estranha *agora*?

– Relaxe, então. Meus alunos dizem que essa cadeira é bem confortável.

– Cole é um dos seus orientandos?

– Acho que Cole é do Volkov. – Ele deve notar minha surpresa, porque acrescenta: – Mas não se preocupe. Aquela citação sexual do Feynman realmente o conquistou.

A maneira como ele diz isso (*citação sexual do Feynman*), todas as vogais e consoantes perfeitamente articuladas, me causa um misto de sensações, e quero desviar o olhar. O que teimosamente me recuso a fazer.

– Esta cadeira é *mesmo* confortável. – Eu me reclino, imitando a pose dele. *Não* estou *intimidada. Você não está intimidado. Não estamos intimidados.*

– Eu dormi nela uma vez, depois de um experimento que durou 48 horas.

– Eu *não vou* dormir.

– Mas poderia.

– Sim. E você poderia pegar uma caneta permanente e rabiscar alguma coisa na minha testa.

Ele inclina a cabeça.

– O que eu rabiscaria?

Dou de ombros.

– "Não contratar"? "Albert Einstein é um lixo"? "Odeio teóricos"?

Ele junta as mãos.

– É isso que você pensa? Que eu odeio teóricos? – Ele me acha divertida. Ou chata. Ou lamentável. Ou uma mistura de tudo. Queria muito saber dizer, mas morrerei na ignorância.

– Seus alunos com certeza parecem odiar.

– E você acha que é por minha causa? – Ele parece genuinamente intrigado. Que *audácia.*

– De quem mais seria?

Ele dá de ombros.

– Você está descartando uma explicação mais simples: alunos interessados em física experimental são mais propensos a ter noções preconcebidas sobre teoria *e* mais propensos a cursar uma disciplina ministrada por mim. Correlação não é a mesma coisa que causalidade.

– Claro. – Sorrio educadamente. Estou calma. Ainda estou calma. – Tenho certeza de que o fato de alguém que eles admiram, no caso *você*, abertamente odiar físicos teóricos não tem impacto na visão que têm da disciplina.

– Eu? – Ele inclina a cabeça. – Abertamente odeio teóricos? Eu colaboro regularmente com eles. Respeito o trabalho deles. Admiro vários.

– Me diz um.

– Você. – Ele me captura com seu olhar idiota e observador. – Você é muito impressionante, Elsie.

Meu estômago revira, mesmo sabendo que ele está mentindo. Eu só... não esperava essa mentira tão específica.

– Duvido que você saiba alguma coisa sobre o meu trabalho.

– Eu li cada palavra que você escreveu.

Ele parece falar sério, mas deve estar zombando de mim. O que eu faço? Zombo de volta.

– Gostou do meu diário da época da escola?

Um indício de ruga surge nos cantos de seus olhos.

– Falava muito de Justin Bieber pro meu gosto.

– Você invadiu o quarto errado... Meu lance era o Bill Nye.

Sua boca se contrai.

– Pelo visto você era popular, né?

– Sem querer me gabar, mas eu também tocava tuba na banda da escola.

– A competição era acirrada, aposto. – Ele tem uma covinha. Só uma. Aff.

– *Acirradíssima.* Mas eu tinha uma vantagem. O Clube de D&D.

Seu riso é suave. Relaxado. Assimétrico. Diferente da expressão inflexível que passei a esperar dele. Mais uma novidade: também estou sorrindo. Eca.

– Aposto que você não era tão legal quanto eu – digo, pressionando os lábios, avaliando-o. Os ombros largos. Os olhos estranhos e marcantes. A confiança displicente de alguém que sempre foi escolhido primeiro nas au-

las de educação física. Jack não marchava em desfiles tocando uma tuba.
– Você enfiava a cabeça de pessoas como eu no vaso sanitário. Se escondia no quartinho do zelador com as líderes de torcida.

– Nós, do time de matemática, fazemos muito isso – murmura ele, um pouco enigmático. – Seus modelos são elegantes e fundamentados. Está claro que você tem uma compreensão muito intuitiva da cinética de partículas, e as suas teorias sobre transições para estruturas esferulíticas são fascinantes. Especialmente o artigo de 2021 na *Anais*.

Ergo a sobrancelha. Não acredito nem por um segundo que o que ele está dizendo seja verdade.

– Estou surpresa que você leia a *Anais*.

Ele dá uma risada curta, sem som.

– Porque é avançado demais pra mim?

– Por causa do que você fez com Christophe Laurendeau.

Seu ar indiferente e sereno desaparece. Transforma-se em algo duro.

– Christophe Laurendeau.

– Não reconhece o nome? Ele era o editor da *Anais* quando você fez a sua proeza. E, mais recentemente, se tornou meu mentor. – Os olhos de Jack se arregalam em algo que parece um belo e inesperado choque. *Esplêndido.* Tiro proveito de minha vantagem inclinando-me para a frente, resisto à tentação de ajustar a bainha da saia e digo: – Nenhum teórico se esqueceu desse artigo. Pode ter sido há quinze anos, mas...

Peraí. Alguma coisa não bate.

Jack é três anos mais velho que Greg, o que o torna cinco anos mais velho que eu. Trinta e dois ou trinta e três. Só que... Eu o observo com atenção.

– O artigo falso saiu quando eu estava no ensino fundamental. Você devia ter...

– Dezessete anos.

Eu me encolho na cadeira. Será que ele era uma espécie de prodígio?

– Você já estava fazendo doutorado?

– Eu estava no ensino médio.

– Então por quê... Como alguém de *17 anos* manda um artigo para uma revista voltada ao ensino superior?

Ele dá de ombros e qualquer emoção que demonstrava até um minuto atrás já foi reabsorvida para a tela em branco habitual.

– Eu não sabia que tinha um limite de idade.

– Não, mas a maioria dos jovens de 17 anos ainda estava ocupada pedindo ao professor para ir ao banheiro ou relendo *Crepúsculo*…

– *Crepúsculo* e Bill Nye, é?

– … sem tempo para planejar pegadinhas que envolviam escrever artigos de paródia ofensivos e antiéticos, cujo único propósito é enganar estudiosos que trabalham duro *e tirar sarro de toda uma área de estudos*. – Termino a frase praticamente gritando, as unhas arranhando os apoios de braço.

Tá. Talvez eu não esteja *super*calma. Talvez fosse bom respirar fundo um pouco. Baixar a bola. Como a gente baixa a bola? Não sei. Eu geralmente *já estou* com a bola baixa. A menos que Jack esteja por perto, claro. Jack, que está sentado, tranquilo, onisciente. Pedindo um soco.

Fecho os olhos e penso no meu lugar feliz. Uma praia quente em algum lugar. Não existe nenhum musculoso de cabelos claros. Há muito queijo.

– Sabe o que me deixa intrigado? – pergunta Jack.

– Toda a gama de emoções humanas?

– Isso também – diz, e eu olho para ele. Observo seu sorriso humilde quando não há um único osso humilde em seu corpo. – Mas é o seguinte: sempre que esse assunto do artigo vem à tona, o que todo mundo pergunta é como eu pude fazer uma coisa tão *horrível*. Por que eu escrevi aquilo? Por que submeti o artigo? Por que decidi humilhar a física teórica?

– E deviam perguntar o quê? Com que safra de Chianti você celebrou seu triunfo maléfico? A raça do gato branco vilanesco que você com certeza estava acariciando? Os decibéis que suas gargalhadas atingiram?

– Deviam perguntar o motivo pelo qual o artigo foi aceito.

Sei exatamente aonde ele quer chegar com isso.

– Foi um caso à parte.

– Talvez – admite ele. – Mas pensa no seguinte: se um geólogo teórico escreve um artigo furado dizendo que o núcleo interno da Terra é feito de torrone e a maior autoridade na área, digamos, o *New England Journal of Rocks*, decide publicar e endossar o artigo, eu não consideraria tão rápido que foi um acaso. Em vez disso, eu investigaria se há um problema na forma como os artigos de geologia teórica são avaliados. Se o *editor* cometeu um erro.

Engulo em seco. Sinto como se tivesse um caco de vidro na garganta.

– Eu reconheço que o sistema é passível de falhas se você parar de fingir que agiu por preocupação com a injustiça do sistema de revisão por pares e admitir que explorou maliciosamente suas brechas porque queria... Você ainda não respondeu, na verdade. Por que fez isso?

– Não foi por nenhum dos motivos que você acha, Elsie.

Mordo o lábio para não gritar que ele pare de dizer o meu nome.

– Não foi para pregar uma peça épica e ficar famoso entre seus companheiros de laboratório?

– Não.

Eu gostaria que ele estivesse soando defensivo ou ofendido ou... qualquer coisa, na verdade. Ele é apenas direto, como se falasse uma verdade simples.

– E não é o mesmo motivo pelo qual você quer contratar um experimentalista em vez de mim?

Ele recua, parecendo surpreso. Incomodado, até.

– Você acha que não quero te contratar porque você é uma física teórica?

Eu quase bufo e digo *Sim, claro*, mas então me lembro de nosso primeiro encontro, no verão. A maneira como ele olhou para mim, de um jeito um pouco duro demais, e hesitou bastante antes de apertar minha mão.

– Bom – admito com um breve dar de ombros –, acho que você não gosta de mim por motivos genuínos.

Ele solta uma gargalhada e balança a cabeça.

– De novo com essa suposta antipatia.

– Eu ouvi você conversando com o Greg a meu respeito. – Ignoro a forma como seus olhos se arregalam, quase alarmados. – Perguntando em quanto tempo ele planejava se livrar de mim.

Puxo a bainha da saia novamente, e o olhar dele dispara na direção dos meus joelhos, demorando-se por um segundo antes de se desviar. Eu provavelmente deveria parar de fazer isso. Preciso de um novo hábito para os momentos de nervosismo. Roer as unhas. Um fidget spinner. Ouvi falar bem de metanfetamina.

– Eu nunca disse...

– Ah, tudo bem. – Aceno com a mão. – Você tem todo o direito de ter uma opinião a meu respeito. Você acha que não sou boa o suficiente pra ele. Eu não me importo. – Muito.

Ele morde o interior da boca e estende a mão que mais parece uma pata para brincar com algo em sua mesa – um modelo impresso em 3-D do Grande Colisor de Hádrons.

– Você faz muitas suposições sobre o que eu penso – diz ele, soltando o modelo. – Suposições *negativas.*

– Você claramente pensa coisas negativas.

– Talvez porque você está mentindo para o meu irmão há meses.

Dou um suspiro.

– A gente pode ficar aqui nesse papo egocêntrico sobre como eu sou uma namorada horrível até Betelgeuse explodir, mas tem algumas coisas que você não sabe sobre mim e o Greg, e até...

– Tem *muitas* coisas que eu não sei. – Ele tamborila na mesa, de um jeito lento, metódico. Não consigo desviar o olhar. – Passei horas ontem à noite tentando entender e não estou nem um pouco perto de te desvendar. Por exemplo, por que você mentiria sobre seu trabalho? Você é uma professora adjunta, não a contadora do Jeff Bezos. E o fato de que não apenas é uma física, mas também está passando por um processo seletivo *aqui*... Meu primeiro instinto seria presumir que isso tem algo a ver comigo.

– Eu...

– Mas eu vi a sua expressão ontem à noite. Você não fazia ideia de quem eu era. Então, voltamos à estaca zero. Por que a mentira? E sobre o que mais você mentiu? Como escondeu isso por meses sem o Greg perceber? Como ele vai reagir quando ficar sabendo? E, acima de tudo, como *você* vai reagir quando ele ficar sabendo? – Ele me encara como se eu fosse um cubo mágico hexagonal. Imagino-o deitado em uma cama pequena demais para seu corpo, pensando em todas essas coisas sobre mim, e quase estremeço. – Você está apaixonada pelo meu irmão, Elsie?

Engulo em seco.

– Essa é uma pergunta muito invasiva.

– É? Hmm. – Ele dá de ombros graciosamente.

– E, de qualquer maneira, Greg tem 30 anos. Ele não precisa que você controle a vida dele.

– Greg tem 30 anos e você é a primeira pessoa com quem ele teve qualquer tipo de relacionamento romântico. – Os olhos dele endurecem. – Levando em consideração as mentiras que você tem contado, parece que ele precisa, *sim*, de alguém cuidando dele.

– Se você *ligasse* para ele...

– Ele não volta até domingo.

– Você *tentou* entrar em contato com ele?

– Não. – Os olhos de Jack escurecem. – Não vou contar para o meu irmão por telefone que a namorada dele é secretamente uma super-heroína da teoria do cristal líquido. Vou fazer a gentileza de partir o coração dele pessoalmente.

– Para você poder dar um tapinha nas costas dele? Dizer "não fica assim"?

– Estou falando sério, Elsie.

Inclino a cabeça, imaginando um auditório vazio. Greg vestido como o apóstolo Pedro. Uma única pessoa na plateia, batendo palmas bem alto após cada música. *Meu melhor amigo.*

– Você realmente se importa com o Greg.

– Sim – diz ele como se estivesse falando com uma criança –, eu me preocupo com o meu irmão.

– Nem sempre é assim, você sabe, né?

– Você não se importa com os seus irmãos? Ou os seus irmãos não se importam com você?

Dou de ombros, lembrando-me dos meus telefonemas para eles hoje de manhã, uma vez que eles não se deram ao trabalho de me atender ontem à noite. Lucas atendeu quase dormindo. Ele não apenas não reconheceu minha voz, como também perguntou "Que Elsie?".

– Acho que eles não estão completamente cientes de que eu existo em uma forma corpórea – murmuro, pensando em voz alta. Eu me arrependo na mesma hora, porque Jack assente de um jeito que me faz questionar se ele está arquivando a informação. Munição para o futuro?

– Sinto muito que seus irmãos sejam uns babacas. – Ele parece surpreendentemente sincero. – Mas, dado o seu histórico com mentiras, não pode me julgar por estar preocupado com o meu.

– Você não sabia que eu estava mentindo quando a gente se conheceu.

– Não, não sabia. – A expressão de Jack se aguça. Ele se endireita e se inclina para a frente, os cotovelos na mesa. A sala inteira muda e fica mais pesada com a tensão. – Mas eu percebi o seu jeito. Como você analisa as pessoas o tempo todo. Descobre quem elas são, o que elas querem e, em seguida, se molda em qualquer formato que acredita que vá se adequar a elas. Já vi você desempenhar meia dúzia de papéis em meia dúzia de situações, trocando de personalidade como se estivesse zapeando a TV, e ainda não faço ideia de quem você *realmente* é. Portanto, acho que tenho o direito de me preocupar com meu irmão. E acho que tenho o direito de ficar curioso em relação a você.

Fico congelada.

Ele acabou de...

Não. Ele não *me* conhece. Devo ter ouvido mal. Interpretado errado. Entendido errado... *Merda.*

– Eu... – Minhas mãos tremem e as enfio debaixo das pernas, como uma criança. Me sinto nua. Com a cabeça girando, deixo escapar: – Eu não sei o que você...

O telefone toca. Jack levanta um dedo, sinalizando que eu aguarde, e atende.

– Smith-Turner. Oi, Sasha. Sim. Ela está aqui. Ela estava prestes a... Ah. Entendo. Sim. Sem problemas. Eu cuido disso.

Estou abalada demais com o que ele acabou de dizer (*se molda em qualquer formato que acredita que vá se adequar a elas*) para entreouvir. O que me deixa ainda mais estupefata quando Jack diz:

– Volkov está resolvendo umas coisas e não vai poder te levar para fazer o tour pelo departamento. – O leve sorriso torto reaparece. – Mas não se preocupe, Elsie. Fico feliz em fazer isso.

7
RESISTÊNCIA ELÉTRICA

REPITO "NÃO PRECISA" TANTAS VEZES que as palavras perdem o sentido, como em um trava-língua. O esforço é todo em vão.

– Jack, eu tenho certeza de que você tem muita coisa pra fazer – digo enquanto ele me conduz para fora de sua sala, o braço roçando no meu.

– Tipo o quê?

– Hmm. – Fazer colares com dentes de leite? Levantamento de peso com uma bigorna? – Trabalhar?

Ele enfia a chave no bolso de trás da calça jeans e me analisa, seu olhar um metro e meio acima de mim. Sinto como se minhas roupas estivessem ridiculamente exageradas, embora eu seja a pessoa usando trajes profissionais adequados.

– Tenho tempo pra mostrar o campus pra uma possível futura colega.

Não bufe, Elsie. Não bufe.

– Realmente não precisa...

– Se continuar repetindo isso – interrompe ele –, vou achar que você não quer passar um tempo comigo.

Não quero. Mas adoraria passar por cima de você.

Ele me empurra em direção ao corredor com uma mão nas minhas costas e, por um segundo, seus muitos metros, centímetros e quilos parecem tentadoramente, inexplicavelmente convidativos. Estou cansada. Um tanto exaurida. Poderia afundar no peito dele e...

Uau.

Acho que estou meio tonta. Talvez eu precise comer. Não deveria, no entanto. Comi balas de goma com vitaminas entre as entrevistas para evitar que minha glicose caísse – é imprudente correr o risco de ficar mal-humorada de fome quando se está perto de alguém que, de bom humor, você sonha em massacrar. Pego meu celular, com a intenção de verificar meus níveis glicêmicos. Só que Jack fica olhando, reparando na rachadura que divide a tela de bloqueio. (Uma selfie de Ceci e eu rindo enquanto seguramos um bloco de queijo de cabra com cranberry. Foi na véspera de Ano-Novo, antes de passarmos quatro horas assistindo a um filme belga sobre canibalismo, depois mais uma hora discutindo a história. Eu queria morrer. Pelo menos o queijo era bom.)

O monitor de glicose parece bom, mas quero verificar o sensor. Preciso de um minuto sozinha. Talvez possa fingir que esqueci algo na sala de Jack? Eu me viro para lançar um olhar ansioso em direção à porta, e meus olhos pousam na placa com o nome dele.

– De onde vem o *Turner*, afinal?

Jack me lança um olhar curioso. Suspeito que seu passo normal seja mais rápido do que o meu quando estou correndo, mas ele desacelera para se equiparar a mim. Que gentil.

– O sobrenome do Greg é só Smith – explico.

– Turner é o sobrenome da minha mãe.

– E Greg não recebeu o sobrenome dela?

– Tá vendo só? Esse parece ser exatamente o tipo de informação que alguém que está em um relacionamento com meu irmão já teria. – Certo. Isso não é *mentira*. – Onde o Volkov ficou de te levar?

Tiro o roteiro de meu bolso minúsculo. Preciso desdobrar o papel umas vinte vezes, o que parece divertir Jack. Babaca.

– Peraí. Aqui diz que o Dr. Crowley ia fazer o tour comigo. – Eu ergo os olhos, esperançosa. – Você não precisa...

– Crowley e Pereira não estão mais no comitê de seleção.

– O quê? – Os dois escrotos que entreouvi no banheiro? – Por quê?

– Aconteceu um imprevisto. Eles tiveram que sair. – Ele diz isso sem alterar o tom de voz, como se não fosse estranho que dois membros do corpo docente saiam no meio de um processo seletivo. – Mas estou feliz em assumir o tour. – O olhar dele é assertivo, parcialmente azul. – O que diz o cronograma?

Merda.

– Tour pelos laboratórios.

Ele dá uma risada.

– Tem certeza de que quer ir lá? Os laboratórios estão cheios de experimentalistas.

Reprimo um revirar de olhos.

– Eu *adoraria* ver os laboratórios. Como eu disse, acredito firmemente na colaboração entre a física experimental e a teórica e valorizo... – A sobrancelha de Jack se ergue (o que quer dizer: *Que papinho*), e eu paro de falar.

– Que tal a gente passar só pelos escritórios, Elsie?

Pressiono os lábios (o que quer dizer: *Pare de dizer meu nome*).

– Sim, por favor.

O problema da física teórica é que ela envolve principalmente pensar. E ler. E rabiscar equações em um quadro-negro. E contemplar uma salada de cicuta ao se dar conta de que os últimos três meses do seu trabalho não se encaixam com a fórmula de Bekenstein-Hawking. Enquanto escrevia minha tese, passei a maior parte do tempo em meu apartamento, olhando para a parede, tentando entender a segregação de cristais em domínios quirais. A cada poucas horas, Ceci me cutucava com uma vassoura para se certificar de que eu estava viva; Ouriça estava sempre empoleirada em seu ombro, esperando ansiosamente o sinal verde para se banquetear com meu cadáver.

Nós, teóricos, não frequentamos laboratórios, e o equipamento mais sofisticado de que precisamos são computadores para fazer simulações. Nunca usei um jaleco – exceto no ano em que J.J. me convenceu a me vestir como uma neurocirurgiã sexy para uma festa de Halloween. Mesmo naquela ocasião, foi oitenta por cento meia arrastão.

– As salas de reuniões ficam pra lá – diz Jack, apontando para a direita. Seu antebraço é musculoso. Que treino ele faz para manter esses músculos? – Cerca de sessenta por cento do departamento se concentra principalmente em teoria. Mais ainda, se incluir professores híbridos como o Volkov. – Ele me olha de soslaio. – Aliás, bom trabalho com os trocadilhos. Você passou horas pesquisando piadas de tiozão no Google?

Só uns vinte minutos. Faço leitura dinâmica.

– Me conta, você se sente seguro aqui?

– Seguro?

– Considerando que mais de sessenta por cento do corpo docente é formado por teóricos, deve ter tido casos de... pneus cortados? Caixas de correio destruídas? Lixo em cima da sua mesa? A menos que você tenha enviado um pedido de desculpa pra todos os teóricos no primeiro dia.

De novo uma ruguinha nos olhos?

– Eu não sou o cara mais popular da faculdade. E ainda não fui convidado pro happy hour semanal do departamento. Mas a maioria das pessoas é civilizada. E já disse que eu não tenho nada contra teóricos.

– Claro. Alguns dos seus melhores amigos são teóricos.

Ele me encara enquanto destranca uma porta, e sua única covinha reaparece.

– Essa vai ser a sua sala, Elsie. Se você continuar boa nos trocadilhos.

Minhas fantasias de encher Jack de doces feito uma pinhata e bater nele com um pedaço de pau – será que estou precisando de açúcar? – são frustradas pela janela alta que dá para o campus. E a bela mesa de trabalho. E as prateleiras combinando. E o quadro branco gigante.

Meu Deus, este escritório é *espetacular*. Eu poderia me sentar aqui todos os dias. Sentir o cheiro de madeira. Afundar em uma cadeira confortável que o MIT comprou especialmente para mim. Passar horas permitindo que meu cérebro mergulhe em sinapses e expanda minhas teorias.

Concluir meu artigo – aquele que está parado há mais de um ano.

Estremeço de prazer com a ideia. Ao contrário do que acontece no meu apartamento, nenhuma aranha-mandarina-eremita tentaria entrar na minha boca. Minha vida passaria por uma mudança drástica, já que a quantidade de e-mails do tipo *Posso pagar a mensalidade em Dogecoins* seria reduzida em novecentos por cento. E o salário... Eu teria uma poupança. Dinheiro guardado de verdade, não apenas moedas que esqueci em um casaco de inverno no ano anterior.

Eu quero este escritório. Eu quero este trabalho. Eu o quero mais do que jamais quis qualquer coisa, incluindo aquele conjunto da Polly Pocket, aos 5 anos.

– Quer um pouco de privacidade? Um colchão? Contracepção de emergência?

Eu me viro. Jack está encostado no batente da porta, ombros relaxados, seu corpo preenchendo a entrada. Ele me encara com aquele sorriso torto que quase me faz esquecer que nos odiamos.

– É... – Dou um pigarro. – Um belo escritório.

– Um *belo* escritório? Você parecia emocionada.

Eu me recomponho.

– Não, eu... Qual é mesmo a carga horária de aulas desse cargo?

Ele me observa, me analisando, e eu viro o rosto. Já basta dele por hoje.

– Você gosta de dar aula?

– Claro – minto, correndo um dedo por uma prateleira de madeira, que não está sequer empoeirada.

– Gosta nada – diz ele, lendo minha mente. – Talvez gostasse, antes de ter que dar noventa aulas por semana, mas não mais. – Não é uma pergunta. – A carga horária é de duas disciplinas por semestre.

Coloco a mão sobre o arquivo.

– Não é tão ruim.

– Você sabia que *existem* empregos para físicos nos quais não se exige dar aulas?

– Posso conseguir uma bolsa. Que cubra o valor das aulas, pra que eu não tenha que dar aulas.

– Bolsas para teóricos são raras. Seriam meses pra se inscrever, anos pra receber uma resposta. Você não preferia ser pesquisadora em tempo integral?

Eu me viro, as mãos nos quadris.

– Por mim, tudo bem você não querer que eu *consiga* esse emprego, mas você não querer que eu o *queira* já é demais.

A boca dele se contrai.

– Me parece que você quer *querer* esse emprego um pouco demais.

– Jack, achei você. – Uma jovem bate à porta do meu... tá, *do* escritório. Ela é apenas alguns centímetros mais baixa que Jack, com longos cabelos escuros e um sotaque que não consigo identificar. Está gesticulando. Bastante. – Eles aprontaram *de novo*.

– Aprontaram o quê?

– Cancelaram a minha reserva do tokamak. Você acredita nisso? É a terceira vez esse mês, que porra é essa? Eu tinha uma reserva pra semana que vem, daí *bum*, fui chutada do calendário. Sabe toda aquela palhaçada sobre o reator estar disponível pra todo o MIT? Eles *claramente* não incluem estudantes de pós-graduação. Como vou fundir o plasma? Na porra da minha panela de pressão?

– Michi. – Jack parece inabalado.

– Se querem que eu superaqueça gases na minha banheira e exploda o lulu da pomerânia da minha colega de quarto, beleza, mas o objetivo de ser funcionária do MIT era não ter que coalescer minha própria antimatéria! Esse é o pior lugar do universo, e vou largar esse programa. Eu deveria ter ficado na Caltech. Deveria ter entrado pro negócio de alimentadores de esquilos da minha vó...

– Michi – interrompe Jack, sua voz apenas um pouco mais firme. – Essa é a Dra. Elsie Hannaway, uma das candidatas à vaga de docente. Dra. Hannaway, Michi é uma das minhas orientandas.

Michi *não* tinha percebido que havia mais alguém na sala. A maneira como ela fica vermelha feito um tomate deixa isso claro, assim como seus olhos arregalados.

Conduzo um APE rápido: Michi é inteligente, motivada e está sobrecarregada. Ela gosta de Jack e confia nele (então talvez não seja *tão* inteligente assim?). Está extremamente constrangida por alguém tê-la ouvido reclamar daquele jeito. A julgar por seu lábio inferior trêmulo, está prestes a cair no choro.

Ah, não.

– Isso é uma droga – digo rapidamente. A Elsie de que ela precisa se compadece. – Odeio quando os laboratórios se enrolam nas reservas. – Nunca reservei um laboratório em toda a minha vida. Mas... – É tão difícil assim configurar um calendário funcional no Google?

Muito, eu suponho. Mas os lábios de Michi param de tremer. O vermelho esvanece.

– Né?

– Não é só no MIT. Todo lugar é assim. Eu era estudante até o ano passado e sempre éramos os últimos a ter acesso aos equipamentos. – Se por equipamento eu estivesse considerando giz colorido. – Melhora depois que você se forma.

O lábio dela estremece de novo.

– Melhora mesmo?

– Te juro. – Abro um sorriso tranquilizador. Minha fraqueza são mulheres na ciência. Quero protegê-las do inferno estruturalmente desigual que é a academia. – Enquanto isso, tenho certeza de que Jack vai ficar feliz em interceder a seu favor.

A cara feia de Jack transmite sua falta de familiaridade com o conceito de felicidade.

– Vou garantir que você tenha acesso, Michi.

Ele diz *Michi*, mas está olhando para mim. Furiosamente, para ser precisa. E, quando Michi assente e sai correndo, ele fecha a porta e caminha na minha direção, uma linha vertical entre as sobrancelhas.

É quase um choque físico, sair de Michi – que é um livro aberto, transparente – e voltar para Jack. Ele é a habitual parede branca, cheio de pontos de interrogação, e me faz querer arrancar meus cabelos. Os cabelos dele. *Todos* os fios de cabelo de seu corpo. Por que ele tem que ser tão frustrante? Por que tem que ser a pessoa mais ilegível...

– A garota de carne e osso que queria ser uma marionete – murmura ele, baixo e áspero.

– O quê?

– Eu consigo ver o que você faz.

– Eu faço o quê?

– Analisa as pessoas. Liga e desliga sua personalidade.

Dou um passo apavorado para trás. Um combativo passo para a frente. Não consigo prever porra nenhuma nele, mas ele lê a minha mente?

– Sabe, Jack, todo mundo interage de maneiras diferentes com pessoas diferentes. Chama-se traquejo social, uma habilidade absolutamente normal...

– Traquejo social não tem nada a ver com *apagar* quem você é e distorcer o que sobra. Você já agendou um laboratório na vida? Te negaram acesso a qual equipamento?

– Olha só, funcionou. Michi estava prestes a cair no choro. Eu antecipei as necessidades dela e não houve lágrimas.

– Você *mente*, Elsie. Todas as suas interações são uma mentira. – Ele cruza os braços, assomando sobre mim. Deveríamos estar em um tour pelo departamento. Sinto que ele está fazendo um tour por *mim*. – É isso que você faz com o Greg também? Essa mudança de personalidade pra uma persona inventada, falsa, por quem ele se apaixonou?

– Não.

Meu Deus. Greg precisa voltar dessa merda de acampamento de ioga o mais rápido possível.

– Você está fazendo isso comigo também? – Sua carranca se aprofunda.

– O quê? Não!

Eu não consigo nem ler você!

– Está se transformando no que *eu* quero? É por isso que, sempre que estou com você, eu…

A voz dele falha, ou talvez não. Talvez eu tenha acabado de atingir a massa crítica.

Estou tonta. Meu coração é um tambor em meus ouvidos. Há uma única gota de suor frio escorrendo pelas minhas costas, e tenho certeza, absoluta certeza de que brigar com Jack queimou a última das minhas moléculas de glicose. Meu sangue é zero por cento açúcar. Que divertido.

– Elsie?

Minha visão está embaçada. Onde está a parede? Eu preciso me apoiar na…

– Elsie?

Mãos. Músculos. Ossos. Calor. Sou pressionada contra alguma coisa e…

– Elsie, o que está acontecendo?

– Açúcar. – É tão bom não ter mais que ficar de pé. Eu me sinto *tão* leve. – Carboidratos de absorção rápida. Suco ou refrigerante ou… balas. Você pode…?

Há uma pele quente e macia sob a palma da minha mão. Então sou colocada em cima da mesa – da minha mesa, minha futura mesa. Meu Deus, eu realmente espero conseguir esse emprego. Vou colocar aquela estatueta do Bill Nye que gosto de fingir que não foi J.J. quem me deu ao lado do computador… meus Funko Pops de Alice e Bella em cima do armário… uma planta no parapeito da janela… algo perverso e carnívoro… uma dioneia, talvez… vou dar o cacto do Jack pra ela comer… vou dar o *Jack* pra ela comer…

– Aqui.

Abro os olhos, trêmula. Suspeito que Jack tenha se ausentado por um breve momento, mas agora está de volta. Para testemunhar minha situação deplorável. Como aqueles incendiários que voltam à cena do crime para se masturbar...

– Elsie. Pega.

Há uma garrafa na frente do meu nariz, cheia de um líquido escuro. Eu a tomo da mão dele e bebo vários goles longos. Felicidade instantânea.

Bem, não instantânea. Felicidade também não. Leva alguns minutos para o nível de açúcar no meu sangue se estabilizar. Mesmo assim, ainda me sinto como um cadáver. Um cadáver em péssimo estado, aquele que sobra para o aluno de medicina que chega atrasado ao laboratório de anatomia.

Será que eu deveria beber mais? Verifico meu nível de glicose no iXota – merda, meu sensor falhou *de novo*. Muita insulina. Nível de açúcar no sangue abaixo de setenta miligramas. Vou tomar mais dois goles, esperar dois minutos e...

– Você tem diabetes.

Levanto os olhos. Ah, claro. Jack ainda está aqui. Me observando com uma expressão um pouco autoritária e cem por cento preocupada. Ocupando a maior parte da minha futura sala daquele jeito visceral e presente dele. Preciso adiantar a compra da dioneia.

– Aham.

– Tipo 1?

Eu faço que sim.

– Por que não me contou?

Tomo outro gole do refrigerante – que, percebo aos poucos, *não é* Coca-Cola – e dou uma risada.

– Por que eu contaria? Pra você colocar um caramelo no meu chá?

– Engraçado você dizer isso. – Ele não parece estar achando graça. – Eu estive com você exatamente cinco vezes desde que te conheci e em duas delas você sofreu de alguma complicação relacionada ao diabetes que exigiu minha ajuda.

– Mais oito e eu ganho um brinde?

Ele bufa, soltando uma risada.

– Com esse nível de autossabotagem, você não precisa que eu me meta.

Lanço um olhar maléfico a ele, mas sem entusiasmo, cansada demais para brigar.

– As únicas duas vezes que tive uma crise de hipoglicemia no último ano foram na sua frente. Talvez seu superpoder seja fazer meu sensor dar defeito.

– Você precisa contar pra Monica.

– Monica não vai gostar menos de mim porque eu tenho diabetes.

Eu acho.

Os olhos dele endurecem.

– Acha que eu quero que você conte pra diminuir as suas chances? Você está desperdiçando as suas chances sozinha, desmaiando por aí e contando mentiras facilmente refutáveis. Eu estou preocupado com a sua *saúde*.

– Eu assumo total responsabilidade pela minha saúde, e isso não afeta meu trabalho. Não sou obrigada a compartilhar nada disso com…

– Você quase *desmaiou*.

– Meu sensor *deu defeito*. É velho e uma merda, e eu preciso de um novo. Mas sem plano de saúde fica impossível, então...

Ele parece culpado? Talvez. Talvez seja apenas sua carranca habitual.

– Greg sabe que você tem diabetes?

Seria socialmente aceitável eu invadir o retiro corporativo de Greg e arrastá-lo de volta para Boston pelas orelhas?

– Ele não precisa saber.

Os lábios de Jack se contraem.

– Isso faz parte do seu jogo?

– Do meu o quê?

– Dessa esquisitice. De você se apagar e se reinventar.

– Você está *obcecado* com isso. – E perturbadoramente certo. – Acredita em teorias da conspiração? Em reptilianos? Acha que a Finlândia não existe? – Tomo outro gole. – Meu Deus, como isso é amargo. – O rótulo da garrafa está em um idioma que não conheço. – O que é *isso*?

– A bebida favorita do Volkov.

– Quê?

– Ele pediu pro irmão dele mandar umas caixas da Rússia, que ele raciona e trata como se fosse ouro líquido. Essa é a última garrafa.

Se fosse capaz de tomar outro gole, cuspiria tudo depois de ouvir isso.

– *O quê?*

– Não se preocupa. Vou deixar claro que você *realmente* precisava, Elsie. Ele não vai ficar tão chateado assim.

– Não. Não, não, não. Não conta pra ele. Não fala *nada* pro Volkov. Eu vou achar uma loja de produtos importados. Comprar outro pra substituir. Onde você pegou isso? Eu posso...

Paro de falar. A covinha de Jack está de volta. Ele está sorrindo. Maliciosamente.

– Não é do Volkov, né?

Ele faz que não.

– Odeio você – digo sem energia.

– Eu sei. – Ele pega a garrafa, toma um gole. Franze o nariz de um jeito quase fofo. Ele sabe que meus lábios encostaram ali? – Nojento. Roubei da sala comum dos estudantes. O único refrigerante que encontrei que não era diet.

– Você acabou de *roubar* de um aluno? – Dou uma risada.

– Sim. Não esperava descer a esse nível.

Dou uma risada mais alta... Deve ser a onda do açúcar.

– Como você consegue dormir à noite?

– Tenho um colchão bem firme. Ótimo pra coluna.

Dou risada novamente. E Jack também. Pego a garrafa de volta e tomo outro gole. Acho que estamos ambos vacinados. Que mal tem?

– Jesus, isso tem gosto de solvente.

– Ou de smoothie de álcool isopropílico de plâncton. – Ah, meu Deus. Estou dando *mais* risada. Será que tive um dano cerebral permanente? – Você vai ficar bem? – De repente, a voz dele se torna mais suave. Mais íntima. Ele está realmente mais perto do que o necessário. Pelo menos ele vai me pegar se por acaso eu cair outra vez.

– Vou. Só preciso de um segundo pra me recuperar.

Último gole. Será que estou começando a gostar desse suco de compostagem? Talvez seja apenas este lugar. A luz do sol do meio da tarde aquecendo o piso de madeira. As prateleiras esperando para serem preenchidas com meus livros.

– E mais um segundo pra contemplar o esplendor do meu futuro escritório.

Jack balança a cabeça e sorri, quase melancólico.

– Sinto muito, Elsie. Esse escritório não vai ser seu.

O pensamento é horripilante.

– Você *não* sente muito. E não sabe o futuro. Meus trocadilhos são melhores que os seus, Jack. A prova de aula correu muito bem. E eu nem roubei o leite da mãe do Volkov. Eu tenho uma *chance*.

Ele me observa por um tempo, em silêncio. Então pergunta novamente:

– Você vai ficar bem?

– Vou, só preciso de um segundo pra...

– Não, o que estou perguntando é: você vai ficar bem? Se perder o Greg? Porque eu *vou* contar a ele sobre você. E se você não conseguir esse emprego... mesmo assim, vai ficar bem?

Não consigo decifrar o tom dele de imediato. Então identifico e caio na gargalhada.

Ele está *preocupado*. Parece preocupado de forma genuína com meu bem-estar e meu estado de espírito. O que é surpreendentemente gentil e talvez um tanto divertido, até eu me dar conta do porquê: ele tem certeza de que vou fracassar. E isso me faz sentir... alguma coisa. Um misto de raiva e medo e algo mais, que remete a uma alegria despreocupada de dançar sobre os túmulos de inimigos que ousaram me subestimar.

– O que *você* vai fazer se eu conseguir esse emprego, Jack? – Eu me inclino para a frente. Meu rosto está a centímetros do dele. – Arrancar os cabelos? Chamar o gerente? Abandonar o departamento e se tornar professor de zumba?

Ele não recua. Em vez disso, me observa com mais atenção, como se eu fosse um bicho na palma de sua mão, e eu contemplo os cenários possíveis, os mesmos que devem estar preenchendo a cabeça dele.

Jack Smith-Turner e Elsie Hannaway. Estimados colegas. Vizinhos de sala. Inimigos acadêmicos.

Ah, eu seria capaz de dificultar tanto a vida dele! Espalhar o boato de que ele encosta a boca no bebedouro. Pôr um ninho de vespas assassinas na gaveta de sua mesa. Empurrá-lo para o ar livre com os olhos descobertos durante um eclipse. O céu é o limite, e quero vê-lo sofrer. Quero vê-lo perder. Quero vê-lo desesperado. Quero vê-lo chorar porque ele perdeu e eu ganhei.

Mas talvez eu não ganhe.

Eis o motivo:

– Se você conseguir o emprego… – Ele se inclina para perto. A parte azul de seu olho cintila e sua boca se curva. – Eu vou me virar.

– Enquanto chora até dormir porque eu não sou George?

– Nem todo mundo quer que você seja outra pessoa, Elsie. – Ele está enganado em relação a isso, mas posso sentir o cheiro de sua pele. É bom de uma forma primitiva. Quase evolutivo. Odeio. – E eu com certeza não gostaria que você fosse George.

– E por que não?

Ele pressiona os lábios. Chega ainda mais perto. Surpreendentemente sério.

– Seria um desperdício.

– Um desperdício de *quê*?

– De você.

Meu coração acelera. Tropeça. Reinicia a galope. O que ele está querendo…

– Jack! Dra. Hannaway… Aí estão vocês. Minha reunião acabou de terminar. – Volkov aparece no batente da porta. – Perdi a hora.

Jack já deu um passo para trás.

– Sem problemas – diz ele, olhando para mim. – O tempo é relativo.

Um segundo de silêncio. Então Volkov começa a rir.

– Ah, Jack, você… você…

Jack se encaminha para a porta da sala, mas se detém e me encara por alguns segundos.

– Adeus, Elsie – diz ele, baixinho. Depois de um tempo, acrescenta: – Foi um prazer.

8

FRICÇÃO

– *COMO ASSIM VOCÊ ACHA QUE DEVEMOS deixar eles em paz?*

A voz da minha mãe é tão estridente que olho ao redor para ter certeza de que ninguém a entreouviu pelo telefone. O Dr. Voight acena para mim antes de entrar no auditório – onde darei uma palestra sobre a minha pesquisa daqui a quinze minutos – e meu estômago revira.

– É que… o Lucas é muito teimoso. Fora trancar ele dentro da minha lava-louças, não sei como impedi-lo de fazer besteira. – Então, antes que ela me peça para fazer exatamente isso, acrescento às pressas: – E acho que ele vai ficar bem se dermos espaço pra ele superar sozinho.

– E o Dia de Ação de Graças?

Quê?

– O que tem o Dia de Ação de Graças?

– E se ele não *superar* até o Dia de Ação de Graças? Em que lugar da mesa ele vai se sentar? E se não aparecer? Sua tia vai dizer que eu não controlo a minha família. Que o jantar deveria ser na casa *dela* no ano que vem! Ela está tentando roubar isso de mim há *décadas*!

– Mãe, a gente tá em… janeiro.

– E daí?

Vejo Jack e Andrea vindo em minha direção, rindo, com Michi e um bando de doutorandos a reboque. Ele é uma cabeça mais alto do que os outros – como em todas as reuniões dos Smiths – e está usando uma camisa henley cinza de mangas compridas que consegue parecer ao mesmo tempo a primeira coisa que ele encontrou no cesto de roupa *e* uma peça sofisticada feita sob medida para mostrar que proteína é seu macronutriente favorito.

Alta-costura estilo Chuck Norris.

Queria muito que ele não me cumprimentasse com aquele sorrisinho idiota. Queria que ele não achasse graça do meu olhar raivoso.

– Se até novembro as coisas não tiverem melhorado, eu... vou pesquisar umas cordas e um galpão bem baratinho, prometo. Tenho que ir, mãe. Te ligo hoje à noite, tá bem?

Eu desligo e encontro um e-mail de boa sorte do Dr. L. – que continua não se dando bem com as mensagens de texto –, e sorrio. Pelo menos *alguém* se importa.

– Sinto muito por ontem – diz Monica, que se aproxima, os saltos estalando. Os olhos dela perfuram os ombros monstruosos de Jack, e eu amo o empenho em desprezá-lo. Realmente aquece meu sistema cardiovascular de alto risco. – Deixei você com o Jack por muito tempo. Não fazia ideia de que o Sasha estava atrasado... Homens. Não dá *mesmo* pra confiar.

– Sem problemas.

E nem falo por falar. Ontem à noite, consegui passar duas horas inteiras respondendo e-mails antes do jantar e nem cochilei enquanto Ceci me contava sobre o recente avanço em sua análise de "A escadaria de Odessa" (ou seja, ato 4 do filme mudo *O Encouraçado Potemkin*, de 1925). Já o vimos juntas antes – várias vezes, desde que fingi que tinha amado na primeira, um erro de principiante. Mas ontem à noite eu estava consideravelmente menos cansada do que de costume, e minha teoria é que Jack é o motivo.

O negócio é o seguinte: a nossa situação é irremediavelmente ruim. Eu *jamais* vou conseguir invocar uma Elsie capaz de agradar, em especial porque ele descobriu minhas estratégias de APE. E, por mais que odeie a ideia de que exista alguém por aí que não posso conquistar, isso também é bom para mim. Com Jack, não *preciso* ser outra pessoa, porque *não consigo* ser outra pessoa. É inquietante e perturbadoramente revelador, mas também é... relaxante.

Basicamente, eu me diverti com Jack Smith-Turner. Uma frase nunca antes pronunciada por uma língua humana.

Será que venho fazendo tudo errado? Talvez, em vez de sempre dar um jeito de agradar as pessoas, eu devesse parar de me importar com elas? Hmm. Fica aí o questionamento.

– Olhando pelo lado positivo, todo mundo com quem você se encontrou *adorou* você, Elsie. – Monica sorri. – E os alunos... O feedback foi *fantástico*. Estamos indo muito bem. Você só precisa arrasar nessa palestra sobre a pesquisa.

Sem pressão.

– Deixa comigo – digo com um sorriso.

A mão dela pousa calorosamente em meu ombro.

– Você será um recurso maravilhoso para o departamento.

Dez minutos mais tarde, depois de Monica me apresentar a um auditório lotado (desconfio que a presença fosse obrigatória), ainda sinto o peso de seus dedos.

Ela me apresentou falando da lista da *Forbes* de pessoas influentes de menos de 30 anos, da menção no SN 10 sobre cientistas que merecem atenção e do Prêmio Young Investigator para jovens pesquisadores, e todos bateram palmas. As pessoas olham de mim para meus slides. Ninguém parece estar cochilando ainda. Estou falando dos modelos que criei, de um material inédito que ainda não tive oportunidade de escrever e...

Meu Deus. Eu adoro isso tudo.

A questão é que sou boa nisso. Sério, boa de verdade. Qualquer outra coisa pela qual já fui elogiada – *Você é tão bonita, Elsie, tão interessante, tão engraçada, tão extrovertida, tão introvertida, tão gentil, tão compreensiva, tão agradável, tão atenciosa, tão sensata, tão perspicaz, tão louca, tão despreocupada, tão disciplinada, tão enérgica, tão descontraída* – é pura invenção. Um produto de truques de fumaça e espelhos cuidadosamente angulados que refletem o que *os outros* querem que eu seja. Mas a física... Eu não finjo nada em relação à física. E adoro falar sobre isso com outras pessoas – algo que não consegui fazer no ano passado, já que dou aproximadamente setenta bilhões de aulas e meus alunos ainda estão no estágio da "maçã caindo na cabeça". Às vezes, tento envolver Ceci em meu trabalho, mas, toda vez que menciono cristais líquidos, ela ri e sussurra: "Meu precioso." E tudo bem.

Não é exatamente um tema popular, mas físicos? Eles adoram. Experimentalistas amam suas aplicações na prática e teóricos amam se perguntar o que estavam fazendo durante o Big Bang, se são a verdadeira origem da vida na Terra, se podem ser adicionados a um smoothie.

Todo mundo sai ganhando.

– ... essa foi a segunda fase do modelo. Me avisem se não estiver claro como *cristal*. – Faço o primeiro dos três trocadilhos programados, e a sala é tomada por risadas. Se o mundo é um lugar justo, essa prostituição do meu senso de humor vai me comprar o voto de Volkov. – Agora, vamos para a terceira.

Jack está na quarta fileira, prestando uma atenção incômoda e escrevendo algo em um caderno. Na melhor das hipóteses, está rabiscando coisas aleatórias; na pior, redigindo uma petição on-line para dissuadir o MIT de contratar uma lesma diabética que furta refrigerantes importados e engana jovens impressionáveis. Ele está planejando alguma coisa. Eu sei. Ele sabe. Nós dois sabemos, e é por isso que nossos olhares se encontram e se estudam tantas vezes. Mas ensaiei tanto essa palestra que poderia falar até enquanto depilo a virilha. *Não importa o que você esteja tramando, estou pronta*, penso quando nossos olhares se cruzam novamente. Ele sorri de volta com seu familiar sorriso torto.

Sigo em frente e aguardo o inevitável. Aguardo. E aguardo. E...

Nada acontece. Jack não levanta a mão para fazer alguma pergunta ininteligível em quatro partes. Seus alunos não pulam das cadeiras para encenar um flash mob antiteóricos. Assim que chegamos às perguntas, dou uma espiada no teto, à espera de um balde cheio de sangue de porco. Nada.

Apenas o Dr. Massey levanta a mão, sentado à esquerda, e diz:

– Que modelo absolutamente fascinante, Dra. Hannaway. Alguns dos experimentalistas aqui realmente se beneficiariam da sua colaboração. – Ele aponta para um homem de meia-idade sentado à sua frente. – Toby, você está trabalhando com nemáticos.

– Não sou eu, não. Era o Dr. Deol.

– Não, o Deol trabalha com partículas. Sasha, talvez?

A sala vira um galinheiro, todo mundo falando sobre todo mundo até que Volkov interrompe:

– Não era o Dr. Smith-Turner?

Ele se vira com esforço, procurando por alguém, e eu rezo para que ele tenha se equivocado. Rezo para que haja outro Smith-Turner na multidão. Rezo por uma execução rápida e misericordiosa. Mas:

– Jack, você está empacado com seus experimentos nemáticos, não está? Você poderia usar esse modelo, correto?

Atrevo-me a olhar para Jack, esperando uma cara feia. Uma zombaria. Uma resposta atravessada. Mas ele diz:

– Na verdade, estou, sim. E poderia mesmo. – Ele sorri um pouco, satisfeito de uma forma que não é amarga o suficiente para o meu gosto.

Acabei de me sair muito bem. Jack deveria estar soluçando de tanto chorar. Por que ele parece quase... fascinado?

Seus olhos encontram os meus novamente. Desvio primeiro e passo à pergunta seguinte.

– Você é uma jovem cientista impressionante – diz Volkov, fazendo uma pausa para colocar um cogumelo envolto em bacon na boca. – Uma estrela em ascensão, com uma carreira brilhante pela frente.

– Vou me lembrar de comprar óculos escuros.

Ele sai gargalhando de volta para a mesa de canapés, e torço para que não volte. O processo seletivo correu bem, mas para mim já deu. Essa reuniãozinha na casa de Monica é a reta final: em teoria, uma recepção informal destinada a demonstrar a cultura amigável do departamento e o bom convívio dos membros do corpo docente. Mas já estive em muitos desses eventos na Northeastern, e tudo que conseguem demonstrar é que nós, acadêmicos, somos nerds desajeitados e ressentidos, incapazes de interagir com nossos colegas sem litros de lubrificante etanólico.

Que, aliás, a esta altura já foram distribuídos. A sala varia de altinhos a completamente bêbados. A conversa, de jogos de PS5 a fofocas sobre os alunos do doutorado. (Cole é universalmente odiado, passou por uma fase em que usou uma barbicha no queixo e uma vez tentou organizar uma orgia no laboratório de espectroscopia. Eu deveria apresentá-lo ao tio Paul.)

A casa de Monica é chique e ampla, o que não deveria me chocar: ela é importante, claro que tem baldes de dinheiro. Muitos dos que conseguem ficar na academia até chegarem ao cargo de professor titular têm, certo? É só que… a diferença de renda entre professores titulares e pessoas como eu é enorme. Talvez os acadêmicos saiam da linha da pobreza e se esqueçam de como costumavam acordar com aranhas-mandarinas-eremitas rastejando por sua pele. Será que existe um interruptor no cérebro que ensina às pessoas a diferença entre *hors d'oeuvres* e *amuse-bouches* e as faz querer gastar muito dinheiro em um crânio de vaca para decorar a parede?

Tomo um gole do club soda que fingi salpicar com gim e murmuro:

– Meu Deus.

– Tenho certeza de que Deus deixou esse departamento anos atrás – sussurra alguém em meu ouvido.

Eu me viro e… é Jack. Claro que é Jack. Sempre bancando o elétron, e eu, o núcleo, constantemente girando ao meu redor na mais irritante das órbitas. Ele está tão perto que preciso inclinar o queixo e, desse ângulo, percebo novamente como ele é bonito. Tipo um modelo de propaganda de perfumes sofisticados em loja de aeroporto.

– Para de franzir a testa – ordena ele, e automaticamente relaxo a expressão.

Então franzo a testa com mais força.

– Não me diga o que fazer.

– Vamos lá, Elsie. – O canto dos lábios dele se contrai. – Eu nem pedi pra você sorrir.

Ele está parado na porta, uma mão de cada lado do batente. Seus bíceps roçam meu cabelo, mas me recuso a me afastar. Eu estava aqui primeiro. Além disso, tenho claramente 12 anos.

– Precisa de alguma coisa?

– Só estou vendo como você está. Me certificando de que você comeu o suficiente.

Reviro os olhos.

– Comi. Obrigada, papai.

Minha glicose está em 120 miligramas. Estou arrasando.

– Foi o que eu imaginei, já que você não está caída aqui na casa da Monica, de cara nesse... – ele olha para o tapete sob meus pés e franze o nariz – dálmata morto?

– Couro de vaca, talvez?

– Ah. Isso explica as caveiras na parede.

– Elas realmente... – Dou um pigarro. – Amarram a decoração?

– Você acha que foi ela que matou as vacas?

– Por quê? Tem medo de ser o próximo?

– Claro. Monica é assustadora.

Dou risada. Não há mais nada que Jack possa fazer para que eu pareça incontratável. Somos apenas dois arqui-inimigos conversando de maneira amigável em uma festa. Ninguém está prestando atenção em nós, o que é estranhamente bom. Traz uma sensação de isolamento, mas também de tranquilidade. Porque Jack não espera nada de mim.

– Você e Andrea têm alguma coisa? – pergunto, porque posso e estou curiosa.

– Não. – Ele parece surpreso. – Por quê?

Dou de ombros.

– Vejo vocês sempre juntos. – Era com quem ele estava conversando enquanto Volkov discutia sobre competições envolvendo pastoreio de patos.

– Nós somos amigos, colaboramos um com o trabalho do outro, somos os únicos professores com menos de 35 anos. – Ele toma um gole de cerveja. – Eu não costumo sair muito com ninguém.

Certo. Foi o que Greg disse também. O que me incomoda é que tenho certeza de que Andrea, uma mulher brilhante, acha Jack um cara legal. E que Michi o considera um bom mentor, pois não se envergonhou de ter um colapso na frente dele. Para qualquer pessoa, esses seriam bons sinais, mas não sou tão inocente.

– Então, seus experimentos nemáticos estão indo mal?

– Sim. Como você sabia? Ah, é. Você estava lá quando o Volkov anunciou os meus repetidos fracassos pra um auditório de trezentas pessoas.

O sorriso autodepreciativo está de volta, assim como a covinha. Não quero rir de novo, mas... é difícil. O dia foi longo.

– Eu meio que gostei. Na verdade, acho que tive um orgasmo quando isso aconteceu.

– Imagino. – Os olhos dele escurecem ao redor da faixa azul.

– Em uma escala de fazer uma aula de crossfit a escrever artigos falsos como forma de ativismo, quão bravo você está por alguém ter sugerido que você usasse um modelo meu?

– O que é crossfit? E por que eu ficaria bravo? Meu laboratório discutiu a aplicação do seu modelo na reunião de hoje.

Eu me inclino para trás para olhá-los nos olhos.

– Como é?

– Michi ficou lá se gabando pra todo mundo, dizendo que vocês são amigas. Ela começou a seguir você no Twitter, eu acho.

– Eu não tenho Twitter.

– Eu bem que falei que @SmexyElsie69 provavelmente não era você...

– Peraí, você tá falando sério? Vocês realmente vão aplicar o meu modelo?

– Claro.

– Mas é um modelo puramente teórico.

Ele dá de ombros.

– Estamos empacados há meses. E é genial. E, como eu já disse *várias vezes*, sempre incorporei modelos teóricos e colaborei com...

– Para. – Eu me viro para encará-lo diretamente e fico meio presa sob seu braço. Parece que estamos prestes a nos abraçar. De um jeito meio *A guerra dos Tronos*, do tipo vou-te-esfaquear-enquanto-te-abraço. – Escuta, eu... Para com isso, por favor. Não sei o que você quer de mim. Estou trabalhando como adjunta há um ano e é uma merda... Uma merda *mesmo*. Eu só quero um emprego em um bom departamento pra poder seguir adiante com a minha pesquisa.

– E você merece isso – diz ele baixinho. Analiso as palavras para tentar detectar a ironia. Não acho nenhum vestígio.

– Para – repito. – Não sei que joguinho é esse...

– Joguinho? – Ele franze a testa. – Eu só quis dizer que espero que você tenha a oportunidade de seguir com o seu trabalho, porque você *claramente é* uma das grandes mentes da nossa geração.

Fico tensa.

– Não preciso desses seus elogios condescendentes.

– Eu... – Ele balança a cabeça, então leva a mão ao meu queixo e endireita meu rosto para me analisar melhor. O que faz por segundos intermináveis antes de perguntar: – O que aconteceu com você, Elsie?

– Como é? – Sinto como se estivesse sendo esfolada viva, até os ossos, quando ele me olha desse jeito.

– Toda vez que digo que admiro o seu trabalho, você desdenha e fica reativa.

Não, eu não faço isso. Ou faço?

– Talvez se você não passasse metade do tempo me dizendo que sou tipo uma vilã de alguma série de baixo orçamento de meados dos anos 2000, eu...

– Eu consigo sentir mais de uma coisa ao mesmo tempo. – Ele soa... não chateado, mas quase lá. Não é o seu eu desprendido de sempre. – Posso admirar você como cientista e, ao mesmo tempo, me ressentir do que está fazendo com o meu irmão.

– Do que eu *supostamente* estou fazendo com o seu irmão. E... – Será que estou sendo desnecessariamente hostil? Não. Não, Jack e eu *somos* antagônicos. Insulina e glucagon. Rey e Kylo Ren. Galileu e a Igreja católica, por volta de 1615. – É difícil acreditar que você me respeita quando tudo que faz é desdenhar das pessoas que fazem o mesmo trabalho que eu *e* defender que contratem George.

– Isso não tem nada a ver com você, só com George, sobre quem você não sabe nada, aliás.

– Certo. Talvez se me apresentassem a ele e eu ouvisse a respeito das suas pouquíssimas publicações, eu me retirasse do processo seletivo, intimidada e abismada.

Os olhos de Jack se arregalam.

– O quê? – Ele morde a parte interna da bochecha. – Elsie. Você tirou conclusões muito...

– Elsie. Aí está você. – Monica cruza o tapete de pele de vaca em nossa direção. Ela olha para mim. Em seguida, para Jack. Então para mim outra vez. – Achei que você pudesse estar precisando de alguém pra te salvar – murmura ela em meu ouvido.

A julgar pelo meio sorriso, Jack também ouviu.

– Eu só estava me certificando de que ela ainda quer trabalhar com a gente, depois que o Christos enfiou a mão na própria calça enquanto tentava convencê-la de que cereal é tecnicamente sopa. – O tom de Jack voltou a soar divertido. Relaxado.

– Ele tem alguns argumentos válidos – interrompo antes que Monica eviscere Jack bem em cima do tapete. – Monica, a noite está sendo ótima. Muito obrigada por me receber nesta casa tão linda.

– Imagina. Já conheceu a minha família?

– Seu marido, sim. A pesquisa dele é *fascinante*.

Ele é biólogo evolutivo. Choramos juntos por causa das bocas-de-sapo-australianas pardas, que acasalam para toda a vida e se deixam morrer de fome ao lado do cadáver do parceiro. Bons tempos.

– E meu filho, Austin? Ele acabou de chegar em casa. Está morando com a gente... No momento, ele está... mudando de carreira. Parece que gastar centenas de milhares de dólares pra se especializar em gestão de golfe não foi um bom investimento. – O sorriso dela é tenso. – Você sabia que Jack e Austin são amigos?

– Ah. – Eu olho de Jack para Monica, e os dois parecem achar o fato, respectivamente, divertido e irritante.

– Nós jogamos basquete no mesmo ginásio – explica Jack.

Sua voz vibra pelo meu corpo, como se ele estivesse *muito* perto.

– Todo domingo à noite. Bem durante nosso jantar em família, ao qual Austin não comparece há semanas.

– Talvez você devesse instalar uma cesta de basquete na sua sala de estar. – Ele aponta para a parede. – Bem ali, entre aqueles dois fósseis?

– Talvez *você* devesse instalar uma cesta no seu... Ah, lá está ele. Austin, querido, deixa eu te apresentar a nossa convidada de honra.

Um homem alto afasta os olhos do celular com um ar ressentido e se aproxima. Ele é bonito de um jeito comum e esquecível, e de início acho que é por isso que me parece vagamente familiar. Mas, quando o vejo trocar um aperto de mão amigável com Jack, percebo que é mais do que isso. Tenho certeza de que já o vi antes. Mas onde? Não consigo lembrar. Um de meus alunos? Não. Ele deve ter quase 30 anos.

– Austin, esta é uma futura colega em potencial, Dra. Elsie Hannaway – diz Monica.

Então eu lembro.

Porque Austin me olha, bufa e diz:

– Não é, não.

E é aí que me ocorre que a última vez que me encontrei com Austin Salt, ele me ofereceu setenta dólares para transar com ele.

9

VELOCIDADE DE ESCAPE

MERDA.

Merda, *merda*, merda.

Era meu quinto ou sexto encontro pelo Faux, quatro anos atrás, e Francesca, a gerente do aplicativo, estava tendo dificuldade para encontrar alguém de última hora.

– *O cliente não quer nem um encontro preliminar* – *disse ela por telefone. Eu estava correndo pelo campus, indo de um seminário sobre astropartículas para uma reunião dos professores de Introdução à Física*, esquivando-me freneticamente de *aglomerados de alunos.* – *Ele só precisa de um "rostinho bonito" pra fazer companhia em um evento. Palavras dele. É a inauguração de um novo campo de golfe e ele quer impressionar o chefe. Se alguém perguntar, vocês se conheceram através de amigos há alguns meses e você trabalha com seguros. A verificação de antecedentes é boa e ele vai pagar a mais por ter avisado em cima da hora. Você topa?*

O aluguel vencia em uma semana e eu tinha um total de duas bananas podres na geladeira. Então usei um dos três vestidos de festa baratos que Ceci e eu dividíamos, assisti a um tutorial sobre como fazer um delineado gatinho, e na corrida de táxi até o subúrbio fiquei enjoada editando um pedido de bolsa que deveria ser enviado no máximo até o dia seguinte.

Austin usava o cabelo penteado para trás com gel e atendia o telefone com "Diga lá". Não era um péssimo cliente, só meio distante. "Rostinho bonito" parecia ser um código para "papel de parede bonito", então meu trabalho foi ficar sentada à mesa, abrir um largo sorriso quando ele me apresentava como Lizzie e me perguntar por que os sofisticados crepes de aspargos eram decorados com morangos. Houve muito tempo de inatividade, que usei para lançar algumas notas, o celular escondido sob a cara toalha de linho que cobria a mesa. No final da noite, ele me deu uma carona. Conversamos sobre os comos e porquês do golfe até chegarmos ao centro da cidade, momento em que ele me ofereceu setenta dólares para transar com ele. Eu recusei.

Para ser sincera, ele começou oferecendo menos. E, para ser mais sincera ainda, tive que dizer "não" várias vezes (salpicado com alguns "sim" quando as perguntas mudavam para "Você tá falando sério?" e "Tá dizendo que as pessoas te pagam só para você ficar sendo gostosa perto delas?" e "Vai mesmo ficar de frescura?"). Não fiquei com medo, porque estávamos em uma calçada nada deserta. Dei meia-volta e o ignorei quando ele gritou:

– *Você nem é tão gata assim! Seus peitos são minúsculos e a sua maquiagem é uma merda!*

No dia seguinte, contei a Francesca, que imitou som de ânsia ao telefone, fez a pergunta de um milhão de dólares ("Meu Deus, Elsie. Por que os homens são *assim*?") e o bloqueou do banco de dados de clientes. Nos encontros seguintes, fiz um esforço para me maquiar melhor e usar sutiãs com enchimento. Como uma pessoa que procura agradar aos outros *e* uma estudante de doutorado, eu estava preparada para levar a sério todo tipo de crítica construtiva.

E esse foi o fim da história.

Ou apenas um intervalo? Porque, quando Austin olha para mim, bufa e diz "Não é, não", a temperatura ao meu redor despenca. Encaro os olhos ressentidos de Austin e meus nervos gritam. Meu cérebro congela e depois se estilhaça em um milhão de pequenos fragmentos afiados que se chocam ruidosamente contra meu crânio.

Eu sei que estou ferrada. Completamente ferrada.

Monica arfa.

– Pelo amor de Deus, Voight está prestes a derramar a taça de vinho na minha cadeira Fendi. – Ela sai correndo, e eu não consigo respirar.

– O que você tá fazendo aqui? – Austin dá um passo em minha direção e sinto o cheiro: ele andou bebendo.

Vou vomitar no crânio da vaca.

– Oi, Austin. Tudo bem? – Soo firme, acho. Confiante, mas ele me ignora.

– Sinceramente, é uma boa mudança. Você meio que era uma péssima prostituta.

Minhas costas fazem contato repentino com algo duro e quente. Devo ter recuado. E encostei em...

Jack está atrás de mim. Testemunhando tudo isso. Cruzando referências sobre como sou terrível com Austin. Merda. *Merda...*

– O que você falou? – pergunta ele.

– Você já contratou ela? – Ele aponta para mim com o queixo.

Não consigo ver o rosto de Jack, mas ouço a carranca em sua voz.

– Elsie é uma física.

Austin dá uma gargalhada. Combina perfeitamente com a conversa ao fundo, porque as pessoas ainda estão comendo. Bebendo. Discutindo. Enquanto minha vida profissional desmorona.

– Cara, de jeito nenhum. Elsie é tipo uma acompanhante.

Minha raiva se sobrepõe ao pânico e meu corpo enrijece.

– Isso não é verdade – digo entredentes. – Não que haja algo de errado nisso, mas o Faux é um aplicativo de namoro de mentira, o que você saberia, se lesse os termos e condições com os quais concordou quando se inscreveu. Mas você está ocupado demais acertando bolinhas com um pé de cabra para aprender o básico de interpretação de texto *ou* de como tratar seus semelhantes com respeito. Sai de perto de mim ou...

– Pelo menos não sou uma puta que nem se dá ao trabalho de trepar com os clientes...

– Ei. – A palma da mão de Jack se fecha ao redor do meu braço e me puxa de volta na direção dele, como se eu fosse uma criança indisciplinada prestes a sair correndo no meio do trânsito. Sua voz é baixa e ameaçadora, e eu a sinto reverberar em minha pele. – Austin. Você ouviu. Ela pediu pra você sair de perto dela.

Austin solta uma risada horrorosa.

– Esta aqui é a *minha* casa.

– Então vai pro seu quarto brincar com seus Transformers. Deixa ela em paz.

– Jack, eu *paguei* pra ela sair comigo. Você não entende...

– Eu entendo o que estou vendo, então escuta aqui, seu babaca. – O tom de Jack é arrepiante. Terrivelmente calmo. Austin empalidece e dá um pequeno passo para trás, e quase sinto pena dele. – Você está assediando uma mulher que pediu pra você sair de perto dela enquanto ela está em um evento de trabalho. Tudo porque ela rejeitou você.

– Mas eu *paguei* pra ela...

– *Não me interessa.* Ela pediu pra você se afastar. Sai da minha frente.

Austin *não quer* ir embora. Está expresso em suas narinas dilatadas, em seu maxilar tremendo enquanto ele olha para o ponto acima dos meus ombros, onde Jack passou a residir. Mas Austin não tem a menor chance: depois de alguns segundos frustrado, murmura um "foda-se" e finalmente, *finalmente* dá um passo para trás.

Meu coração volta a bater.

– E mais uma coisa – acrescenta Jack.

Austin engole em seco.

– O quê?

– Se você contar *qualquer coisa* sobre isso pra *qualquer pessoa*, incluindo a sua mãe, eu vou garantir que você se arrependa por muito, *muito* tempo. Entendido?

Austin pressiona os lábios e assente uma vez, tenso. Então desaparece no meio da multidão, em direção a outro cômodo, e...

Liberto meu braço e me viro, querendo... não sei. Agradecer a Jack? Me explicar? Fingir que o que acabou de acontecer foi um delírio febril?

O problema é que ele está olhando pra mim. Está me observando com olhos penetrantes e inflexíveis que não deixam escapar nada, e...

Ele enxerga tudo. Cada molécula que me compõe – ele poderia listá-las, descrevê-las, reproduzi-las em um laboratório. Ele enxerga minhas estruturas, e eu... não vejo nada. Não entendo nada.

Ainda não faço a menor ideia do que ele quer que eu seja.

– Jack – digo. É menos que um sussurro, mas ele me ouve. Ele ouve *tudo*. – Jack. Eu... Eu só...

Balanço a cabeça. E não aguento mais ser analisada desse jeito, então dou um passo para trás e abro caminho pela sala, procurando por Monica para me despedir.

10

INÉRCIA

– OLHANDO PARA TRÁS – reflete Ceci enquanto mordisca pensativamente um pedaço de gouda –, a gente deveria ter previsto isso. A população de Boston é de 700 mil pessoas. Digamos que metade seja homem e metade tenha entre 21 e 40 anos, o público-alvo do Faux. Além disso, o Faux não é barato, e o povo está cada vez mais pobre, enquanto Jeff Bezos lucra impiedosamente com a minha necessidade desesperada de receber um protetor labial sabor picles em um dia. Então, talvez apenas um quarto dos homens tenha condições de contratar a gente. E, desse um quarto, metade está em um relacionamento feliz ou… tem alguma moral. Agora, considere que estamos fazendo isso há cerca de quatro anos, sendo a namorada de mentira de em média dois caras por mês. Se a gente analisar os números… – Ela olha para mim com expectativa. Tento fingir que não sou uma calculadora humana, mas desisto.

– Noventa e seis homens. – Dou um suspiro. – E a família e os amigos deles. Em uma amostra de 21 mil pessoas.

Ceci oferece uma cenoura para Ouriça, que dá uma mordida delicada.

– O que aumenta a probabilidade de esbarrarmos com alguém que conhecemos por meio do Faux em nossas vidas particulares em...? Hora de ser nerd, minha deusa nerd.

– Probabilidade epistemológica? Ou frequentista?

Ceci abre meu sorriso favorito, com a língua aparecendo entre os dentes.

– Não importa. A questão é que é possível que, em nossa busca quixotesca por ganhar dinheiro suficiente pra pagar nossos impostos, algo que Jeff Bezos *não é* convocado a fazer, aliás, nós...

– Nos ferramos?

– É uma boa análise.

Encosto a testa na mesa. Está gelada e pegajosa por conta de algo que espero *não* ser a urina de Ouriça.

– E se o Austin falar pra mãe dele que eu sou algum tipo de vigarista que convence os clientes a... a...?

– A *não* transar com ela? Ele deu a entender que queria contar pra Monica?

– Eu...

Depois que Jack falou com ele, Austin só pareceu assustado. Apavorado, na verdade. Mas também com raiva, e pessoas com raiva fazem coisas idiotas e raivosas. Como subir em um vaso sanitário no banheiro masculino com as mãos de Jack Smith-Turner ao redor da cintura. Ou se esquecer de monitorar seus níveis de glicose. Meu Deus, esse processo seletivo foi um circo. Pelo menos os momentos mais vergonhosos aconteceram nos bastidores – humilhação semiprivada, uhul!

– Sei lá.

– Enfim, eu, enquanto mãe – diz Ceci com um olhar profundamente terno para Ouriça –, posso dizer que, se meu filho babaca viesse choramingar que a estrela em ascensão da física teórica negou a ele uma punheta de oitenta...

– Setenta.

– ... uma punheta de *setenta* dólares... sério, olha a *audácia* desse merda... eu sentiria raiva exclusivamente do meu filho babaca.

Eu me endireito e suspiro novamente. Como era de imaginar, o gouda acabou, então pego a cenoura e dou uma pequena mordida, evitando o canto onde Ouriça passou. Se bem que, por qual motivo, na verdade? Será que toxoplasmose é tão ruim assim? Não deve ser tão doloroso quanto a maneira como Jack olhou para mim depois de tudo aquilo. Como se pudesse me decompor nas menores moléculas diatômicas possíveis apenas com um olhar e meia dúzia de palavras.

Melhor me arriscar com a salmonela.

– Eu preciso falar com Jack. Explicar o que Austin disse.

Ceci bufa.

– Você não deve nada a ele.

– Mas ele me ajudou. Sem ele, eu...

– Ele defendeu você quando um escroto de merda te assediou verbalmente... Elsie, isso é o mínimo. Seus critérios estão tão baixos que não sei como você não tropeça neles.

Tá. Então talvez eu não *precise* falar com Jack. Mas eu quero. Quero explicar a ele que...

Que o quê? Sério, o quê? Ele deve ter ligado os pontos e entendido que a situação com Greg é parecida com a de Austin. E se ele não tiver... Não faz dois dias que eu decidi que não me importo com o que ele pensa de mim? Que ele é uma causa perdida? Se eu não conseguir esse emprego no MIT, nunca mais vou olhar para a cara dele. E se conseguir... seremos inimigos distantes e cordiais. Ele ainda é o doido que aos 17 anos decidiu declarar guerra a toda uma área de pesquisa – à *minha* área de pesquisa. Ele é o único cara que eu não consigo interpretar, a única pessoa com quem não consigo usar o APE. Mais um motivo para nunca mais interagir voluntariamente com ele.

Só não sei por que aquele último olhar que ele me lançou quando saí da casa de Monica ficou gravado no meu cérebro idiota. E o anterior, quando ele segurou meu queixo e me estudou como se eu fosse algo único. Minhas próprias coordenadas cartesianas.

O que aconteceu com você, Elsie?

Eu endireito os ombros.

– Você tem razão. Greg é a única pessoa com quem eu preciso falar. – Avisar a ele que pode ser que Jack faça algumas perguntas. Dar a ele tempo para preparar as respostas. Greg é a razão de eu estar guardando esse segredo. Ele é o único que merece proteção. – Enquanto isso, chega de Faux. – Olho para Ceci. – Será que você não deveria sair de lá também? Você vai começar a procurar emprego assim que concluir a tese... E se isso acontecer com você também?

– Eu só termino no ano que vem. Até lá a gente pode estar morta.

– Seria ótimo, não seria?

Trocamos sorrisos.

– Preciso confessar que essa situação está, *sim*, me fazendo reconsiderar o Faux. Mas aí a quantidade de dinheiro na minha conta bancária me faz reconsiderar as minhas reconsiderações. – Ela bate com a ponta do dedo no queixo. – É um bom motivo pra continuar trabalhando com o Kirk.

Franzo a testa.

– Kirk?

– Sim, aquele cara que...

– Eu sei quem é o Kirk. Eu só pensei que... Você tem falado muito sobre ele. E chama ele pelo primeiro nome.

– E como mais eu ia chamar?

– Antes, seus clientes sempre tinham uns apelidos, tipo... Jim Narigudo. Sósia do Anderson Cooper. Pete Sobrevivencialista. Bafo de Anchova Um. Bafo de Anchova Dois. Gola V. Bafo de Anchova Três...

– Já entendi.

– Kirk é sempre só Kirk, o que me faz pensar se...

– Ei, ei. – Os olhos dela se arregalam de um jeito dramático. – Estou sendo *atacada*? Em minha própria *casa*?

– Não. Eu só...

– Na minha própria *mesa*?

Eu balanço a cabeça.

– Não, eu...

– Na minha própria *cadeira*, que peguei na calçada e que costumava ter *percevejos* e talvez ainda tenha?

– Não! Eu não queria... – Percebo o sorriso malicioso de Ceci. – Você é má.

Ela ri.

– Greg ainda tá naquele retiro hippie em que você paga pra arrancar as ervas daninhas dos canteiros? Quando ele volta? E quando o comitê de seleção vai votar nos candidatos?

Ela está tentando mudar de assunto?

– Não faço ideia. Eu nem sei se o George já foi entrevistado. Greg deve voltar no fim de semana, mas ele vai ter toneladas de mensagens pra responder, e...

– E ele vai ver que tem um milhão de mensagens suas. Ele vai te retornar assim que ligar o celular. Você vai explicar calmamente o que aconteceu e vocês dois vão elaborar um plano juntos. Não fica preocupada, tá?

Assinto.

Como fica comprovado, Ceci está certa – recebo uma ligação de Greg no momento em que ele volta à civilização. Mas ela também está errada, porque as coisas não saem como ela previu. Não mesmo.

Nem um pouco.

Meu primeiro pensamento ao ver na tela *Número Desconhecido* com o código de área de Boston é que consegui o emprego. Deve ser o meu enorme desespero fazendo de mim uma otimista e uma tonta. Por um momento, vejo-me segurando as lágrimas ao receber uma carta de nomeação. *Gostaria de agradecer a Academia, a minha colega de quarto e a garota que administra a conta @OQueMarieFaria — meus portos seguros durante os angustiantes anos do doutorado. Eu devo isso aqui a vocês.*

Isso torna a volta à realidade muito mais difícil.

– Você conhece alguém chamado Gregory Smith? – A pessoa do outro lado da linha parece tão irritada que por um instante esqueço como falar.

– Hmm…

– Espero que sim, porque tem quarenta mensagens não lidas suas no celular dele. Bom, mesmo que você seja uma doida que está perseguindo ele… ainda assim serve. Faz uma hora que ele foi trazido aqui pra uma cirurgia dentária de emergência e a gente precisa que alguém venha buscá-lo.

– Buscar… o Greg?

– Sim. Significa que você tem que vir aqui. Buscar ele. Depois levar ele pra casa. – Ela está falando muito devagar. Se eu dissesse a ela que tenho doutorado, ela *não* acreditaria. – Com um veículo, tipo um carro. Ou um carrinho de mão, não me importa.

– Eu… eu não tenho carro. E não sei onde ele mora. Você não pode chamar um Uber pra ele e…

– Querida, ele está completamente drogado. Não posso deixar ele sair daqui sozinho... Agora há pouco ele murmurou alguma coisa sobre entrar no rio Charles pra se encontrar com o Aquaman.

Fecho os olhos. Então os reabro. Olho para a aula que estou preparando, depois para a hora (18h42), depois para Ouriça me encarando do balcão da cozinha.

Suspiro e me ouço perguntar:

– Qual o endereço de vocês?

11

FORÇA CENTRÍPETA

SE GREG FOSSE UM CACHORRO, estaria fazendo xixi pela sala de espera inteirinha.

Em meus 27 anos de vida, ninguém jamais ficou tão feliz em me ver. Ele pula (embora lentamente) da cadeira, tenta me rodopiar (e fracassa), elogia efusivamente minha camisa manchada que diz QUE A MASSA VEZES A ACELERAÇÃO ESTEJA COM VOCÊ e, por fim, aperta meu rosto entre as mãos e diz:

– Vou te contar uma coisa que vai fazer você pirar, Elsie. Você sabia que quinoa não é um grão? É tipo um broto. Meu Deus, vamos fazer o Harlem Shake!

Atrás da bancada da recepção, a enfermeira balança a cabeça e murmura:

– Tá doidão, esse daí.

– Eu... é... Obrigada por me ligar.

Ela parece menos irritada do que soou ao telefone, embora mais exausta. O lugar cheira a hortelã, *pot-pourri* e àquele arzinho que os dentistas sopram na nossa boca durante as limpezas.

– Aham. Só tira esse idiota da minha sala de espera, por favor. Tenho que ir pra casa e alimentar minha própria ninhada de idiotas.

– Claro. – Dou um sorriso tranquilizador para Greg, que está acariciando uma mecha de cabelo que escapou do meu coque. – Como eu disse, não sei o endereço dele. Você tem aí na sua papelada? Ou eu posso levar ele pra minha casa...

– Deixa comigo.

Eu me viro para a porta, embora esteja bem familiarizada com a voz – dos últimos três dias de entrevistas, dos meus piores medos, daquele sonho estranho e intrusivo que tive na noite passada. Greg já está correndo na direção do irmão, dando-lhe as mesmas boas-vindas despudoradas que me deu.

Meu primeiro pensamento é bastante familiar: *Não acredito que eles são parentes*. Se os dois interpretassem irmãos em uma minissérie da HBO Max, eu diria que o diretor de elenco é uma bosta. O segundo pensando obviamente é: *Merda*.

Merda, merda, merda. Por que *ele* está aqui?

Olho para a enfermeira.

– Você... você ligou pra *nós dois* pedindo pra buscar o Greg?

– Sim. Porque a primeira pessoa pra quem eu liguei foi a mãe dele, que me disse que chegaria em quinze minutos e cancelou porque tinha horário com a manicure. – A sobrancelha erguida da mulher demonstra cem por cento de julgamento. E eu a culpo zero por cento. – Decidi garantir.

– Claro – respondo. Greg tagarela sobre sua fantástica descoberta em relação à quinoa, e eu não quero encontrar os olhos de Jack. Não suporto a ideia de ele me ver, não depois da confusão de ontem na casa de Monica e daquele último olhar. – Compreensível. – Dou um sorriso amarelo para a enfermeira. Então me viro, mantendo os olhos fixos em Greg. – Seu irmão veio te levar para casa, então eu vou indo. Te ligo amanhã, quando você estiver se sentindo melhor, e...

– Ah, não. – Greg olha para mim como se eu estivesse derramando cola em um pelicano. – Você *não pode* ir. Seria *péssimo*!

– Mas...

– Você precisa vir junto!

– É melhor você fazer o que ele está pedindo – diz a enfermeira. – O dente dele estava com um abscesso. *Entupiram* ele de anestesia.

– Greg, eu...

– Vamos, Elsie. Eu te pago o valor de sempre...

– Não. Não, *não*, eu...

Merda. *Merda.* Arrisco um olhar para Jack, esperando ver... sei lá. Uma expressão de desprezo. O sorrisinho de sempre. Uma equipe da SWAT invadindo o consultório atrás dele para me algemar por prostituição. Mas ele aguarda pacientemente, as mãos nos bolsos da calça jeans, o azul-escuro de sua camisa destacando a cor de seu olho. Ele não está usando casaco, porque é fisicamente incapaz de sentir frio. Nasceu sem termorreceptores... Uma tragédia.

– Claro. Eu fico um pouco com você. Vamos, Greg. – Eu me viro para a enfermeira, cujo interesse aumentou para *nível normal*. – Tem alguma coisa que a gente precise saber?

– Aqui estão os remédios dele... Pra tomar a partir de amanhã de manhã. Basta colocar ele pra dormir até a anestesia passar. E não deixe que ele tome nenhuma decisão importante ao longo das próximas quatro ou seis horas... Nada de adotar um cachorro, nada de esquemas de pirâmide. Além disso, pesquisei no Google: quinoa é uma semente.

Greg arfa.

– A gente devia adotar um cachorrinho!

Jack contrai os lábios, mas a covinha está presente.

– Meu carro está bem ali. Eu te levo de volta pra civilização.

Sentar Greg no banco de trás do SUV de Jack e prender o cinto de segurança demora tanto tempo que penso em jamais ter filhos. Como o outro adulto não drogado, provavelmente devo me sentar no banco do carona ao lado de Jack, mas...

Não.

– Vou me sentar atrás, pro caso do Greg precisar de alguma coisa.

O olhar de Jack diz claramente *Eu sei que você está me evitando*, porque é claro que ele sabe. Ele sabe *tudo* – e o que ele não sabe está ali à sua disposição, já que, ao que tudo indica, eu sou transparente. Divertido.

Percebo como foi uma má ideia vinte segundos depois do início da viagem: não sei o que deram ao Greg, mas está mexendo com sua memória. Ele consegue se concentrar apenas no que está bem diante de seus olhos, e eu estou ocupando setenta por cento de seu campo de visão, o que é uma catástrofe.

Os outros trinta incluem, claro, Jack.

– Gente, isso é muito divertido. Não é divertido? Só nós três. Sem a mamãe, sem o papai, sem o tio Paul.

– Muito divertido – responde Jack, saindo do estacionamento.

A cabeça de Greg pende para trás contra o assento.

– Jacky, pode perguntar pra Elsie tudo que você queria saber. Ei, Elsie. – Ele tenta sussurrar em meu ouvido, mas sua voz sai arrastada e muito alta. – Jacky tem uma quedinha por você. Tipo, ele te olha o tempo inteiro. E ele faz muuuitas perguntas sobre você.

– Ah, Greg. – Que vergonha. – Não é... não é *nada* disso.

No banco da frente, o silêncio de Jack é dolorosamente alto.

– Vou abrir o jogo, Jacky – prossegue Greg com um sorriso idiota –, eu inventei todas as respostas. Não sei se ela gosta de viajar, se quer ter filhos, se gosta de cinema. Tipo, como vou saber?

A expressão de Jack pelo espelho retrovisor não se altera.

– Eu descobri que ela curte *Crepúsculo*.

Greg fica *encantado* com isso.

– O vampiro ou o lobo?

– Greg, como foi o retiro? – interrompo, sorrindo.

– Tããããão obrigatório. Mas aí meu dente explodiu na minha boca e eu tive que vir embora mais cedo. Ei, sabe quando às vezes tem uns sapatos pendurados nos fios de energia? Quem *coloca* eles lá?

– Hmm, não tenho certeza. Escuta, você se lembra se chegou a dar uma olhada nas suas mensagens no caminho pro dentista? Ou no seu e-mail? Ou se ouviu suas mensagens de voz?

Ele me encara com uma expressão profunda e solene. Eu fico tensa de tanta ansiedade enquanto os olhos dele se arregalam. Então Greg diz:

– Ah, meu *Deus*. A gente devia brincar de "O que é, o que é"!

Solto um suspiro.

Quinze minutos depois, após Greg afirmar ter visto um urso, P. Diddy e uma lata de grão-de-bico no caminho, estacionamos na frente de uma linda casa em Roxbury, que se divide em dois apartamentos.

– Cadê suas chaves, Greg? – pergunto.

– Eu tenho uma cópia – diz Jack, concluindo em vinte segundos uma baliza que teria me tomado vinte minutos e toda a minha dignidade. – Só não deixa ele se jogar no meio dos carros.

Gostaria de pensar que a casa de Greg é como seria a minha e de Ceci, se conseguíssemos montar o aparador, pudéssemos comprar móveis sem percevejos e fôssemos menos propensas a ficar mergulhadas em nossa própria bagunça. É simples e aconchegante, coberta de bugigangas que me lembram a personalidade de Greg e seu peculiar senso de humor. Jack faz a entrada parecer menor, mas não parece deslocado. Ele obviamente frequenta a casa, porque sabe exatamente onde encontrar o interruptor, como aumentar a temperatura, em qual prateleira colocar a correspondência.

– Costeleta! – grita Greg, agarrando a camisa de Jack. – Costel... Cadê ela?

Olho em volta, esperando ver um gato se aproximar furtivamente, mas estamos apenas nós no apartamento: eu, meio perdida, e Jack tentando incansavelmente levar Greg para o quarto.

– Na minha mesa do trabalho. Vamos tirar uma soneca, Greg. Parece uma boa ideia, né?

– Você regou ela? Ela mudou? Ela ainda se lembra de mim?

– Eu reguei a planta. A Costeleta. Ela parece igual. Não tenho certeza se ela se lembra de você, já que ela não tem consciência... como a maioria dos cactos. Que tal tirar aquela soneca?

– Posso beber alguma coisa primeiro, por favor?

– Elsie, você poderia pegar um pouco de água pra ele enquanto eu o coloco na cama?

– Leite! Você sabia que o leite vem de mamilos?

Jack e eu trocamos um breve olhar do tipo *Ter filhos não é divertido?*, e eu corro para a cozinha. Não consigo encontrar copos de verdade, então despejo o leite em um pote de geleia vazio. Vou levá-lo para Greg e pegar um Uber assim que eles desaparecerem no quarto. Tenho minha aula para preparar. Ceci não sabe onde estou. Não posso ficar sozinha com Jack. Isso, perfeito.

– Aqui está – digo a Greg, que está sendo guiado para o quarto enquanto cantarola "Gangnam Style". – Só tem leite de amêndoa... que, tecnicamente, *não vem* de um mamilo.

Entrego o pote a ele e... Que erro. Um erro enorme. Porque Greg não bebe nenhum mililitro antes de derramar tudo na camisa de Jack.

Arfo. Greg dá uma gargalhada ruidosa enquanto grita algo sobre o leite estar voltando para os mamilos. Jack exibe para seu irmão um sorriso de pai paciente e sofredor.

– Está se divertindo?

– Muuuuito. Ei, lembra quando a gente trocou o iogurte da mamãe por maionese?

– Lembro. Foi genial… A ideia foi sua, é claro.

– E a mamãe vomitou.

– Ela ficou puta. Vamos, vamos pra cama.

– Eu passei um dia de castigo. Mas você passou duas semanas, porque ela meio que te odeia.

– Valeu a pena. – Jack sorri, como se não se importasse de saber que sua mãe o odeia. Greg tenta abraçá-lo e Jack o impede. – Cara, eu vou sujar você com leite que não é de mamilo.

– Por que eu não levo o Greg pra cama? – Pego o braço dele, puxando-o comigo. – Vai procurar uma roupa limpa.

O quarto é apenas um pouco mais bagunçado do que o resto do apartamento, a cama ainda desfeita da última noite de Greg em Boston. Ele está narrando um documentário sobre o impacto ambiental da produção de amêndoas, o que torna um pouco mais fácil convencê-lo a se deitar. Não acendo as luzes e ele fica quieto enquanto desamarro seu sapato.

E, graças a Deus, ele dormiu. Vou embora em um minuto e...

– Eu gosto de você, Elsie.

Ergo o olhar da bota de Greg. Os olhos dele estão fechados.

– Eu também gosto de você, Greg.

– Lembra que você disse que a gente poderia ser amigo?

– Aham.

– Eu quero ser seu amigo.

Meu coração se parte um pouco. *Quando você sair dessa e verificar seu e-mail, não vai mais querer.*

– Ótimo. Vamos ser amigos.

– Que bom. Porque eu gosto de você. Já falei isso?

– Aham.

– Não *daquele jeito*. Não sei se consigo gostar das pessoas *daquele jeito*.

– Eu sei – digo suavemente.

Tiro uma bota e começo a desamarrar a outra.

– Mas você é legal. Tipo… uma Barbie.

– Uma Barbie?

– Você não é loira. Mas existe uma Barbie pra cada ocasião.

Percebo algo com o canto do olho e me viro. Jack. Parado no batente da porta. Nos ouvindo. Com uma expressão séria, a testa está franzida e seu peito está…

Nu.

Ele tirou a camisa molhada e, por alguma razão, sou fisicamente incapaz de olhar para outro lugar que não seja seu corpo. O que me faz perceber que estava totalmente errada em relação a ele.

Ele é… bem, ele é grande. E bem musculoso, *muito* musculoso. E posso ver tudo que… todas aquelas coisas que as pessoas sempre mencionam: a força, o volume, o tanquinho, o bíceps e o tríceps retesados sob a tinta. Mas ele não é como eu imaginei. Eu esperava um corpo de rato de academia com 0,3 por cento de gordura corporal e veias salientes, mas ele é um pouco diferente. Ele é de verdade. Forte, de um jeito útil e imperfeito. Há algo de bruto nele, como se tivesse ganhado toda essa massa por acaso. Como se ele jamais tivesse pensado em tirar uma selfie na frente do espelho na vida.

Algo quente e líquido se contorce em meu ventre, e a sensação é tão rara para mim, tão estranha, que por um momento mal a reconheço. Então reconheço e ruborizo fortemente.

Qual é o meu *problema*? Por que acho atraente a ideia de alguém *não* ir à academia? Por que não consigo parar de *olhar* para ele, e por que ele está olhando de volta?

Jack dá um pigarro. Ele se vira e pega algo para vestir na cômoda de Greg, e o movimento entre suas escápulas parece uma experiência religiosa.

– Elsie – murmura Greg da cama. Fico grata pelo lembrete de desviar o olhar. – O leite de soja vem de um mamilo?

– Ah, hum… Não. – Minha voz está rouca. Está difícil respirar, mas fica um pouco mais fácil assim que Jack sai do quarto. – A soja é um grão.

– Você é tão inteligente. E cheia de camadas. Tipo…

– Uma cebola?

– Tipo um iogurte com fruta no fundo.

Eu sorrio e puxo uma colcha sobre ele.

– Vamos fazer uma brincadeira. Eu vou pra sala e nós dois vamos contar até o número mais alto que conseguirmos. Quem for mais longe ganha.

Tenho vagas lembranças de mamãe obrigando Lucas e Lance a fazerem isso. Claro, como tudo envolvendo Lucas e Lance, eles sempre acabavam brigando e acordando a casa inteira.

– Que jogo de merda. – Greg boceja. – Eu vou massacrar você.

– Vamos ver.

Fecho a porta quando ele está entre o treze e o quatorze. Jack está esperando no sofá verde, vestindo um moletom muito apertado que provavelmente parece uma barraca de camping em Greg. Os mistérios da genética.

Ele não ergue os olhos. Está sentado, imóvel, com os cotovelos apoiados nos joelhos, olhando para um dos pôsteres artísticos e coloridos de Greg com uma expressão meio vazia e tensa.

Meu estômago se contrai.

Ele está puto. *Muito* puto. Eu já o vi entretido, curioso, aborrecido, até irritado ontem à noite com Austin, mas agora... Ele está *furioso*. Porque eu estou aqui. Porque ele acha que extorqui o irmão dele. Porque enchi demais o pote com leite. Vai haver uma briga generalizada e, depois dos últimos três dias, nem tenho certeza se quero evitá-la.

– Escuta. – Dou dois passos na direção dele, então recuo um e dou mais dois para a frente. Se formos discutir, é melhor estarmos perto. Manter a voz baixa para evitar acordar Greg. Enxugo as mãos suadas na parte de trás da minha legging. – Eu sei que não tenho sido exatamente... sincera. E acho que você deve estar começando a entender o que há entre mim e o Greg. Mas todo esse circo está ficando incoerente em nível de emaranhamento quântico, de conversão paramétrica descendente espontânea. E eu só te peço pra você esperar até o Greg estar melhor pra ter uma conversa sincera com ele.

Jack abre a boca, sem dúvida para liberar sua ira, e então...

Isso não acontece.

Em vez disso, ele fecha a boca, balança a cabeça e cobre os olhos com as mãos.

Ah, cacete. O que foi agora?

– Jack? – Nenhuma resposta. – Jack, eu...

Por um segundo, não sei o que fazer, então me sento ao lado dele. Se ele começar a gritar agora... bem, descanse em paz, meu tímpano.

–Tá tudo bem – digo. – Greg não tá doente nem nada, prometo. Não tem nada de ruim acontec...

– Ele me contou. – Jack endireita as costas, os olhos novamente no pôster. – Eu já devia saber.

– Saber o quê?

– Quando ele tinha... nem sei. Quinze anos? Ele ainda estava no ensino médio. Eu tinha vindo da faculdade pra passar as férias. – Ele engole em seco. – Ele me chamou em um canto e disse que estava preocupado. Que não conseguia se imaginar querendo ter um relacionamento com ninguém. E eu disse pra ele não se preocupar, que ainda era cedo e que ele encontraria alguém. Que era normal ficar nervoso antes de começar a vida sexual. Que ele só tinha que manter a mente aberta. E aí eu... – Ele cerra o maxilar. Fecha os olhos. – E aí eu perguntei se ele queria assistir a *Battlestar Galactica*. Feito um babaca.

Eu nunca me assumi pra ninguém da minha família, Greg me disse uma vez. *Acho que tentei, uma vez. Mais ou menos. Mas aí me acovardei e... sei lá. É melhor assim.*

– Você já ouviu falar do espectro aroace? – pergunto gentilmente.

Estou sendo gentil com Jack, ao que tudo indica.

Ele balança a cabeça, os olhos ainda fechados.

– É... Bem, o que Greg te contou tem a ver com isso. Mas tem mais coisa. Muitas complexidades. Existem boas fontes na internet, e talvez você possa dar uma olhada antes de conversar com ele de novo. E ele... Eu acho que ele ainda tá tentando se entender.

Muitos de nós estamos, quase acrescento. Mas seria mostrar mais de mim do que gostaria.

– Merda. – Jack se vira para mim. Sua expressão é... *devastada* é a única palavra que me vem à mente. Se ele começasse a se estapear, eu não ficaria surpresa. – Ele deveria ter me dado um soco na cara.

Abro a boca. Fecho. Então penso *Que se dane*.

– Você se sentiria melhor se *eu* te desse um soco na cara?

Ele arqueia a sobrancelha.

– *Você* se sentiria melhor?

– Ah, muito.

Ele solta uma risada silenciosa e melancólica, e meu coração se aperta pelos irmãos Smith.

– Jack, você era um garoto. Ignorante. E babaca. E... tudo bem, você ainda é duas dessas coisas. – Eu levanto a mão, que paira por alguns segundos junto aos ombros dele enquanto eu contemplo a insanidade de oferecer voluntariamente conforto físico e emocional ao Dr. Jonathan Smith-Turner. O inferno endotérmico deve estar super-resfriado. – Não cabe a mim aceitar suas desculpas, mas sei que o Greg gosta tanto de você quanto você gosta dele. – Seu ombro está contraído e quente sob a palma da minha mão. Sólido.

– Greg estava te pagando pra fingir que estava em um relacionamento. Pra que a minha família saísse do pé dele?

Contraio os lábios e assinto. Ele xinga baixinho.

– Se faz alguma diferença, ele não estava me pagando pra... Não que tenha algum problema nisso, mas a gente não... – Minhas bochechas esquentam.

– Transou?

Fico ainda mais vermelha e faço que sim com a cabeça. Normalmente sou bastante direta quando se trata de sexo. Não sei por que Jack me faz parecer uma adolescente tímida.

– É... uma atuação, de certa forma. Eu faço isso pra vários homens. Como o Austin, que, aliás, foi de longe meu pior cliente. Por parsecs. Greg é o melhor, claro. – Eu desvio o olhar. Estou tagarelando, mas é estranho falar sobre o Faux com alguém que não está diretamente envolvido de alguma forma. – E o Greg e eu... ficamos amigos. Eu sei que é inacreditável, já que ele me paga, e eu inventei toda a minha história de vida, mas eu teria feito tudo de graça. Por ele. Se eu não precisasse do dinheiro. Só que...

– O trabalho de professora adjunta paga muito mal?

Eu dou risada.

– Pois é.

Jack suspira e se recosta no sofá.

– Por que você não me contou? Quando a gente se encontrou no restaurante?

– Não era eu que tinha que te contar, sabe? Você ia perguntar por que ele me contratou. E eu ia ter que enrolar, e... A gente devia parar de falar disso. Assim você pode ter essa conversa com ele. Quando ele não estiver tão, hum... focado em quinoa e mamilos.

Jack assente. E então faz algo inesperado. Revolucionário. Chocante. Que abala o universo.

Ele diz:
– Me desculpa, Elsie.
Sou pega de surpresa. Tanto que deixo escapar:
– Pelo quê?
– Por acusar você de mentir pro meu irmão. Várias e várias vezes.
– Você me acusou mesmo. – Inclino a cabeça e o observo por um momento. Seu rosto forte e bonito parece triste. – Doeu?
– O quê?
– Pedir desculpa. – Ele me lança um olhar mortífero e eu dou uma risada. – Foi a sua primeira vez? Eu tirei a sua virgindade?
– Desculpas retiradas. – A expressão dele muda para algo introspectivo. Como se finalmente estivesse processando uma informação importante, crucial e de peso. Como se algo estivesse mudando em sua visão de mundo e o universo ao seu redor precisasse ser reajustado. Eu me pergunto o que pode ser, até que ele se concentra em mim e diz: – Você e o Greg nunca namoraram. Ele não... – Jack hesita um pouco, como se precisasse me ouvir confirmar. Para ter certeza de que é verdade, verdade absoluta.
– Não. Ele não é a fim de mim, nunca foi. – Quase reviro os olhos. – Tá feliz agora?
– Sim. – Seu tom é muito sério, e eu bufo, me levantando. Hora de partir.
– Quer pedir champanhe e cupcakes? Comemorar o fato de que não vou fazer parte do espólio dos Smiths?
Ele me olha de um jeito estranho, demorado.
– Você acha que é por isso que eu tô feliz?
– Por que mais seria?
Ele balança a cabeça, mas não elabora. Em vez disso, também se levanta, me seguindo até o cabideiro na entrada.
– Greg alguma vez te contou que eu era físico?
– Não. Quer dizer, sim, mas eu não registrei, porque a situação envolveu uma criança vomitando e... nem queira saber. Ele também não sabia que *eu* era física, porque nós geralmente não damos muitos detalhes pessoais. Sobrenomes falsos, profissões falsas. Uma camada extra de proteção, sabe?
– Nós?
– Somos várias. Namoradas de mentira, eu quis dizer. Trabalhamos pra um aplicativo, o Faux. Disponível pra Apple e Android, mas a versão do An-

droid é *cheia* de bugs. – Eu preciso parar de tagarelar. Jack está me olhando como se eu fosse um bóson de Higgs prestes a fazer uma lap dance pra ele.

– Foi assim que o Austin encontrou você?

– Infelizmente, sim. – Mordo o lábio inferior. – Você acha que ele já contou pra Monica sobre minha carreira acadêmica alternativa?

– Ele não vai contar.

– Tem certeza?

– Depois que você saiu, eu... troquei uma ideia com ele. – As feições de Jack são uma máscara neutra. Ilegível como sempre. – Vai ficar tudo bem.

– Como você sabe?

– Confia em mim.

Eu não faço ideia do que isso significa. Quero perguntar, mas, pelo tom dele, parece que o assunto está encerrado e, de todo modo...

– Você não deveria *querer* que o Austin contasse pra Monica? Daí George consegue o emprego, e vocês podem ficar de papo no banheiro do MIT, fazer aromaterapia juntos e discutir quem tem o maior Colisor de Hádrons?

– George vai conseguir o emprego de qualquer maneira. E nós não vamos fazer nada disso. – Uma covinha profunda aparece.

– Todo mundo sabe que o seu é maior mesmo. – A sobrancelha dele se ergue e eu me viro para o cabideiro. Merda, eu disse mesmo isso em voz alta? – Eu não acredito que a sua mãe se recusou a buscar o Greg pra ir fazer a unha. Que babaca.

– Ela não é.

– Ela é *muito* babaca. Fala sério, quem...

– Eu quis dizer que ela não é minha mãe. E ela não ia gostar nada de ouvir você dizendo isso.

– Tá bom, seu emo. Isso é um pouco dramático. Todo mundo tem problemas com os pais, mas...

– Caroline não é minha mãe. Nem biológica nem de qualquer tipo.

Eu me viro para ele.

– O quê?

– Minha mãe morreu. Greg é meu meio-irmão.

Eu o encaro por um longo tempo. Então fecho os olhos.

– Merda.

– Merda?

– Merda. – Coço a cabeça. – Odeio quando ajo feito uma idiota sem querer.

Ele ri.

– Não se preocupa. Como você disse, ela é uma babaca. Meu pai não é muito melhor.

– Mesmo assim, sinto muito pela sua mãe. Eu não sabia.

– Normal. – Ele dá de ombros em seu moletom incrivelmente apertado. – Ninguém fala dela.

– Mas isso explica, então.

– O quê?

– Por que Greg é tão fofo e você…

Covinha: ligada.

– E eu o quê?

Desvio o olhar, corando.

– Nada. Enfim. – Vasculho os bolsos do casaco para pegar meu celular. – Greg dormiu, vou chamar um Uber…

– Então, o que veio primeiro? – pergunta Jack, seu tom casual.

Ergo a cabeça.

– Oi?

– O trabalho como namorada de mentira? – Ele parece genuinamente curioso. – Ou a miríade de Elsies que você personifica? Foi um treinamento de trabalho ou você já… se *modificava* antes?

– Eu não… – Ah, não adianta discutir com ele. Muito menos quando ele nem sequer está errado. – Escuta, será que você pode parar com isso, agora que já está claro que eu não sou uma pistoleira ameaçando o fundo genético dos Smiths?

– Isso…?

– Essa coisa de... – digo, apontando de mim para ele – ficar fazendo um estudo antropológico sobre mim. Beleza, você me pegou. Eu quero que as pessoas gostem de mim e ajo de acordo com o que *elas* querem. Eu gosto de me dar bem com os outros. Uau. Pode chamar a polícia da autenticidade e me denunciar por incitação.

– É mais fácil assim, né?

– O quê?

– Nunca mostrar a ninguém quem você realmente é. – Ele me observa com calma. Paciência. Sob a luz suave do apartamento, seus olhos estão completamente escuros. Às vezes ouço um carro passando, mas o trânsito aqui não é tão barulhento quanto no meu apartamento. – Assim, se alguma coisa der errado, se alguém te rejeitar, não vai ter sido por *sua* causa, certo? Quando somos nós mesmos, ficamos expostos. Vulneráveis. Mas quando a gente não se abre… Perder é sempre doloroso, mas saber que você não deu o seu melhor torna a situação suportável.

Escondo meu punho fechado atrás das costas, apertando-o com força diante da sessão de psicanálise não solicitada. Minhas unhas machucam a palma da mão.

– É bem ousado da sua parte presumir que o meu verdadeiro eu é o meu melhor.

Aquele meio sorriso torto e idiota volta.

– É besteira da sua parte achar que não é.

– Ah, tá bom. – Eu me forço a sorrir de um jeito simpático. – Nós dois sabemos que você só está chateado por eu nunca ter sido a Elsie que *você* queria.

– É mesmo?

Ele parece ter sido colocado neste plano de realidade como uma entidade onisciente. Estou com raiva e ele precisa parar de falar como se me *entendesse*.

– A culpa é sua, Jack.

– Por quê?

– Porque *você* – digo, apontando o dedo na cara dele – não transparece *nada*. Todo mundo transparece. Algum sinal, algo que eu possa usar pra ser a pessoa que eles querem que eu seja. Mas você não emite nenhum sinal. E é por isso que você não está recebendo um tratamento VIP, como todo mundo. Então para de choramingar, por favor.

– Entendi.

A mão dele, quente e calejada, se fecha em volta do meu pulso e afasta meu dedo indicador de seu rosto até seu peito. Ele cobre as costas da minha mão com a sua palma, e o que é que ele está…?

– Você já pensou que talvez você já seja do jeito que eu quero? Que talvez não haja nenhum sinal porque nada precisa ser mudado?

Eu bufo com ironia. Aqui está ele, o Jack que mal conheço e já desconsidero tanto.

– Aham. Claro.

– Eu vou te perguntar de novo – diz ele, em um tom estranhamente gentil. – O que aconteceu com você, Elsie?

– Sério? O que aconteceu com... – Minha mão ainda está sob a dele. Levanto o queixo, e nossos rostos ficam muito mais próximos. – O que aconteceu comigo foi o *seguinte*, Jack: há pouco mais de seis meses, eu fui conhecer a família do meu "namorado" pela primeira vez. E talvez ele não seja meu namorado de verdade, mas quer saber? Não importa. O que importa é que, desde o início, o irmão desse meu namorado foi um completo *babaca*. Ele fica me encarando como se eu fosse a Ginger Spice invadindo o casamento real. Ele faz perguntas a meu respeito para o irmão, porque me acha inferior, acha que eu não sou boa o bastante. Ele age de forma hostil e desconfiada sempre que eu estou por perto. Acho que podemos concordar que, se tivesse a chance, ele ia querer me mudar *pra cacete*.

A última parte sai mais agressiva do que eu pretendia, mas... dane-se. Estou irritada agora, ficando exponencialmente mais irritada ao ver Jack balançar a cabeça devagar, como se estivesse refletindo sobre o que eu disse.

– Bem, você pode interpretar assim.

Sinto o calor irradiar da mão dele para a minha. Aquece minha barriga, corre pela minha coluna, me lembra de como nós de alguma forma gravitamos tão perto.

– São fatos – digo entredentes.

– Você é uma física, Elsie. Deveria saber que não se deve usar a palavra *fato* uma vez que a mecânica quântica existe.

– Qual é *a sua* interpretação, então?

Ele não diz nada por um bom tempo, como se estivesse organizando os pensamentos ou decidindo se eu mereço suas palavras. Então algo muda. O ar na sala fica mais denso. Jack engole em seco, seus olhos se fixam nos meus e ele começa a falar.

– Há pouco mais de seis meses, eu fui a uma festa de família esperando a mesma noite infeliz de sempre. Só estou lá pelo meu irmão, porque posso contar nos dedos os parentes de quem gosto, e ele é um deles. Costumamos ficar juntos nesses eventos, mas naquele jantar foi diferente. Meu irmão levou uma namorada. Uma mulher sobre a qual ele nunca comentou, o que é estranho, já que nos falamos quase todos os dias. A família, em especial a mãe dele, fica muito entusiasmada.

O aperto de Jack na minha mão muda. Suaviza. Meus dedos ainda estão no peito dele, meio pressionados contra seu coração. O meu começou a bater de forma hesitante, alerta.

– Ela é linda, a garota. Muito bonita. Existem muitas mulheres bonitas no mundo, e talvez você não acredite, mas eu não costumo reparar muito nisso, só que estou prestando mais atenção nela do que prestaria normalmente. Alguém afasta o Greg dela antes que ele tenha a chance de me apresentar. Mas eu a vejo tocar o tabuleiro de *Go* da minha avó e pegar uma das pedras da maneira tradicional, dedo indicador e médio. Eu a observo pegar uns pedacinhos de queijo. Em certo momento, tenho quase certeza de que ela conta uma piada que ninguém além de mim entende sobre o princípio de Heisenberg. Então, meu irmão volta... é aí que tudo começa. Porque eu a vejo mediar a situação entre ele e a minha família de um jeito que eu nunca consegui... e, acredite, eu tentei. Passei trinta anos da minha vida tentando protegê-lo das palhaçadas dessa família, e essa garota... ela é muito boa nisso. Eu nunca vi o Greg assim... *feliz* não é a palavra certa, mas ele parece à vontade. E, conforme a noite avança, não consigo parar de olhar pra ela e percebo uma coisa: ela é hipervigilante. Constantemente pensando dois passos à frente. Antecipando as necessidades dos outros, como se as pessoas fossem equações que precisassem ser resolvidas em tempo real. É sutil, mas dá para ver, e...

Ele dá de ombros, a mão livre subindo para coçar a nuca. Como se ainda estivesse confuso. Meu peito está ficando pesado, o ar em meus pulmões também.

– Naquela noite, eu chego em casa. Vou pra cama. Não consigo dormir até admitir pra mim mesmo que estou com ciúme. Ou com inveja. Uma mistura dos dois. Meu irmão está namorando, guardando segredos, e somos próximos, então não estou acostumado com isso. E a garota... talvez seja o fato de ela ser tão *boa* com a pessoa que eu mais amo. Talvez eu tenha um tipo, e ela simplesmente seja a personificação dele. Mas... bem, ela mexe comigo mais do que me lembro de alguém já ter mexido na vida. Qualquer pessoa. Começo a ter alguns... sentimentos complicados, mas me forço a superá-los. A tirá-los da cabeça. Por um tempo, eu consigo. Aí vem a festa da piscina, em setembro. Ela desmaia nos meus braços. Sem nenhuma explicação. Age como se nada tivesse acontecido e volta pras suas distorções de personalidade. Mas ela me implora pra não contar ao Greg, e eu começo a me perguntar se o relacionamento deles é tão firme assim.

A voz dele está ficando mais baixa, mais profunda, e seus olhos se afastam um pouco, como se ele estivesse dando um passo atrás dentro de si mesmo. Nossas mãos devem ter mudado de posição, porque minha palma está aberta sob a dele. Eu me pergunto se ele percebeu. Eu me pergunto por que não me solto.

– E é aí que eu percebo como sou um merda. Porque ela obviamente faz bem pro meu irmão, mas fico *aliviado* com o fato de que o relacionamento deles não vai a lugar nenhum. E adoraria mentir pra mim mesmo e inventar uma desculpa válida, mas a verdade é que é porque eu sou um babaca. É porque eu quero ela pra mim. Eu quero... Porra, eu nem sei. Quero levá-la pra jantar, garantir que ela relaxe, que ela não sinta que *precisa* pensar dois passos à frente. Quero saber por que ela sabe como segurar uma pedra de *Go*. E eu quero muito, *muito*... Bem, vou te poupar dos detalhes. Aposto que você consegue imaginar.

O sorriso dele é pequeno e triste. Meu estômago está contraído, amarrado em um milhão de nós, e estou quente. Estou toda quente.

– Evitá-la é o melhor plano de ação. Não me importo de faltar às reuniões familiares, e meu irmão nunca fala sobre ela. É como se ele esquecesse que ela existe, o que é estranho, porque eu não consigo *parar* de pensar nela. Faço perguntas, mesmo que não deva. Tenho alguns sonhos muito *errados*, muito *confusos*... com a namorada do meu irmão. Quando eu a vejo de novo, depois de um tempo, no aniversário da minha avó, não é nem um pouco melhor. É *pior*, mas eu nunca vou fazer nada a respeito. Vai passar, eu sei que vai. Quando descubro que ela não é quem disse ser, fico puto, *muito* puto, porque o Greg é a melhor pessoa que eu conheço e *não merece* essa merda. Mas também fico um pouco aliviado. – Ele olha para mim novamente. – Sabe por quê, Elsie?

Há algo desarmante e devastadoramente autoconfiante em Jack. Na maneira como ele expôs tudo isso sem hesitar, como se assumir seus sentimentos fosse seu primeiro e segundo plano de ação. Observo o brilho da lâmpada atingindo seu cabelo dourado e me pergunto por que esse homem sequer se daria ao trabalho de pensar em mim. Ele descobriu todo o meu jogo. Eu não tenho nada a oferecer.

Meus músculos estão dormentes. Balanço a cabeça com dificuldade.

– Fico aliviado porque qualquer coisa que eu sinta em relação a ela vai passar. Não vai sobreviver ao fato de que ela mentiu. Só que eu não contava que teria que vê-la falar sobre física ou ler o seu trabalho. Não contava que teria que passar dois dias com ela e que acabaria descobrindo que ela é… – Ele sorri para mim. Gentil. Resignado. – Maravilhosa.

Há um barulho alto, mas nenhum de nós olha na direção da origem do som. Estamos muito conectados um ao outro, presos neste momento denso, faminto e voraz entre nós.

Até ouvirmos:

– Gente, *por que* o xixi sai fedido depois que a gente come aspargos?

Olho para Greg, que está…

– Pelado! – grito, virando a cabeça para desviar os olhos.

– Cara. – A voz de Jack sai rouca. Ele balança a cabeça. – Cadê as suas roupas?

– Perdi. Ei, lembra quando a gente tentou ver quem mijava mais longe?

Jack faz uma careta e se afasta de mim. Sua mão segura a minha por apenas um segundo a mais, e então, de repente, a sala fica fria e cheia de correntes de ar.

– Eu deveria… – digo.

Ele me lança um olhar significativo.

– Ir pra casa.

– Isso.

Pego meu celular enquanto Jack sussurra:

– Melhor a gente ir pro banheiro, beleza?

Saio de fininho enquanto ouço algo sobre "xixi de aspargos".

Não, obrigado.

No segundo em que saio e a porta se fecha às minhas costas, eu caio contra ela. Respiro fundo e fico olhando por muito, muito tempo para o brilho das luzes de Natal que os vizinhos se esqueceram de tirar.

12

COLISÃO (INELÁSTICA)

De: Dupont.Camilla@bu.edu
Assunto: Artigo sobre Macbeth

Dr. Hannaday,

Estou focando meu artigo em Lady Macbeth como a quarta bruxa. Algumas partes do texto apoiam essa interpretação. Você se importa de dar uma olhada no que escrevi até agora? O arquivo está anexado.

Atenciosamente,
Cam

. . . .

De: martinash3@umass.edu
Assunto: quem é a mais linda de todas

É vc doutora vc é linda vc é muito linda vc é linda demaaaaaais

. . . .

De: martinash3@umass.edu
Assunto: Favor desconsiderar

Dra. Hannaway,

Meu colega de quarto acidentalmente comeu a fornada errada de brownies e se trancou no banheiro com o meu celular. Ignore todos os e-mails que eu possa ter enviado.

Abs,
Ashton

. . . .

De: greenbermichael12@emerson.edu
Assunto: Artigo termodinâmica

Extensão de prazo pfv

. . . .

A semana seguinte é terrivelmente agitada, tanto por conta da rotina miserável de professora adjunta quanto por conta do trabalho acumulado durante o processo seletivo. Mas sem problemas: entre a aplicação de provas e o ensino das maravilhas envolvidas na Difração de Fraunhofer, ainda encontro espaço para agonizar a respeito de não saber se consegui o emprego, de não saber como vou saber se consegui o emprego e de quem vai me dizer se consegui o emprego. Está vendo? Sou mesmo excelente em multitarefas. Parece até que não sou um verdadeiro desastre ambulante, fazendo malabarismos com inúmeros leves transtornos de humor o tempo inteiro.

O iXota se torna meu fiel companheiro, para que eu não perca nenhuma chamada, e-mail, mensagem ou sinal de fumaça do Vaticano me informando de que meus dias de sofrimento chegaram ao fim:

Bem-vinda ao MIT, Elsie, diz a voz desencarnada de Monica, pronta para me preparar como sua sucessora.

Você agora é "parte-cula" do Departamento de Física, diz Volkov com uma gargalhada, as mãos na barriga.

Fiquei sabendo que você roubou a vaga do George, diz Jack, soltando um muxoxo trinta centímetros acima de mim, sorrindo apenas com seus olhos lindos e geneticamente improváveis. *Nós realmente deveríamos aprender a nos dar bem.*

É tudo em vão. Sempre que atendo, são operadores de telemarketing. Esquemas de phishing me lembrando de pagar a garantia de um carro que não possuo. Lucas, ligando para reclamar de Lance. Lance, ligando para reclamar de Lucas. Mamãe, ligando para reclamar de Lucas e Lance. Em uma ocasião memorável, Dana ligou para perguntar minha opinião sobre a possibilidade de meus irmãos concordarem em transar com ela ao mesmo tempo.

– Por que de repente tá todo mundo tão interessado em sexo a três? – me pergunto, e em seguida me afasto depressa, no momento em que a secretária do Departamento de Biofísica da Universidade de Massachusetts ergue os olhos dos documentos que está arquivando.

Tento ligar para Greg, mas ele não atende nem responde minhas mensagens, o que me leva a uma espiral extra de ansiedade: eu arruinei a vida dele. Ele vai me odiar para sempre. Mas não posso forçá-lo a aceitar minhas desculpas, então canalizo o nervosismo atualizando a caixa de entrada do meu e-mail: um hobby que adoro, embora seja infrutífero. Nenhum endereço mit.edu aparece – apenas alunos à beira de um colapso mental às 23h34 de uma quarta-feira porque esqueceram se o capítulo 8 cairá na prova (*pfvr pfvr pfvr diz que não, Dra. H.*). Como é temporada de inscrições para a pós-graduação, alguns até aparecem em horário comercial para pedir cartas de recomendação. Quando aponto para um aluno do último ano da Universidade de Boston que ele foi reprovado na minha disciplina, ele parece confuso e pergunta: "Isso é um não?"

Na quinta-feira à noite, enquanto coloco a louça na lavadora, Ceci me pega tentando desbloquear a tela do celular com o cotovelo.

– Chega. – Ela pega o iXota e o coloca no bolso. – Estou confiscando isso daqui até amanhã.

– Não. Não, por favor! Eu preciso muito dele. – Minha voz soa defensiva e chorosa. Que combinação. – É o meu cobertor do Lino.

– Você arranjou um objeto transicional com quase 30 anos?

– Um o quê?

– Cobertores, ursinhos de pelúcia, você sabe. Essas coisas às quais as crianças se apegam quando estão ansiosas são chamadas de objetos transicionais.

– E eles transicionam a gente pra onde?

Ela me lança um olhar consternado.

– Para as impiedosas ruínas da vida adulta.

Na verdade, não poder fuxicar as redes de todo o comitê de seleção do MIT por uma noite realmente ajuda. De todo modo, Monica só faz postagens relacionadas aos trabalhos que seus alunos publicam. Volkov está inativo desde 2017, quando retuitou um meme "Graças a Deus Newton não estava debaixo de um coqueiro". George, se é que aquela é sua conta verdadeira, só posta fotos dos pratos que come no almoço (que parecem irritantemente deliciosos). Jack, é claro, não tem redes sociais.

O que é bom. Porque ele tem meus pensamentos – muitos. Não que eu saiba *por quê*. Primeiro, não tenho certeza se acredito em qualquer coisa que ele disse. Segundo, tenho quase certeza de que não acredito em nada do que ele disse. Terceiro, ele ainda é o cara que escreveu aquele artigo fraudulento e, quarto, ele quer que outro candidato fique com o emprego. Quinto: não. Apenas não. Sexto, ainda que eu acreditasse em qualquer coisa que ele disse, os itens três, quatro e cinco ainda seriam válidos.

– Não. Eu não o vi mais durante o restante do processo seletivo – digo ao Dr. L. quando o visito em seu escritório.

Ele sorri, satisfeito. Sua gola alta é do mesmo cinza-escuro de seu cabelo.

– Muito bem, Elise. E a sua aula? Fez as mudanças que eu falei?

O feedback do Dr. L. às vezes pode ser um pouco sem sentido. Por exemplo, não acho que escrever toda a história da pesquisa de cristais líquidos em um slide em fonte 8,5 seja uma boa ideia, mas:

– Fiz, sim – minto.

Quando ele sorri de novo, gosto de saber que o agradei, mas no momento em que saio do escritório, sou tomada pela culpa. Por enganá-lo. Ou talvez... talvez por ter admitido para mim mesma que acho Jack, a pessoa que arruinou a carreira do meu mentor, um cara atraente – *visceralmente* atraente –, de uma forma que jamais pensei ser capaz de achar.

Na sexta à noite, me ocorre que a atração tem pouco a ver com o fato de ele ser alto ou bonito, e tudo a ver com sua perspicácia.

Jack *me enxerga* – uma marionete que talvez, apenas talvez, seja uma garota de verdade, no fim das contas.

E porque ele me enxerga não posso interagir com ele em segurança. E é por isso que não estou disposta a pensar nas coisas que ele me disse. No rosto dele. Na covinha. Em sua mão deslizando pela minha coxa, quente, inexorável. *Elsie, sabe o que eu quero fazer com você?* Eu balanço a cabeça. *Vou te poupar dos detalhes. Aposto que você consegue imaginar.*

Está bem, sim, rolaram uns sonhos. *Um* sonho. Gráfico. Cheio de detalhes. Um pouco suado. Mas não, nada disso, não. Já tenho outras coisas que podem me causar uma úlcera. A flecha do tempo. As alterações climáticas. A falta de responsabilidade e transparência do governo. Meu futuro profissional. Posso escolher com o que me estressar, e Jack não é um desses motivos.

É o que digo a mim mesma até sábado à noite, quando tudo vem à tona.

– Às vezes me pergunto por que não nasci no início do século XVII, para poder usar uma gorgeira em público e praticar medicina à base de sanguessugas. Ou na Roma antiga, para passar meus dias em um ciclo socialmente aceitável de dormir, comer e vomitar. Mas aí eu experimento maravilhas como essas no IMAX, e eu sei, apenas *sei*, que deveria ter mesmo nascido nesta época. Minha recompensa por uma existência ereta e sem sanguessugas.

Olho confusa para Ceci, meu olhar ainda turvo de três horas no cinema. Quando entramos, o sol estava brilhando e a neve da última semana finalmente havia derretido. Agora, está escuro feito breu, e Ceci está pegando flocos de neve com a língua, como fazem todos os tontos nascidos na Flórida, que nem ela.

Eu amo Ceci. Muito mesmo. E é por isso que sacrifiquei minha preciosa tarde de sábado aos deuses do fingimento e a passei assistindo à versão original da famosa obra-prima de Kubrick de 1968, *2001: Uma Odisseia no Espaço*. Foram 160 minutos excruciantes de fotos do sistema solar dignas de um descanso de tela combinadas com... Vivaldi, talvez?

Com filmes como este, quem precisa de tortura por afogamento?

– Não foi incrível? – pergunta ela com um sorriso.

– Com certeza foi muitas coisas.

Ceci não está cinematograficamente enlevada o suficiente para não notar meu tom.

– Você não gostou? – Ela franze a testa. – Eu concordo que a cena de "Aurora do homem", em que o macaco olha para o osso, fez *muita* falta.

– Hmm, sim. É isso.

Ela para na minha frente, inclinando a cabeça. Envolta em seu enorme casaco vermelho, parece ter uns 16 anos.

– Você não gostou do filme?

É mais fácil assim, né? Nunca mostrar a ninguém quem você realmente é... Quando somos nós mesmos, ficamos expostos.

Por uma fração de segundo, relembro o que Jack disse, como uma música chiclete grudando no meu cérebro. Não é nada que eu já não soubesse, mas, uma vez colocado em palavras, acabou ficando mais difícil de ignorar – uma mudança brusca de conhecimento procedimental para conhecimento semântico.

Digamos que eu considere a questão. Ceci, afinal, é minha melhor amiga. Eu poderia sorrir, passar meu braço pelo dela, puxá-la em direção à estação do metrô e dizer em tom casual: *Não gostei do filme. Não consigo nem entender o que aconteceu. Meu personagem favorito era o computador malvado, e vinte minutos depois eu estava prestes a soltar o grito lancinante de um milhão de cigarras gigantes. Além disso, adoraria nunca mais assistir à versão do diretor de literalmente nada – na verdade, prefiro passar uma tarde inteira olhando para o meu portal de empréstimos estudantis, o mesmo que me faz chorar uma vez por mês. E, já que estamos falando disso, outro dia peguei seu ouriço defecando no meu travesseiro. Meu chá é o próximo alvo.*

A ideia de admitir qualquer uma dessas coisas faz meu flanco direito doer. Aquela úlcera, provavelmente.

De todo modo, passo meu braço pelo de Ceci, mas o que digo é:

– Foi sublime. A jornada da consciência do homem no universo. O momento de passagem dessa consciência pra um novo nível. – A frase é de uma crítica de Roger Ebert sobre o filme, escrita em 1997. Decorei hoje de manhã.

– Sem igual. – Ela sorri, então semicerra os olhos. – É o trabalho... Por isso que você tá tão blé.

– Eu não tô blé. Eu tô blé?

– Aham. Você tá preocupada com o trabalho?

– Não.

– Não?

– Bem, sim – admito.

Ela me para no meio da calçada.

– Você vai conseguir. Você se saiu muito bem.

– Eu tô... – Ceci está de bom humor por ter assistido ao balé espacial em câmera lenta e não quero estragar isso. Sorrio. – Muito otimista.

– Talvez a gente devesse assistir a outro filme quando chegar em casa. – Ela puxa minha manga. – Algo leve e engraçado. *Tempos Modernos*? Ou *O Grande Ditador*? Rir é o melhor remédio.

– Acho que antibióticos são o melhor remédio. A menos que seja uma infecção viral, porque nesse caso... – Eu paro de falar porque alguém atrás de mim está dizendo meu nome.

O pior é que sei exatamente de quem é a voz, porque está gravada em meu córtex auditivo de uma forma que certamente significa dano neural. Mas me viro de qualquer maneira, e lá está ele.

Jack.

Em seu casaco preto da North Face, que já é familiar a esta altura. Com seus ombros largos e cabelos claros e uma presença inexplicável que fez meu estômago se revirar. Ele ocupa mais espaço do que deveria na calçada e olha para mim como se eu fosse o fantasma de Nikola Tesla e esbarrar comigo por acaso no centro de Boston fosse algo imprevisto, mas muito bem-vindo.

– Ah – balbucio. Merda. Merda? *Merda. Por que* ele está aqui? – Hmm...

– É *oi*. – Meu Deus, a voz dele. Aquele sorriso torto. – É o que a gente diz quando encontra alguém, Elsie.

– Claro. – Engulo em seco. – Oi.

Meu primeiro pensamento é que eu o invoquei. Pensando nele quarenta vezes por dia – inclusive segundos atrás.

O segundo: devo estar amaldiçoada. Tudo que quero é extirpar Jack da minha vida, mas sou como o *Australopithecus afarensis* em *2001*: tentando me divertir na paisagem pré-histórica, para sempre condenado a ser caçado por um monolito alienígena. (Foi isso? Eu cochilei.)

O terceiro: ele não está sozinho. Há uma mulher alta ao seu lado, com longos cabelos trançados e lábios vermelho-escuros. Eles estavam claramente rindo de alguma coisa. Quando Jack parou para falar comigo, ela parou do lado dele e não saiu mais.

Ele está em um encontro.

Com outra pessoa.

Jack está em um encontro e eu sinto um aperto na barriga.

– Uma das suas alunas? – pergunta a mulher, entretida.

Sua pele escura é perfeita e ela parece familiar daquele jeito que pessoas muito bonitas costumam parecer.

– Não. – Jack ainda não desviou o olhar de mim. – Não exatamente.

– Oi – interrompe Ceci com seu sorriso mais charmoso. – Claramente a Elsie está passando por um colapso das habilidades sociais pragmáticas necessárias para fazer as apresentações, então... qual é o seu nome, cavalheiro alto?

– Jack.

– Prazer, Jack. – Ela estende a mão, que desaparece dentro da dele. Eu os encaro, meio paralisada. – Eu sou Celeste, a pessoa favorita da Elsie.

– Ah, é? – Os olhos dele deslizam para os meus. – Isso deve ser legal.

Ele ainda está meio que sorrindo, como se isso tudo estivesse fazendo sua noite de sábado mais feliz.

– Bom, você sabe, é um trabalho difícil. Partilhamos uma quantidade imensa de queijo. E acabei de levá-la pra ver *2001*, que ela *amou*.

– Ah, meu Deus! – A Mulher Mais Linda do Mundo parece encantada. – A gente estava lá também.

– Impressionante, né?

– Uma obra-prima. Apesar do comentário de Jack sobre a previsibilidade do arco da "Siri malvada do espaço".

Ele ergue uma sobrancelha.

– Eu fiquei entediado.

– Você *sempre* fica entediado no cinema. – Ela bate com o ombro no dele. – Eu tenho que confiscar o celular dele e dar uns cutucões pra ele acordar.

– Porque você sempre me leva pra ver filmes chatos.

Ela belisca o braço dele por cima do casaco.

– Se dependesse de você, só veríamos *Jackass*.

– Foi só uma vez.

– Uma vez já é demais.

Ele dá de ombros, sem se importar. Não consigo parar de olhar para os dois emoldurados pelos flocos de neve. As piadinhas casuais. A afeição óbvia de Jack.

Os dedos da mulher, ainda segurando a manga do casaco dele. Algo viscoso e frio pressiona meu peito.

– Então – Ceci se intromete –, de onde vocês conhecem a Elsie?

– Eu não conheço, na verdade – responde a mulher, com um olhar curioso para Jack. – Como *você* conhece a Elsie, Jack?

Os olhos dele estão fixos em mim outra vez.

– Ela foi namorada do meu irmão. Entre… outras coisas.

O clima muda instantaneamente. O ar já estava gelado, denso com a promessa de uma tempestade de neve, mas a temperatura cai ainda mais enquanto as pessoas analisam o significado das palavras de Jack.

Primeiro, Ceci, que sabe que eu não namoro, não de verdade, e está começando a se lembrar de quando foi que ouviu o nome *Jack* pela última vez. Ela franze a testa e dá um passo protetor para mais perto, pronta para me defender contra meu mais recente arqui-inimigo, estilo gatinho-sibilando-para-um-bisão.

E depois a mulher. Sua expressão também se transforma ao se deparar com uma informação conhecida e ela parece intrigada.

– Você é a namorada do Greg. *Essa* Elsie. – Ela olha de mim para Jack uma vez, duas vezes, e então estende a mão. – Já ouvi falar muito de você. É um prazer te conhecer. Eu sou George.

Meu cérebro para.

– Bem, Georgina. Sepulveda. Mas, por favor, me chama de George.

Seu sorriso é caloroso e acolhedor, como se eu fosse uma amiga querida de Jack que ela morria de vontade de conhecer.

– Georgina Sepulveda – murmuro, quase inaudível.

O nome abre uma gaveta em meu cérebro, cheia de artigos científicos, TED Talks, palestras. Georgina Sepulveda, jovem especialista em física. Sou fã do trabalho dela. Ela não *parece* familiar – ela é.

– Sim, sou eu. – Sua mão ainda está estendida. Eu deveria cumprimentá-la. – Eu trabalho com o Jack.

– George. – Jack chama a atenção dela.

– Tá, tecnicamente *ainda não*. Mas vou começar no MIT ano que vem. O que foi? Fala sério, Jack. Já recebi a proposta, devolvi o contrato assinado hoje de manhã. Posso contar pras pessoas. – Ela me lança um olhar conspiratório. Meu estômago revira. – Você é bibliotecária, não é isso? Eu *amo* bibliotecas.

Ao meu lado, Ceci respira fundo. Enquanto isso, eu assinto. Deve ser uma reação automática, porque todas as minhas células neurais estão ocupadas, processando lentamente o que acabei de ouvir.

Georgina. George. MIT.

Proposta.

Não. Não, não, não. Minha barriga está cheia de chumbo. Meu pulso lateja em meus ouvidos e...

Dou um passo para trás e, por uma fração de segundo, minha mente voa para um lugar distante: meu apartamento. O computador que deixei em cima da cama. O artigo pela metade nele – aquele que eu finalmente terminaria quando conseguisse o emprego no MIT.

Mas não consegui. George conseguiu, George que está com Jack, e ponto final.

Eu dei tudo de mim, e não foi o suficiente.

– Elsie – diz Jack. Ele deve ter se mexido, porque George e Ceci desapareceram atrás dele. Ele engole em seco. – Os candidatos reprovados não são notificados até que toda a papelada esteja concluída.

Balanço a cabeça, e ele fica em silêncio. Seus olhos estão cheios de compaixão, de uma tristeza sincera e dolorosa. Não suporto ver.

Eu me viro lentamente. Afasto-me com a mesma lentidão, mal conseguindo prestar atenção ao que acontece na calçada. O homem passeando com seu husky. O grupo de estudantes fingindo entusiasmo para uma próxima retrospectiva de Truffaut. Passo por eles e caminho mais um pouco, sem pressa, como se tudo fosse ficar bem.

Tudo vai ficar bem.

Estou parada diante da faixa de pedestres quando ouço:

– Elsie? – É Ceci, chamando de onde a deixei.

Eu a ignoro.

– Está tudo bem? – É a voz de George. – Merda, eu fiz alguma coisa de errado?

Ceci não responde a ela.

– Elsie, vamos... vamos pra casa.

Silêncio. Então Jack diz:

– Elsie. Volta aqui, por favor. – Sua voz soa como seu olhar, e é simplesmente insuportável.

O sinal abre para mim. Respiro fundo, deixo o ar frio encher meus pulmões e começo a correr.

13

ANIQUILAÇÃO

CORRO UM QUARTEIRÃO. Um e meio. Dois.

Flocos de neve grudam na minha pele. Meus pulmões queimam. Meu sensor prende no cós da minha legging, e mesmo assim é bom.

Eu não sou nenhuma atleta. Ao longo da vida, só corri para pegar ônibus e ser aprovada nas aulas de educação física, mas gosto da distração. Concentro-me no som das minhas botas batendo na calçada, no oxigênio que nunca é suficiente, no gosto de ferro no fundo da minha garganta. Meus músculos da coxa se contraem, protestam, mas a sensação de fugir compensa tudo. A neve engrossa, formando um túnel, um casulo para me desligar de todo o resto. Estou atravessando um buraco de minhoca para um ponto apartado no espaço-tempo. Uma linha do tempo diferente, na qual não sou um fracasso, não vou ficar mais um ano sem plano de saúde nem dinheiro para viver como um maldito ser humano, não vou decepcionar meu mentor nem minha amiga e...

Sinto dedos se fecharem ao redor do meu pulso. Perco o equilíbrio. Tropeço. Caio de cara no chão – não, não exatamente. Algo me detém. Mãos fortes na minha cintura me endireitam, me põem de pé, e então Jack surge na minha frente, o colosso de tudo que está errado na minha vida. Quero arranhar seu rosto com minhas unhas e vê-lo sentir tanta dor quanto eu sinto agora.

Eu poderia. Estamos praticamente sozinhos. A centenas de metros de Ceci e George...

Merda. Eu simplesmente fugi deles, como uma doida. Como uma completa doida.

– Não era pra você descobrir assim – diz ele, quase sem fôlego. Eu não consigo respirar. Foda-se essa merda, nunca mais vou me exercitar. – Ela não faz ideia de que você era a outra candidata. Era pra você ser notificada na segunda-feira...

– Vai à merda – disparo.

Jack fica surpreso, e eu também. Não esperava que isso saísse da minha boca, mas o desespero traz a sinceridade. Compartilhamos um segundo de surpresa, então ele se recompõe.

– Você nunca teve chance, Elsie. – Seu tom não é indelicado, mas também não é compassivo. Como se ele soubesse que eu não suportaria nenhuma das duas coisas. – Volkov e a equipe nunca votariam em você, porque... – eu me esquivo dele, mas Jack agarra meu pulso – ... *porque* nunca foi uma competição justa. Eu te falei que George ia conseguir o emprego...

– Era só pra *me intimidar*!

– Não era. Eu te contei o máximo que pude sem divulgar informações confidenciais. Todo o processo seletivo foi malconduzido e deixar você saber quem era a outra candidata foi um grande passo em falso da parte da Monica...

– Bom, claramente eu não fazia ideia de quem George *realmente* era.

Ele solta o ar com força.

– Elsie. – Um floco de neve cai em sua bochecha, logo abaixo do olho, e derrete instantaneamente. – Elsie, você nunca teve chance.

– Eu te odeio.

– Tudo bem. Pode me odiar. Mas saiba de uma coisa: houve má-fé nesse processo seletivo. – Ele dá um passo para mais perto de mim. Seu calor torna o frio suportável, e eu o odeio por isso. – Elsie, eu sinto muito.

– Porra nenhuma.

– Elsie...

– Você tem alguma noção do que isso significa pra mim? Pra você, é só... uma versão acadêmica de *Jogos Vorazes*, mas é a porcaria do meu futuro e tudo pelo que trabalhei durante *toda a minha vida adulta*. Eu *precisava* daquele emprego.

– Eu sei.

– Não, você *não* sabe. – Pressiono as mãos contra o peito dele e o afasto. Ele não se mexe, o que me deixa *explosivamente* furiosa. – Você não sabe como é ter uma doença crônica e não ter plano de saúde! Ter que ser *perfeita*, ter que estar *ligada* o tempo todo, porque todo mundo ao seu redor espera que você esteja! E é *difícil pra cacete* ser perfeita quando você trabalha quinze horas por dia ganhando mal em um emprego que você odeia! Você não passa por nada disso, então você não *sabe* como eu...

– Você está assustada. Sobrecarregada. O mercado de trabalho está no seu pior momento, e você não sabe se haverá vagas no ano que vem. Acredite, eu sei como é...

– Jura? *Você* sabe como é? Com sua longa e árdua jornada na academia como um homem branco e rico?

Ele se inclina para a frente. Sua mão se fecha em torno do meu braço.

– Você acha que eu estou *feliz* com isso?

– Você conseguiu *exatamente* o que queria!

– Sim. – O rosto dele endurece. – E um bando de coisas que eu *não queria* também.

– Ah, é? Tipo o quê? Humilhar outro físico teórico? Colocar sua namorada do outro lado do corredor, pra vocês poderem transar entre uma aula e outra...

– *Chega.*

Eu recuo. A voz dele é áspera e me faz hesitar apenas o suficiente para que eu processe as palavras que acabaram de sair da minha boca.

Meu Deus. Ah, meu Deus. Eu conheço Georgina Sepulveda. Eu conheço o trabalho dela. Eu sei como a academia sempre foi incrivelmente cruel comigo, uma mulher na física, e acabei de fazer o mesmo com *outra* mulher na física. Uma mulher da física que admiro há anos.

O que foi que eu acabei de fazer? Quem é essa pessoa dentro de mim?

– Me desculpa. – Levo a mão à boca para abafar um soluço. – Eu... eu sinto muito, *muito* mesmo. Isso não é verdade. Nada disso. Eu li os artigos dela. Ela é incrível e...

– Tudo bem. – A expressão de Jack se suaviza de novo. Como se eu não fosse um protoaglomerado de toda a babaquice do mundo.

– Não. – Eu balanço a cabeça. – Não, ela não merece nada disso, e... Merda. *Merda.*

Minha garganta arde de culpa e algo que parece muito com vergonha. Minhas bochechas estão geladas e molhadas. Muito molhadas. Pressiono as palmas das mãos contra os olhos, mas as lágrimas continuam vindo.

– Elsie, tá tudo bem. Você tem todo o direito de estar chateada...

– Não. *Não tá* tudo bem. Eu tô sendo irracional e nada disso é culpa da Georgina, e nem sua, por mais terrível que você seja. Fui eu que estraguei a entrevista e... – Outro soluço. Ele ouviu desta vez. Impossível não ter ouvido. – Você não deveria me deixar falar com você desse jeito.

Ele fica em silêncio por um momento. Então eu o sinto se aproximar. Ele não me toca, mas seu casaco roça no meu, um som abafado e farfalhante.

– Eu gosto disso, na verdade.

Eu olho para cima. Há um leve sorriso em seus lábios.

– Você gosta que gritem com você?

– Eu gosto de ver *você*. Quando você não está tentando ser outra pessoa.

Estou soluçando de verdade, como uma criança de 3 anos que ralou o cotovelo no trepa-trepa. Mordo o interior da bochecha para tentar parar, mas é uma batalha perdida. Como toda a minha vida idiota.

– Não consigo entender por quê.

– Gosto de coisas incomuns.

Eu preciso ir embora. Não posso ficar aqui, tremendo, tomando um banho de neve no meio da calçada. Com Jonathan Smith-Turner. Chorando como se estivesse em uma fazenda de cebola. Mas cair no choro e me humilhar completamente na frente de um rival profissional consome toda a minha energia, o que significa que não consigo ir embora.

– Tá frio – diz ele, como se estivesse lendo minha mente. – Eu moro a cinco minutos daqui. – Eu fungo, sem saber como responder. *Bom pra você*? Mas então ele acrescenta: – Vem comigo. – Devo ter mostrado algum tipo de reação, porque ele continua: – Não é por nada que você tá pensando. Vem pra você poder se aquecer. Eu quero explicar o que aconteceu com o processo seletivo.

– Não. Eu...

Eu não estou... Não.

– Eu vou responder às suas perguntas. Contar exatamente o que aconteceu.

– Não posso...

A mão dele sobe até a minha nuca, como se ele quisesse garantir que estamos nos olhando nos olhos. De que nos entendemos.

– Elsie, se eu deixar você ir embora agora, você vai repassar toda a entrevista dentro da sua cabeça e chegar à conclusão equivocada de que é sua culpa não ter conseguido o emprego. E nunca mais vai me deixar falar com você.

A expressão no rosto dele é dolorosamente sincera. Como ele sabe de tudo isso a meu respeito? Nem *eu* sei tudo isso.

– Talvez eu só coloque a culpa em você. – Eu fungo.

Ele solta uma risada.

– Aí está ela.

– Desculpa. Eu sei que você quer ajudar, mas eu só... não consigo conversar agora. Estou chorando.

– Tudo bem.

– Não, não tá tudo bem. Porque eu quase nunca choro – digo, sendo interrompida por um soluço. – O que significa que não faço ideia de como parar.

– Então você pode chorar pra sempre.

– *Não.* Eu n-não quero chorar. E deixei a Ceci p-para trás. E preciso dizer ao Dr. L. que não consegui o emprego. E você precisa avisar pra Georgina onde está. E eu estou congelando de frio. Odeio esta cidade, e odeio ser uma física, e odeio os trocadilhos estúpidos do Volkov, e...

Os braços dele são como lã e ferro ao meu redor. Perfeitamente quentes, perfeitamente sólidos. Passo mais vários momentos chorando antes de perceber que Jack me puxou contra seu corpo. Que isso é um *abraço*. Seus lábios, secos e quentes, pressionam minha testa como se ele estivesse preocupado, como se só quisesse me confortar. Murmúrios baixos aquecem minha pele congelada, sons suaves que não consigo decifrar imediatamente.

– Shh. Está tudo bem, Elsie. Vai ficar tudo bem.

Quero acreditar nele. Quero afundar nele mais do que já quis qualquer outra coisa. Quero enterrar meu rosto em seu casaco preto e torná-lo meu próprio buraco de minhoca. Em vez disso, continuo chorando enormes lágrimas silenciosas, fecho os dedos no tecido de sua manga e seguro firme.

Isto aqui, *isto* é o pior. O pior momento da minha vida até agora. E Jack Smith-Turner o está testemunhando, mas estou exausta demais para me importar com isso. Então, ele diz:

– Vamos lá, para você se aquecer. Só me deixa fazer isso por você.

E quando a mão dele desliza para pegar a minha... eu permito que ele me guie para onde quiser.

14

QUADRO DE MOMENTO ZERO

O APARTAMENTO DELE É GRANDE, principalmente considerando que fica no centro da cidade.

Dois andares, noventa por cento cercado de janelas, plano aberto. Talvez até as cores sejam planejadas, azuis-escuros e brancos-quentes, mas não consigo imaginar Jack usando a palavra *paleta*, então atribuo isso ao acaso. De todo modo, o lugar é limpo e organizado o suficiente para que eu automaticamente tire meus sapatos na entrada e em seguida o acompanhe até a cozinha aberta, esperando que Jack não perceba que minhas meias têm o mesmo padrão (listras), mas não a mesma cor (uma rosa e outra laranja).

Queria muito que houvesse algum indício de que ele é um fã enrustido de *Meu querido pônei*, ou um ávido colecionador de genitálias de gesso, mas este lugar grita *Eu posso até ser um homem solteiro na faixa dos 30, mas não é porque não sei me cuidar*.

Por outro lado: ele pode até não ser casado, mas não é exatamente solteiro.

Sento-me cautelosamente à mesa de jantar de madeira e olho para uma tigela de frutas frescas; livros e cópias de artigos empilhados em ordem na ilha da cozinha; as costas largas de Jack, seus músculos contraídos sob a flanela verde enquanto ele se move próximo ao fogão, digita rapidamente algo no celular e apoia uma caneca na bancada. A neve está aumentando, flocos gigantes giram sob a luz da rua, e chegar em casa vai ser foda. Eu poderia ostentar e pegar um Uber. Mas não deveria.

Isso é estranho. Muito, *muito* estranho.

Eu deveria estar arrasada demais para ficar constrangida, mas, como disse, sou excelente em sentir várias coisas ao mesmo tempo. Sou capaz de experimentar uma crise existencial se infiltrando em meus ossos desempregados *e* fantasiar sobre me enfiar em um buraco de golfe por puro constrangimento. Para piorar, estou morrendo de frio. Escondo minhas mãos nas mangas do cardigã, úmidas de tantas lágrimas, deslizo-as entre minhas coxas e fecho os olhos.

Respiro lenta e profundamente.

Mais uma vez.

Mais uma.

Segundos ou minutos depois, porcelana tilinta contra a madeira. Eu pisco e o antebraço de Jack está lá, com seus músculos tensos, os pelos claros e aquele pedacinho da tatuagem aparecendo por baixo da manga arregaçada. Eu já o vi seminu e mesmo assim ainda não sei o que tem ali.

– Chocolate quente – diz ele gentilmente, como se eu fosse uma gatinha arisca.

Tem um cheiro delicioso, de açúcar, conforto e calor. Noto um punhado de marshmallows flutuando alegremente no topo da caneca e fico com água na boca.

– Sabe... – começo a dizer, então balanço a cabeça e fico em silêncio.

Comer pode ser uma provação quando suas células pancreáticas não participam da brincadeira. Lembro-me do meu último ano do ensino médio, na festa de aniversário de Chloe Sampson – um bolo *sensacional* com cobertura de buttercream. Antes de comer uma fatia, os diabéticos (ou seja, eu) precisavam saber exatamente o que ia na receita, para neutralizar com a dose apropriada de insulina. Mas quem sabe dizer o que há em uma fatia de bolo de supermercado? Eu não sei. Nem a Sra. Sampson. Nem o site do supermercado, nem a linha direta de atendimento ao cliente, para a qual a

Sra. Sampson ligou enquanto quinze adolescentes famintas me olhavam de cara feia por atrasar a festa, e...

Bem, a questão é a seguinte: aprendi a dizer não a doses inesperadas de açúcar, por mais saboroso que pareça. As pessoas não gostam de gente chata.

– Obrigada, mas não estou com sede.

– Você precisa da contagem de carboidratos? – Jack coloca o pacote com as informações nutricionais ao lado da caneca. – Para ajustar seu *bolus*?

Eu inclino a cabeça para o lado.

– Você acabou de usar a palavra *bolus*?

– Usei.

Ele se senta bem na minha frente. Até as cadeiras da casa *dele* parecem pequenas demais para seu tamanho.

– Como?

– Eu frequentei a escola. Conheço palavras. – Ele parece achar graça.

– Você foi pra escola pra aprender palavras como *centrípeta*, *ductilidade* e *opacidade média de Rosseland*. As únicas pessoas que entendem de insulina basal e *bolus* são doutores.

– Que sorte a minha, então.

– *Médicos*. E quem tem diabetes.

Ele me encara por um momento. Em seguida, diz:

– Tenho certeza de que outras pessoas também sabem dessas coisas. Famílias de pessoas com diabetes. Amigos. Parceiros. – Sua voz é grave e profunda, e preciso desviar o olhar da maneira como ele me observa.

Então pego meu celular e rapidamente verifico minha insulina, fingindo que não consigo sentir os olhos dele em mim. Levanto minha camiseta para me certificar de que meu sensor não foi desalojado durante o único momento de atividade física que vivenciei na última década, e... sinceramente, não me lembro da última vez que fiz isso na frente de alguém que não Ceci. Quero perguntar a Jack se ele leu sobre o assunto depois de descobrir que eu era diabética, mas esse talvez seja o pensamento mais egocêntrico que já tive.

Tenho cerca de quarenta novas notificações em cinco aplicativos diferentes. Todas de Ceci.

CECI: Cadê vocês?

CECI: Estamos indo pro Starbucks em frente ao cinema pra esperar vocês voltarem.

CECI: Pfvr, só me diz se você tá bem. Eu sei que é uma merda, mas eu tô com você. Vamos dar um jeito. A gente se muda pra um porão. Eu pego mais encontros no Faux, você vai ser minha sugar baby.

CECI: Jack mandou uma mensagem pra George e disse pra ela que você tá bem. Ela parece confiar nele, mas sei lá. Ele parece um carvalho bombado com uma envergadura de um metro e oitenta. Tem certeza que ele é humano?

CECI: Elsie? 🥺

Respondo com um apressado "Tá tudo bem. Tô com o Jack. Vai pra casa, por favor". Quando ergo a cabeça, Jack está me encarando.

Dou um pigarro.

– Houve má-fé no processo seletivo. O que isso significa?

O rosto dele endurece.

– É o que falamos quando o resultado de um processo seletivo está, por qualquer razão, predeterminado. Por exemplo, quando anunciam que a vaga está aberta, mas ela já está destinada a um candidato específico.

– O cargo no MIT foi criado pra Georgina? – pergunto, sentindo uma pontada no peito.

– É mais complicado do que isso. Na verdade, a vaga está aberta desde que James Bickart, um experimentalista, se aposentou, dois anos atrás. Acho que ele já tinha uns... três milhões de anos.

Dou uma risadinha a contragosto.

– Imagino.

– Você conhece o tipo. Muitos paletós de tweed. Muita desconfiança em relação a computadores, muitas opiniões sobre meninas que usam esmalte e acabam distraindo os colegas homens. Eu ainda estava na Caltech, mas sabia de algumas histórias. A vaga deveria ter sido preenchida de imediato, mas houve problemas com o orçamento. Então eu vim para cá, com as minhas bolsas de pesquisa. – Ele empurra a caneca esquecida na minha direção. Embora esteja impaciente para ouvir mais, tomo um gole para agradá-lo. O calor que se espalha pelo meu estômago é delicioso. – Eu me ofereci pra ajudar a financiar o cargo, pra que outro experimentalista fosse contratado... não por odiar profundamente teóricos, acredite se quiser. Eu fui contratado pelo MIT pra reforçar a produção experimental do instituto. Atualmente, os experimentalistas estão em menor número e estávamos preenchendo uma vaga específica. Eu mencionei a oportunidade pra George, e ela me disse que tinha interesse em se candidatar. Ela está em Harvard agora, e o mundo acadêmico da física é sempre um clube do Bolinha, mas... Harvard é *tenso*. Então ela me mandou uns artigos que escreveu e... você disse que conhece o trabalho dela. Como você pode imaginar, todo mundo sabia que seria ela desde o início.

Posso imaginar muito bem. Os experimentos da tese dela foram trampolins para enormes avanços na física de partículas. Georgina é o epítome da inspiração.

– Aí você se inscreveu. E a Monica ficou tão impressionada com o seu currículo que decidiu te chamar, apesar de o comitê ter sido contra. Avisaram a ela que não havia nada que você pudesse fazer durante o processo seletivo capaz de garantir o emprego, mas ela insistiu, argumentando que George já tinha um cargo excelente em Harvard e poderia decidir não aceitar a proposta. – Ele suspira. – Mesmo que a George não fosse uma estrela, você precisa entender: eu e ela fizemos o doutorado juntos. Temos pelo menos meia década a mais do que você na área. Meia década de produção científica, publicações, bolsas de pesquisa.

Você é a candidata ideal, foi o que Monica me disse na noite em que nos conhecemos, mas eu não era. Eu simplesmente não era.

– Por que a Monica...?

– Ela fez de tudo pra contratar um teórico. E preciso admitir que ela mandou bem ao escolher você como a candidata dela. – Ele se inclina para a frente. Ergo a cabeça e o encaro. – Elsie, eu estava lá na votação final. A George venceu porque era a mais qualificada, mas todos no departamento ficaram impressionados com você. Isso não me surpreende, pois assisti à sua aula e li seus artigos.

– Claro. – Pressiono os olhos com as pontas dos dedos. – Meus artigos.

– São excelentes. E também...

Olho para ele.

- E também...?

Ele umedece os lábios, como se precisasse de tempo para organizar as palavras.

- Às vezes, quando leio os artigos, quase posso ouvi-los na sua voz. Com a sua personalidade. - Ele balança a cabeça, tímido, como se soubesse que está soando fantasioso. - Uma expressão aqui. Uma fórmula ali.

Achei que tínhamos chegado à conclusão de que eu não tenho personalidade, fico tentada a dizer. Mas estou cansada demais para ser amarga, e Jack... ele não tem sido nada além de gentil. Tento abrir um sorriso.

- Não posso te culpar por votar nela.

- Eu não votei.

Arregalo os olhos.

- Eu me abstive.

- Por quê?

Ele abre a boca, mas as palavras não saem de imediato.

- Eu tinha um... conflito de interesses.

- Por causa da George.

Ele sorri discretamente.

- Por sua causa, Elsie.

Não sei como interpretar essa resposta. Então não interpreto.

- Você e a Georgina não estão...?

Ele inclina a cabeça, confuso. Ah, meu Deus, ele vai me obrigar a dizer.

- Juntos. Vocês não estão juntos?

Ele dá uma risada.

- Não. Mas *somos* muito amigos. E, ao contrário da Dora, a esposa da George, eu tenho medo o suficiente dela pra deixar que ela me arraste a um cinema pra assistir a filmes que fazem dobras no espaço-tempo e parecem ter várias horas a mais do que realmente têm.

- Ah. - Ah. - Durante o processo seletivo, ela... sabia de mim? Que eu era a outra candidata?

- Não até alguns minutos atrás. Eu não tinha autorização pra dizer a ela quem era a outra candidata.

- É que... - Coço meu pescoço, que está ficando quente. - Mais cedo, quando eu me apresentei, ela parecia me conhecer.

Ele congela – um milissegundo de hesitação –, então sua confiança casual e inabalável volta.

– Eu falei de você pra ela. Mas foi muito antes da sua entrevista. Eu contei a ela que o Greg estava finalmente namorando. E que eu estava tendo dificuldades com isso.

– Porque você não aprovava.

– Elsie. – O tom dele é paciente, mas firme. – Eu entendo se você estiver constrangida com o que eu disse. Mas eu nunca menti pra você e não vou começar agora. – Seus olhos prendem os meus feito um torno. – Eu me senti atraído por alguém que não deveria. Eu me senti culpado e frustrado e contei isso pra George.

Tem um bolo na minha garganta. Uma confeitaria inteira. Cinco planos astrais. Algo brilha e pulsa no meu estômago, e eu não sei nem como *começar* a responder. Felizmente não preciso, porque Jack acrescenta:

– Greg queria te ver essa semana. Eu pedi pra ele não fazer isso.

– Por quê?

– Porque eu tive que contar a ele que você não ia conseguir o emprego. Ele achou que podia acabar deixando escapar, e... eu queria poder te explicar tudo pessoalmente.

Eu me pego sorrindo.

– Ele não mente muito bem, né?

– Estou surpreso de ele não ter contado o acordo de vocês pra todo mundo logo no primeiro encontro.

– Pois é. – Eu também, na verdade. – Como ele está?

– Bem. Tranquilo. O dente já sarou. Nós conversamos sobre... ele. Pra ser sincero, ele não me xingou tanto quanto deveria.

– Sorte sua que eu existo. – *Para bancar a doida. Xingar você no meio da rua.*

– Elsie. – Ele está fazendo aquela coisa de me olhar no fundo dos olhos outra vez. – Está tudo bem.

Não está nada bem e provavelmente vai demorar para ficar. Mas eu faço que sim de qualquer maneira e me levanto.

– Bem, eu... Me desculpa mais uma vez. Obrigada por explicar tudo. E pelo chocolate quente. É melhor eu ir pra casa antes que comece a nevar muito.

Ele se vira para uma das milhões de janelas.

– Parece que já está nevando muito.

É verdade. O lado de fora está completamente branco por causa das rajadas de vento, e minha exaustão pós-choro está me engolindo por inteiro. Talvez eu possa jogar uma bomba de fumaça e desaparecer no vácuo quântico.

– Antes que piore.

Ele também se levanta.

– Eu levo você.

– O quê? Não. As estradas estão perigosas. Eu vou pegar um Uber.

Ele ergue uma sobrancelha.

– Com a Ceci – acrescento, verificando o celular. – Não tem necessidade de você se colocar em perigo se… – Eu paro e leio minhas mensagens.

> CECI: George disse que você vai ficar na casa do Jack, é isso mesmo???? Ela sabe de alguma coisa que eu não sei?????
>
> CECI: O preço do Uber tá absurdo. George se ofereceu pra me levar pra casa, mas a gente precisa ir agora ou a neve vai prender o carro dela.
>
> CECI: Pfvr, me manda uma mensagem pra me garantir que ele não tá usando seu intestino delgado pra fazer salsichas.

Fecho os olhos com força por um segundo. *Muito bem. Está tudo bem.*

– Você precisa de um celular novo – diz Jack baixinho, olhando para a tela quebrada.

Eu preciso de um emprego novo.

– Eu vou pegar um ônibus, na verdade.

– Você acha que tem ônibus circulando?

– Espero que sim. – Tento abrir um sorriso. Ele tem sido gentil e merece uma Elsie sorridente e não tão depressiva. – A menos que você queira que eu acampe no seu sofá – digo, brincando.

– Não. Você pode ficar com a cama – responde ele sem nem hesitar. Como se já estivesse pensando nisso.

Não é possível.

– Você não tá falando sério.

– Vou até trocar os lençóis.

– Eu… Por quê?

Ele dá de ombros.

– Faz um tempo que não troco.

– Não, quer dizer… Por que você…

– Porque você está com frio, Elsie. – Ele se aproxima, e posso sentir o calor de sua pele. – Porque você teve uma noite difícil e provavelmente um mês difícil. Porque não é seguro. E porque gosto de ter você por perto.

Eu provavelmente deveria tentar processar tudo isso, mas estou muito, muito cansada.

– Você tem um quarto de hóspedes?

– Tenho. Mas não tem cama lá e, de acordo com meu amigo Adam, meu colchão de ar é uma merda.

– É lá que você guarda os esqueletos dos teóricos?

Ele sorri. Não nega.

– Vou dormir no sofá. Já pego no sono nele toda noite mesmo, lendo artigos teóricos.

Talvez seja uma alfinetada, mas me faz rir. Olho para o sofá, que poderia acomodar confortavelmente três dele e parece mais aconchegante do que minha cama de infância. De fato não estou em condições de recusar nada disso, embora faça um último esforço.

– Eu não quero atrapalhar.

– Elsie.

Odeio quando ele diz meu nome desse jeito. Um pouco severo, irritado e divertido ao mesmo tempo. Como se eu devesse deixar de bobeira, mesmo que eu esteja afundada nelas até o pescoço, me afogando.

– Está bem. Obrigada.

– Você precisa de insulina? Tem uma farmácia no final do quarteirão.

Aparentemente, agora eu debato meu suprimento de remédios com Jonathan Smith-Turner. Que loucura.

– Eu acabei de trocar meu sensor. Está tudo bem.

Ele assente, e então… Acho que vai ser isso mesmo. Olho para as costas dele enquanto o sigo pela escada em forma de L, como a desamparada estrela de nêutrons a que fui reduzida. Tento me imaginar acordando amanhã.

Escovando os dentes com o dedo. Descendo as escadas, elogiando despreocupadamente seu travesseiro ortopédico e disparando um *Até mais!* antes de me aventurar no branco ofuscante.

Estou na linha do tempo mais estranha da minha vida, mas para surtar de maneira adequada terei que esperar até reunir energia suficiente.

– O banheiro é aqui – diz ele assim que alcançamos o andar de cima.

Ele vasculha um armário de roupas de cama, depois acende um abajur. Para mim.

Meu coração se aperta.

– Aqui é o meu escritório. – Ele abre uma porta. – E aqui é o quarto.

A cama de Jack tem cabeceira, diferentemente da de outras pessoas mais básicas (eu). E um edredom azul, lençóis escuros que combinam com o tapete e um colchão que provavelmente está alguns níveis acima de um tamanho king. Tamanho imperador? Tamanho dominador galáctico? Não tenho a menor ideia, mas aposto que ele mandou fazer sob medida. Aposto que o carpinteiro deu uma boa olhada em Jack e disse: "Vamos precisar da madeira de um pinheiro-de-huon de mil anos para uma monstruosidade como você. Partirei à Tasmânia em meu esquife ao nascer do sol."

O resto do quarto está arrumado e organizado – nada de cuecas sujas atiradas na poltrona de couro perto da janela, nada de embalagens de barras de cereais no chão. A janela ocupa toda a parede leste e há uma única obra de arte: uma foto emoldurada do Grande Colisor de Hádrons. O lado do Solenoide de Múon Compacto, uma flor mecânica futurista.

É lindo. Eu sei que Jack trabalhou na Organização Europeia para a Pesquisa Nuclear, e talvez ele mesmo tenha tirado a foto...

– Vou trocar os lençóis – diz ele, passando por mim em direção à cômoda, e percebo que o estava encarando.

– Ah, não precisa. Eu não sou muito exigente, e... – Dou um pigarro. Sei lá, tanto faz. – Nós dois podemos dormir aqui. Tipo, a cama é enorme.

Ele está de costas para mim, mas vejo o momento em que assimila as palavras. A gaveta está entreaberta e seus movimentos vacilam até parar. Os músculos retesam sob a camisa, depois relaxam lentamente. Quando ele se vira, é com seu sorriso torto de sempre.

– Acho que é uma mudança muito grande pra você – diz ele. Um pouco tenso, talvez. Não há nenhuma covinha à vista.

– Mudança muito grande?

– Sair de fugir de mim pra dormir na mesma cama que eu em menos de uma hora.

Sinto o rosto corar e olho para o chão.

– Desculpa. Eu não queria ter fugido... Eu só... E eu não estou, tipo, dando em cima de você. – Queria muito soar mordaz e indignada, mas não é como estou me sentindo.

– Já estabelecemos que você não *precisa* dar em cima de mim, Elsie. Quer uma roupa pra dormir?

– Ah. – Balanço a cabeça. – Tô bem assim. Já estou de leggings mesmo. Achei que, se era pra sofrer vendo *2001*, pelo menos deveria estar confortável.

– Pensei que você tivesse amado o filme.

Lanço a ele um olhar horrorizado. Jack se inclina contra a cômoda, os braços cruzados.

– Foi o que a sua amiga disse – explica ele.

– Ah, não. Quer dizer, ela acha que sim. Ela acha que gosto de filmes artísticos, mas na verdade eu não... – *Falo a verdade para ela.*

Acho que Jack consegue ler minha mente.

– Ela sabe o quanto você gosta de *Crepúsculo*? – pergunta ele com um sorriso leve e gentil.

– Nem pensar. – Dou uma risadinha. – No máximo ela suspeita que eu gosto de um jeito irônico.

– De um jeito irônico?

– Sim. Tipo, quando você gosta de alguma coisa porque é ruim e você adora fazer piada dela, sabe?

Ele assente.

– É por isso que você gosta de *Crepúsculo*?

– Sei lá. – Eu me sento na beirada do colchão, agarrando o edredom macio. – Acho que não. – Reflito. – Gosto de romances simples e diretos, com personagens dramáticos e ameaças grandes e improváveis – acrescento, me surpreendendo um pouco. Eu não sabia disso antes de colocar em palavras e sinto que Jack entendeu antes de mim. Mais uma vez. – Além do mais, gosto de imaginar Alice e Bella terminando juntas depois que o filme acaba.

– Entendi. – Como sempre, ele registra a informação. Então puxa algo que parece um moletom e uma camiseta de debaixo do travesseiro e se dirige para a porta. – Se você mudar de ideia ou sentir frio, basta dar uma fuçada. Vai encontrar alguma coisa pra vestir.

– Você está me dando autorização pra fuxicar o seu quarto? Como se não tivesse nada a esconder?

Ele ergue uma sobrancelha.

– O que eu esconderia?

– Não sei. – Eu dou de ombros. – Um dildo gigante com tentáculos. Viagra. Um diário com um cadeado cor-de-rosa.

– Eu não precisaria esconder nada disso – diz ele, o homem mais discretamente confiante do mundo. – Se precisar de qualquer coisa, eu tô lá embaixo, tá bem?

A porta se fecha com um clique suave e eu fico bem aqui. No quarto de Jack Smith-Turner.

Sozinha com seus travesseiros e sua arte saída diretamente da Organização Europeia para a Pesquisa Nuclear – e provavelmente com os fígados dissecados de doze teóricos. Além disso, com muita neve caindo lá fora.

Eu rapidamente atualizo Ceci sobre o show de horrores que é a minha vida, então deslizo para debaixo das cobertas no que eu espero que não seja o lado de Jack e gemo de prazer.

Tenho um colchão bem firme. Ótimo pra coluna.

Tem mesmo, e é perfeito. Imediatamente relaxo, envolta pelo edredom e por um perfume agradável e intenso que não estou pronta para admitir que seja de Jack. Eu poderia ficar aqui para sempre. Escondida. Jamais enfrentar as consequências de meus próprios fracassos.

Ceci responde (*Isso é muito estranho!!! Mas boa noite, então???*), e percebo que meu celular está com doze por cento de bateria. Olho em volta, procurando um carregador, não encontro nenhum, então noto a mesa de cabeceira. Jack me deu permissão, certo? Abro a gaveta, me preparando para... sei lá. Anéis penianos. Polegares. Uma cópia de *A revolta de Atlas*. Mas o conteúdo é surpreendentemente mundano: lenços de papel, canetas, chaves, uma lanterna com algumas pilhas, moedas e um pedaço de papel branco que não resisto em pegar.

É uma foto. Uma Polaroid. Desfocada, com um tabuleiro de *Go* e um grupo de pessoas reunidas em torno dele. Apenas um rosto está totalmente em foco. Uma garota de cabelos castanhos e feições simétricas que franze a testa para a câmera e…

Eu. Sou *eu*.

A foto foi tirada na festa de aniversário de Millicent Smiths. A partida termina empatada; Izzy grita para as pessoas sorrirem; todos os Smiths se viram para ela.

Exceto pelo mais alto deles. Que continua olhando para mim, *só* para mim, um leve sorriso nos lábios.

– Ah – digo suavemente, não sei para quem.

Eu me recosto no travesseiro, olhando para a foto presa entre meus dedos. Com as luzes ainda acesas, contemplando o fato de que minha testa franzida reside na mesa de cabeceira de Jack, adormeço alguns segundos depois e sonho com nada.

Quando acordo, o despertador marca 3h46 da manhã e meu primeiro pensamento consciente é que não consegui o emprego.

Eu fracassei.

Aconteceu.

Estou na pior situação possível.

O momento em que ouvi a notícia de George gira em um loop em meu cérebro por vários minutos, cada repetição destacando um detalhe constrangedor diferente.

Fugi no meio da conversa feito uma criança.

Deixei minha melhor amiga sozinha em uma tempestade de neve.

Disse coisas terríveis e injustas.

Não tomo a decisão consciente de descer as escadas, mas, quando chego lá, sei que é onde preciso estar. As luminárias estão apagadas e a neve ainda cai, mas a luz da rua basta para destacar os contornos do local. De Jack, que está deitado de costas no sofá, uma manta fina cobrindo a metade inferior do corpo. Os olhos estão fechados, mas ele não está dormindo. Não tenho certeza de como eu sei, mas eu sei. E ele sabe que eu sei, porque, quando me aproximo, ele não se mexe, não abre os olhos, mas pergunta:

– Precisa de alguma coisa? – A voz dele é áspera, como se ele tivesse dormido em algum momento.

– Não – minto.

O que, claro, ele sabe. Ele sabe *tudo*.

– Quer que eu pegue água pra você?

– Não. Eu... – Estou acordada, mas não completamente. Porque me ajoelho ao lado do sofá, minha cabeça a apenas alguns centímetros da dele, e pergunto: – Eu... posso te dizer uma coisa?

Os olhos de Jack finalmente se abrem. Ele me encara, e meu cabelo provavelmente está uma bagunça, com certeza *eu* estou uma bagunça, mas preciso falar.

– Eu não... O que eu disse sobre a George conseguir o emprego porque ela é sua namorada. Ou amiga. Por causa de alguma intriga política esquisita... foi injusto da minha parte. Desprezível. E eu não acredito nisso. E eu só... Foi horrível da minha parte...

– Elsie. – Seu tom é calmo e grave. – Ei. Está tudo bem. Você já se desculpou.

Ele não entende.

– Eu sei, mas, de todas as coisas que aconteceram hoje, essa parece a pior. E não tenho controle sobre nada disso... nem sobre o declínio da minha carreira, nem do fato de ter ou não um plano de saúde ou de conseguir pagar o aluguel, mas eu... *posso* controlar a maneira como reajo. Então me desculpa por ter dito aquilo. Sobre a George. E sobre você. E... as pessoas fazem isso comigo o tempo todo. No último ano do doutorado, eu ganhei um prêmio idiota. Quando entrei na sala, no dia seguinte, os outros alunos estavam dizendo que foi só porque eu era mulher e... eu me senti uma merda e não *achava* realmente que eles tinham razão, mas por um segundo não tive certeza, por um segundo eles me fizeram duvidar de mim mesma, e eu só... não quero ser igual a *eles*. Eu...

– Ei. – Jack se mexe e então faz algo que não entendo completamente. Ele...

Ah.

De alguma maneira, ele me puxa para cima. E, de alguma maneira, estou no sofá. *Deitada* no sofá. Ao lado *dele*. Minha cabeça se aninha sob seu queixo, seus braços envolvem os meus, nossas coxas se entrelaçam. Abro a boca para dizer algo como *Que porra é essa?* ou *Ai, meu Deus* ou *?!??*, mas nada sai.

Em vez disso, eu me aconchego mais.

– Babacas – diz ele.

Ainda estou dormindo. Isto é um sonho. Um pesadelo. Um misto dos dois.

– Quem?

– As pessoas que não gostaram de você ter ganhado o prêmio da *Forbes*. – Como ele sabe que eu estava falando desse prêmio? – Você deveria denunciar todo mundo.

– Pelo quê? – pergunto contra o pescoço dele. Jack é quentinho e cheiroso. Cheiro de sono. De limpo. De quem é capaz de facilmente consertar a minha pia, salvar gatinhos presos em uma árvore, apagar um incêndio. – Por serem babacas?

– Sim. Embora o RH chame de discriminação de gênero e contribuição para um ambiente de trabalho hostil.

– Não é tão simples assim – murmuro.

– Deveria ser.

Seu queixo roça meu cabelo toda vez que ele fala, e eu me lembro de tentar mencionar o que aconteceu ao Dr. L. A maneira como ele se compadeceu de mim, mas também o fato de ter me dito que seria melhor eu simplesmente esquecer o assunto e concentrar minhas energias na física.

– O que *você* faria se seus alunos dissessem algo assim?

– Eu garantiria que eles nunca conseguissem construir uma carreira na física.

As palavras vibram de sua pele através da minha, e eu sei que ele está falando sério. Não tenho a menor dúvida. E é assim que começo a chorar de novo, como uma estúpida fonte de Versalhes, e é assim que o abraço dele se aperta, suas pernas se enroscando ainda mais nas minhas. Seus dedos se entrelaçam no cabelo da minha nuca e me pressionam mais fundo contra seu peito, me protegendo do frio e de tudo de ruim.

– Eu só... – Dou uma fungada. – Eu *realmente* queria uma chance de concluir minha teoria molecular de cristais líquidos bidimensionais.

– Eu sei. – Ele pressiona os lábios contra o meu cabelo. Talvez de propósito. – A gente vai descobrir um jeito.

Não existe a gente, eu penso.

– Ainda não – diz ele, com um pequeno suspiro que move seu imenso peito. – Vai ficar tudo bem, Elsie. Eu prometo.

Ele não pode. Prometer. Não há fontes confiáveis, nem quantidades conhecidas. Estamos em um mar de incerteza de medição.

– Talvez essa rejeição seja a minha história de origem de supervilã.

Ele ri.

– Não vai ser.

– Como você sabe?

– Porque esse não é o arco da sua personagem, Elsie. Está mais pra um... obstáculo.

Dou uma risada chorosa junto à garganta dele. Preciso voltar lá para cima. Nunca dormi com ninguém, nunca sequer pensei nisso. Não consigo controlar o que faço à noite – e se eu me mexer demais, roncar ou ocupar muito espaço? Uma ladra de cobertas é a Elsie que ninguém quer. Mas com Jack não tenho nada a perder, certo? Já estamos acima de tudo isso.

– Não acredito que te acordei às quatro da manhã e você não me matou.

– Por que eu mataria você?

– Porque sim. Tá tarde.

– Não. Eu meio que gostei. – Ele boceja contra o topo da minha cabeça.

– Então você realmente vai gostar da emoção que é fazer xixi a noite inteira quando for velhinho.

– Não é isso. – Acho que ele pode estar prestes a cair no sono. – Isso aqui... se encaixa perfeitamente em um monte de fantasias muito estranhas que tenho com você.

Lembro da foto na mesa de cabeceira. Seu rosto sério no apartamento de Greg. Estou respirando o mesmo ar que Jack Smith, mas não me sinto assustada nem insegura.

Apenas reconfortada, para dizer a verdade. Quente e muito sonolenta.

– Essas fantasias envolvem dildos com tentáculos gigantes? – Estou bocejando também, apagando depressa.

– Claro. – Dá para imaginar seu sorriso irônico. – Coisas muito mais bizarras também.

– Um role-play de camponesa?

– Pior que isso.

– Furry, né?

– Vai sonhando.

– Você precisa me dizer, ou vou imaginar necrofilia e desmembramentos.

– Nas minhas fantasias bizarras, Elsie... – Ele me move até que nossas curvas e ângulos se encaixem. Perfeitamente. – Nas minhas fantasias, você me deixa ficar de olho em você. – Sinto seus lábios em minha têmpora. – E, quando me permito ir bem longe na imaginação, fantasio que você me deixa até cuidar de você.

Parece bizarro.

– Por quê?

– Porque, na minha cabeça, ninguém nunca fez isso antes.

Adormeço encolhida, encaixada na curva do pescoço de Jack, me perguntando se ele tem razão.

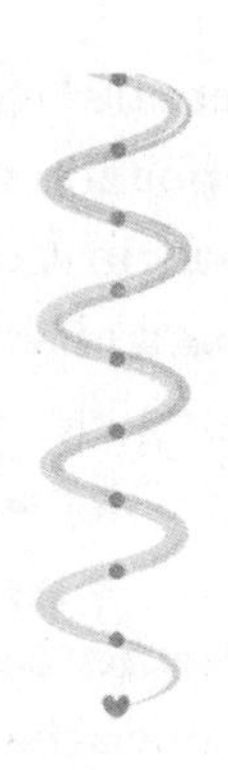

15

TRANSFERÊNCIA DE CALOR

NÃO HÁ CORTINAS, e eu acordo primeiro.

A luz da manhã é de um branco ofuscante, tão dolorosa quanto um milhão de ratos-toupeira-pelados roendo meus globos oculares. A julgar pela respiração lenta e ritmada contra a minha nuca, aparentemente é algo a que Jack já se acostumou.

Sinto-me descansada. Aquecida e aconchegada. Em algum momento da noite devo ter me virado nos braços dele, porque minhas costas estão pressionadas contra seu peito. A mão dele está por baixo da minha camiseta, espalmada contra a minha barriga, os dedos roçando meu sensor, mas não de uma forma bizarra e sexual. Ele está apenas tentando me manter perto para que nós dois caibamos debaixo da manta fina. Eu deveria estar me sentindo de conchinha com um tubarão, mas de alguma maneira funciona, e...

Talvez *seja* um pouco sexual. Porque tem algo *muito* quente, muito, *muito* duro, muito, muito, *muito* grande pressionando minha bunda.

Jack provavelmente precisa fazer xixi. Os homens não ficam de pau duro de manhã quando precisam ir ao banheiro? É uma ereção de xixi. Só uma xixireção. Aham.

Mesmo assim, eu deveria sair daqui.

Tento escapar dos enormes bíceps de Jack, mas ele resiste mesmo enquanto dorme. Meu coração dispara quando ele murmura algo contra minha nuca, os dedos agarrando meu quadril. A *coisa* dura me pressiona, tentando se aninhar melhor entre as minhas nádegas, e fico sem ar.

– Você é tão cheirosa – ronrona ele contra minha pele, e de repente estou brilhando de calor e vergonha e algo mais, algo novo, pulsante e desconhecido.

Eu me contorço diante da sensação. Meu Deus. Isso é... Eu estou com *tesão*? Jack mal acordou, e aposto que acha que sou uma peguete para quem ele liga quando quer dormir abraçado com alguém ou talvez sua ficante mais recente, e eu estou aqui, toda excitada e...

– Elsie – diz ele, quase um resmungo.

Seu braço aperta minha cintura, mas logo relaxa, abruptamente.

Ele ainda está dormindo. E desta vez, quando tento me afastar, ele me solta. Enquanto subo as escadas correndo, com a cara vermelha feito um pimentão, ele volta a respirar compassadamente.

Tudo bem. Está tudo bem. É meio pervertido da minha parte ficar sequer pensando nisso, já que ele está dormindo. No banheiro, escovo os dentes (sim, com o dedo), lavo o rosto e asseguro a Ceci que não fui vítima de tráfico sexual.

Minha caixa de entrada está lotada de e-mails. O destaque:

De: maedamelanie@gmail.com
Assunto: Melanie

Melanie é uma boa pessoa e não quis copiar aquele artigo da internet, ela me disse isso, e eu acredito nela, porque fui eu que a criei e na minha casa não toleramos mentiras. Ela foi incriminada (sua colega de quarto quer se vingar dela desde o incidente do copo menstrual). Por favor, peço que deixe minha filha reenviar o trabalho.

Mãe da Melanie

Suspiro duas vezes, depois bisbilhoto os armários de Jack para aliviar o estresse. Encontrar minoxidil, remédios antifúngicos ou desodorante de longa duração iria humanizá-lo, mas há apenas pasta de dente (de gaultéria, eca) e sabão. Então, sento-me na beirada da banheira e passo um tempo indeterminado pensando em uma maneira de contar para o Dr. L. que eu falhei.

Que falhei *com ele.*

No momento em que desço as escadas, Jack está andando pela cozinha, o celular alojado entre o ombro e a orelha, rindo baixinho e dizendo:

– ... já que você vai ficar três dias, a gente...

Ele se vira. Quando percebe que estou parada na base da escada, seu sorriso desaparece. Sim, ainda estou vestindo a camiseta da Northeastern que usei para dormir, e sim, minhas mãos estão sendo engolidas pelo meu cardigã, e sim, parar com um pezinho sobre o outro é inevitável.

Claramente, estou sensualizando.

– Tenho que desligar... Nos vemos semana que vem.

Jack desliga o telefone e desliza uma caneca de café pela ilha da cozinha. Para mim, presumo. O que significa que não tenho escolha a não ser ir até lá e me sentar em um banquinho.

Ele parece um pouco desgrenhado, a parte de trás do cabelo espetada, a barba por fazer, ombros e braços preenchendo a camiseta velha, mas ele ainda tem aquele ar. Divertido. Confiante. Sossegado. Fico à espera de que ele mencione que dormimos juntos... *Nós. Dormimos. Juntos.* Mas ele não parece estar inclinado a agir feito um babaca em relação a isso.

– Ei – diz ele.

A xixireção (registro de marca pendente) não está mais lá. Eu acho. Não consigo ver de fato. Ele provavelmente usou o banheiro do andar de baixo e...

Esse não é o ponto, Elsie. Foco.

– Ei.

Tomo um gole do meu café (nojento, como café sempre é). Coloco a caneca de lado, abro a boca para me desculpar mais uma vez em relação a ontem à noite, em relação ao estado em que o mundo está, ao aglomerado de átomos que molda minha própria existência, quando ele diz:

– Posso fazer alguma coisa pra você comer?

– Ah. – Faço que não com a cabeça, mesmo com o estômago roncando. – Não precisa, eu...

– Posso, por favor, ver você comer alguma coisa? – Bum, covinha. – Vai ser bom pra minha saúde mental.

Vou aceitar este dia como ele é: eu marinando em uma poça de vergonha.

– Se você tiver torrada, está ótimo. Obrigada.

Ele assente, coloca uma fatia de pão integral na torradeira e então faz uma pergunta bem estranha:

– Por que você não é pesquisadora em tempo integral?

Eu hesito.

– O quê?

– Você terminou o doutorado e logo depois virou professora adjunta. A maioria das pessoas tenta conseguir uma vaga de pesquisa em tempo integral como pós-doutorando, principalmente se não for apaixonado por lecionar.

Depois de anos ouvindo o Dr. L. falar sobre Jack, é surreal ter *Jack* mencionando o Dr. L., mesmo que indiretamente.

– Eu pensei nisso, mas não havia nenhuma oportunidade na área. Teóricos não costumam nadar em dinheiro…

– E em outros lugares? Você quer ficar na região de Boston?

– Sim. Bem, eu não *quero*, mas deveria. Por causa da minha família.

– Vocês são próximos? Alguém tem problemas de saúde?

– Não. E não. É só que… a minha mãe e os meus *irmãos* são… – Um show de horrores. Um completo e absoluto show de horrores. Como eu. – Eu *não posso* ir embora.

Ele assente. Como se não entendesse totalmente, como se entendesse até demais.

– Você tem noção de que as suas habilidades seriam do interesse de mais pessoas além dos teóricos, né? O seu trabalho é altamente translacional. Físicos experimentais se digladiariam pra ter você na equipe deles.

Só que nenhum deles fez isso. O Dr. L. perguntou para muita gente, e não houve ninguém se digladiando. Ninguém sequer discutindo educadamente.

– Tipo quem?

Ele me encara por um tempo longo demais e…

– Não. – Balanço a cabeça. – Não.

Sua boca se contrai.

– Eu tenho os fundos.

– Não.

– E a necessidade.

– Não.

Ele agora está sorrindo abertamente. Como se eu fosse seu centro de entretenimento pessoal, divertindo-o em 4K e Dolby Surround.

– A gente pode debater o salário.

– Não. *Não.* Não. Eu *não vou* trabalhar pra você.

– Por quê?

– Não vou ficar avaliando os seus testes e levando café pra você…

– Eu tenho três assistentes. – Ele olha significativamente para minha caneca cheia. – E fico feliz em cuidar do *seu* café… Você nem gosta de café, né?

Eu me contorço no banquinho.

– Eu…

– Ah, Elsie. – Ele balança a cabeça, fingindo decepção, e pega a caneca. – Achei que você já tinha superado esse lance de tentar não ferir meus sentimentos.

– Você foi muito legal comigo ontem à noite, e… – Dou um pigarro. – Enfim, eu não posso trabalhar pra você.

– Por quê?

– Porque você é *Jonathan Smith-Turner* e quase destruiu completamente a minha área de estudo.

E porque o Dr. L. me mataria, não acrescento, mas ainda sinto uma pontada de culpa por estar prestes a literalmente partilhar o pão com o arqui-inimigo do meu mentor.

– Está bem. – Ele dá de ombros, colocando um copo de água e uma torrada na minha frente. – Que decepção. Mas me dá aval pra te fazer outra proposta.

– Que proposta?

– Posso te levar pra sair?

Não processo as palavras de imediato. Por vários segundos, elas flutuam em meu cérebro como destroços, sem rumo, impossíveis de serem analisadas, e então o significado me ocorre.

– Você quer que eu vá embora?

Ele se retrai.

– De novo: o que aconteceu com você?

– Você disse que quer me levar pra sair...

– Sair em um encontro.

– Ah. – Sinto meu rosto corar. – Ah. – Coço a lateral do nariz. – É...

Jack ergue uma sobrancelha.

– Você parece mais nervosa com um encontro do que com ser posta para fora.

– Não. Sim. Quer dizer, é que... Por quê?

– Olha, eu estou ficando cada vez mais preocupado com as suas habilidades de interpretação de texto. – O canto da boca dele está se curvando, e eu não aguento mais.

– Para com isso – ordeno.

– Parar com o quê?

– De achar graça *de mim*! Eu não entendo por que você ia querer... Desde o dia em que a gente se conheceu, só batemos de frente. – Cubro os olhos com as mãos. – Por que de repente você está sendo tão legal? Me dando abrigo, me oferecendo um emprego? Eu só... Isso é algum tipo de fetiche? Algumas pessoas ficam excitadas com sovacos, você gosta de implicar comigo e...

– Olha pra mim, Elsie. – A voz dele chama minha atenção de volta. Jack deu a volta na ilha e está encostado nela, ao meu lado. O dorso de seu dedo bate suavemente contra a minha mão, me despertando. Um silencioso "Pode calar a boca?". – Parou de viajar?

– Eu *não estou* viajando – minto. – Jack, acredite. Você não quer passar um tempo comigo.

Ele assente, pensativo.

– O que mais eu não quero?

– Estou falando sério. Por um lado, tecnicamente eu ainda sou a namorada de mentira do seu irmão.

– Não sabia que tinha um nome. Que fofo.

– E você odeia esse lance de mudança de personalidade.

– Isso não vai ser um problema. – Os olhos dele brilham. – Já que eu adoro confrontar essas suas palhaçadas.

Minhas bochechas esquentam.

– Nós não temos *nada* em comum. Sobre o que a gente conversaria?

– Poderíamos passar duas semanas só falando sobre cristais líquidos. Ou você poderia me contar sobre *Crepúsculo*. Sobre a sua fase de fanfics eróticas envolvendo o Bill Nye. Um fluxo de consciência também seria legal. Eu ia adorar saber o que você está pensando.

– Eu penso muito no quanto te odeio – digo, sem convicção.

– Eu também penso muito no quanto você me odeia. – Seu sorriso é terno. – Quando foi a última vez que você foi completamente sincera com alguém, Elsie?

Feita por qualquer outra pessoa, seria uma pergunta condescendente. Sendo *ele*, parece genuíno.

– Eu…

Talvez com meus pais, quando eu era muito nova. Mas não consigo me lembrar de um único momento nas últimas duas décadas em que eu não me adaptei ao contexto. Em que não senti necessidade de me cortar em pedaços, servir o que achava que os outros iriam querer em uma bandeja de prata. Houve pessoas mais fáceis, como Ceci. Pessoas que conheceram a maior parte de mim, como Ceci. Até mesmo pessoas que reconheceram que estou sempre tentando agradar os outros e me incentivaram a parar com isso, como Ceci.

Tudo bem: teve Ceci. E sou grata. Mas até com ela nunca fui cem por cento sincera. Sempre tive medo de que a sinceridade fosse estragar tudo.

– Faz um tempo – respondo, mas Jack já sabia disso.

– Então já passou da hora.

Isso é… aterrorizante.

– Não – digo com firmeza, balançando a cabeça. – Obrigada pela proposta, mas não estou interessada.

A decepção sombreia seus olhos, mas mal consegui absorver o fato quando um celular toca – o dele.

– Merda – murmura Jack. Mas ele desvia o olhar, pega o aparelho e, após um suspiro pesado, diz: – Preciso ir. – Ele pega um suéter em cima do sofá. – Vamos. Eu deixo você em casa primeiro.

Deslizo do banco e me ponho de pé.

– Eu posso pegar o ônibus. A tempestade passou, então…

– Elsie. – Com a mão nas minhas costas, ele me conduz até a porta.

– Não, sério. Você já fez muita coisa…

Ele pega um delicado e aconchegante gorro preto e o enfia na minha cabeça. Não é meu, mas é muito confortável. E aparentemente não estou acordada o suficiente para insistir que não preciso de uma carona *e* abotoar meu casaco ao mesmo tempo.

– Sério, também posso pegar um Uber e...

Ele percebe minhas mãos trêmulas e gentilmente as afasta para abotoar meu casaco ele mesmo.

– Elsie, está tudo bem. Eu entendo. Você não quer sair comigo. – Ele chega ao botão do topo. Seus dedos roçam em meu queixo, que está virado para baixo. – Pelo menos deixa eu te levar em casa.

Jack é um motorista confiante, tranquilo mesmo diante das más condições climáticas, com as estradas um tanto bloqueadas e carros oscilantes ao redor. Eu afundo no banco em que ele ligou o aquecimento para mim e me lembro de uma vez que desviei para não atropelar um esquilo, quase causando um acidente envolvendo vários veículos.

No fim das contas, o esquilo era um saco de papel de um fast-food, mas tudo bem.

Eu sou boa em outras coisas. Provavelmente.

– Fica à vontade pra atender – digo, apontando para o celular de Jack. Está vibrando sem parar no porta-copos, enquanto uma estranha trilha sonora techno toca no noticiário no rádio.

– Não é uma ligação – diz ele, olhando para a frente.

Mais zumbidos.

– Tem certeza?

– Sim. É só uma enxurrada incessante de mensagens.

– Ah. Parece... urgente.

– Não é. Não de acordo com a definição saudável da palavra. – Ele suspira, atipicamente derrotado. – Você se importa se eu parar em um lugar antes de te levar pra casa? Fica no caminho e só vai levar um minuto.

– Não, tudo bem – respondo, me arrependendo em seguida, quando ele estaciona em frente a uma casa perturbadoramente familiar. – Essa é... Essa não é...?

Jack desliga o motor.

– Infelizmente, sim.

– Eu... – Ele deveria estar me trazendo aqui, considerando... literalmente tudo? – Você quer que eu, é... me esconda no porta-malas ou algo assim?

– Está menos dez graus lá fora. O carro vai esfriar muito rápido.

– Eu deveria me esconder nos arbustos, então?

Ele me olha como se fosse encenar uma intervenção diante do meu tênue domínio da segunda lei da termodinâmica.

– Vamos. Só vai levar um minuto.

Do lado de fora parece o planeta Hoth, e minha bunda lamenta se afastar do calorzinho do banco do carro. Estou cogitando colocar uma placa com meu nome nele quando a porta da casa se abre para revelar a mais cruel, ameaçadora e implacável dos Smiths em toda a sua glória.

Millicent.

– Ora, ora, ora – cantarola ela, os braços cruzados. Está vestindo calça preta simples e um cardigã, mas mesmo em uma roupa casual há algo intensamente *matriarcal* nela. Não consigo imaginá-la com menos de 90 anos e menos que rica. – Quem é vivo sempre aparece.

– Sabe – diz Jack, parado ao meu lado, em seu tom divertido de sempre –, eu tenho muitos arrependimentos na vida.

– Tenho certeza que sim.

– Mas te ensinar a mandar mensagens é o maior deles.

Millicent faz um aceno casual.

– Quando você tinha 3 anos, tive que te levar ao pronto-socorro porque você enfiou um giz de cera roxo na bunda. *Esse* deveria ser o seu maior arrependimento.

Jack me conduz ao hall de entrada com um empurrãozinho nas costas, como se fosse completamente comum ele me tocar casualmente.

– Você demorou um bocado, levando em consideração o dinheiro que pode herdar quando eu morrer. – Millicent ergue o rosto para que Jack lhe dê um beijo. Ele desvia, envolvendo-a em um abraço de urso com o qual ela finge se irritar, mas claramente ama.

– Eu já falei pra você levar esse dinheiro pra cova.

– Eu vou ser cremada.

– Ouvi dizer que papel queima muito bem.

Ela bufa.

– Continue assim que eu deixo toda a minha fortuna pra Comcast.

Ela se vira e segue pelo corredor deslumbrante. Jack vai na mesma direção, imperturbável, de alguma forma conseguindo não parecer deslocado, apesar de ser uma montanha de músculos em um moletom da Caltech. Depois de refletir por um segundo, decido segui-lo.

É melhor não ficar sozinha. Não gostaria de ser acusada de roubar um cinzeiro.

Entramos na mesma cozinha onde Jack me pegou mentindo sobre o vinho, duas semanas atrás. Observo-o caminhar até um armário e encarar Millicent enquanto o abre, pega um saco de açúcar, coloca na mesa e cruza os braços.

– Esse era o seu caso de vida ou morte? – pergunta ele.

Millicent abre um sorriso.

– Era, por quê? Eu simplesmente *não conseguia* alcançá-lo, e eu *detesto* café amargo.

Eu olho para o armário. Que nem é... alto.

– Fico feliz por poder ajudar neste assunto tão urgente – diz Jack, assentindo educadamente.

Então dá um beijo rápido na bochecha da avó e depois caminha até a porta. Sua mão encontra o lugar de sempre nas minhas costas e ele gentilmente me empurra para fora da cozinha, já pronto para sair, quando...

– Mas, como você *já está* aqui, deveria ficar pra tomar um café.

Jack baixa os braços e se vira.

– Millicent – diz ele, severo. Achando graça. Deve ser coisa de gente rica chamar a avó pelo nome. – Como eu disse na semana passada e nas anteriores, você não precisa me *enganar* pra que eu passe um tempo com você.

– Ah, Jack. Mas eu já fui ignorada antes. *Muitas* vezes.

– Quando foi a última vez que você me pediu pra vir e eu não vim?

– Três anos atrás. No meu aniversário. Poderia ter sido o meu último.

– Mas foi?

– Agora é fácil falar. – Ela olha para o vazio. – Passei o dia todo esperando que meu único neto suportável aparecesse...

– Eu morava do outro lado do país.

– ... mas, infelizmente, você me deixou sozinha. Me abandonou. Se mudou pra Costa Oeste em busca de algo fugaz. Um prêmio Nobel, talvez?

– Eu liguei pra você *todos os dias* durante sete anos.

– E como anda esse prêmio Nobel, no fim das contas?

Ele suspira.

– Você não precisa me enrolar – repete ele, e desta vez ela sorri, travessa, e eu me lembro que sempre foi minha favorita entre os familiares de Greg.

– Mas desse jeito é mais divertido.

Suspeito que esta seja uma interação que eles tiveram várias vezes. Suspeito que Jack esteja tentando não sorrir.

– Vou levar a Elsie pra casa. Depois eu volto e...

– Elsie? – Millicent se vira, como se me notasse pela primeira vez. – Elsie. – Ela dá um passo em minha direção, e eu paro de respirar, tentando passar despercebida. Quem precisa de oxigênio? De agora em diante, vou apenas fazer fotossíntese. – Por que a *Elsie* é tão familiar?

Engulo em seco. De um jeito cômico.

– Ah. É. Você derrotou Jack no *Go*.

– Nós... empatamos, na verdade. – Dou uma olhadela para Jack, que está sorrindo como se meu constrangimento o deixasse de bom humor.

– Verdade. – Os olhos de Millicent focam em mim, e me pergunto o que devo dizer se ela perguntar por que estou aqui. Que história a gente vai contar? – Você não parece muito bem.

– Ah. Eu...

– Ela teve uma noite difícil – diz Jack suavemente. – Deixa ela.

Millicent assente.

– Querida, sempre que não conseguem ficar duros, eles se sentam na beira do colchão com a cabeça entre as mãos, choramingam feito bebês e transformam isso em um problema *nosso*, mas...

Eu engasgo.

– Ah, não. Não, não, não é isso que a gente...

– Ela acabou de descobrir que não conseguiu um emprego – explica Jack, imperturbável. – Mas obrigado pelo voto de confiança.

– Se você diz. – Millicent não parece convencida. Então seus olhos se iluminam com o vislumbre de uma lembrança. – Espera. Ela não é *sua* namorada. Ela é a namorada daquele outro que sempre parece que está tendo uma crise de ansiedade e que acabou de chupar um limão.

Jack revira os olhos.

– Você está se referindo ao Greg? Meu irmão? Seu neto?

– Como vou saber? Tenho quatro filhos e sete netos. Quantos nomes você espera que eu decore?

– Onze seria um bom começo.

– Tsc. – Seus olhos se fixam em mim, atentos. – Mas ela é namorada dele.

– Na verdade, não – diz Jack. – É uma longa história.

– Perfeito. Você pode me contar durante o café. Dois torrões de açúcar como sempre, Jack?

– Sim. – Ele se vira novamente para a saída. – Eu te conto depois que deixar a Elsie…

– Imagina. Elsie deveria ficar também. Não posso deixá-la ir embora.

– Pode, sim, porque sequestro é um crime grave.

– Shiu.

– Vou levá-la em casa e…

– Tudo bem – interrompo. Ambos olham para mim, atônitos com minha capacidade de falar. – Não me importo de ficar.

– Viu só? Ela não se importa!

Millicent bate palmas e seu desamparo fingido cai por terra enquanto ela tira três canecas de um armário muito mais alto do que o que guardava o açúcar. Jack hesita, no entanto. Ele se aproxima e examina meu rosto em busca de vestígios de minhas pequenas inverdades.

– Sério – digo baixinho para ele. – Está tudo bem.

– Tudo bem? Passar um tempo não remunerado com *dois* Smiths?

Ficar vai me dar uma ótima desculpa para não fazer uma atividade bem pior, que é escrever o e-mail informando ao Dr. L. o que aconteceu, ou mesmo lidar com as consequências disso. Enquanto eu estiver aqui, o tempo está suspenso. O passado está definido e eu não consegui o emprego. Qualquer futuro, no entanto, é possível: Alexandria Ocasio-Cortez chegará ao poder para perdoar meus empréstimos estudantis; meu pâncreas produzirá a própria insulina; vou mudar para o interior, viver da terra e passar meus dias pensando na cinemática de sistemas ricos em cristais.

E Jack sabe, porque seu detector de mentiras funciona que é uma beleza: ele vê que eu realmente quero ficar e puxa uma cadeira para mim, então tiramos nossos casacos, nos sentamos um de frente para o outro e eu olho ao redor para evitar perceber que ele está focado em mim como se eu fosse a chave para entender a aceleração em queda livre da antimatéria. Millicent começa a transferir pequenos biscoitos chiques de uma caixa chique para um prato chique. Examino a embalagem em busca dos valores nutricionais, mas não encontro nada.

– Então – pergunta ela em tom casual –, há quanto tempo vocês dois estão *nessa*?

Perco o fôlego tão bruscamente que quase engasgo. Jack serve seu café com calma, imperturbável.

– Não estamos – diz ele.

– Não estão o quê?

– *Nessa.*

Millicent olha de mim para ele.

– Nem um pouquinho?

– Não.

– Tem certeza?

– Acho que eu saberia se estivéssemos. – Jack empilha açúcar em sua caneca e eu quero me jogar em um vulcão em erupção.

– Espero realmente que sim. Bem... – Ela dá de ombros. – Melhor assim, imagino. Você sempre foi tão protetor com seu irmão... Seria estranho agora seduzir a namorada dele.

– Não vamos usar a palavra *seduzir* antes das onze da manhã, pode ser? – Jack se levanta e começa a andar pela cozinha. – E vamos também falar de outra coisa, porque a Elsie já está tendo um episódio de anoxia cerebral.

Com certeza estou. Meus órgãos estão parando.

– Sobre o que mais podemos conversar? Sou apenas uma senhorinha indefesa. Nunca me acontece nada. Ah, sim... O cachorro dos vizinhos voltou a defecar no meu jardim. Estou pensando em contratar alguém pra defecar no deles. Por acaso um de vocês estaria interessado?

– Eu ando um pouco ocupado – diz Jack. Um segundo depois, uma caneca fumegante aparece na minha frente. Jack me enjaula por trás, uma mão apoiada próxima à minha na mesa, a outra mexendo em algo parecido com papel. Ele coloca um saquinho de chá na água quente e sinto seu peito roçar minhas costas e meu cabelo enquanto ele diz: – Mas a Elsie está *mesmo* atrás de um novo emprego.

Eu me viro para encará-lo, mas ele já está de volta ao seu lugar. Millicent, por sua vez, me lança um olhar expectante.

– Eu... Desculpa, eu... Eu não posso, e... – *Provavelmente isso é ilegal?* – Desculpa.

– É a segunda oferta de trabalho que ela recusa esta manhã – murmura Jack.

– Hmm. Exigente. Tudo bem, vou perguntar aos meus outros netos, então. Talvez eu insinue fortemente que a herança deles vai depender disso...

– Você está cada vez menos *senhorinha indefesa* e mais *bruxa amarga* – diz Jack com carinho.

– Talvez. Por que esse chá? – pergunta ela a Jack.

– Elsie não gosta de café.

– Ah. – Há um certo peso nesse *Ah*. – Você podia ter me falado, Elsie.

– Ela nunca fala. – Jack me olha por cima de sua caneca. A covinha aparece, fazendo meu coração palpitar. O ar entre nós cheira a Earl Grey, geleia de framboesa e manhã de domingo. – Mas estamos trabalhando nisso.

Meu celular está sem bateria há muito tempo, não há relógios na cozinha e não faço ideia de quanto tempo ficamos sentados à mesa. Às vezes, participo da conversa, mas nem Millicent nem Jack exigem muito de mim, e é bom ficar nessa espécie de limbo dos Smiths. Fico me concentrando na maneira como Jack e a avó interagem, uma combinação de implicância e amor profundo e absoluto um pelo outro. Acho que nunca estive em um ambiente tão repleto de sinceridade antes, mas tenho certeza de que nenhuma mentira foi dita desde que entrei nesta casa. É emocionante, de uma maneira que chega a dar um vazio no peito. Como andar de montanha-russa ou comer queijo azul.

Descubro que todo final de semana Jack e Millicent passam parte do dia juntos – via de regra, após uma emboscada.

– O "caso de vida ou morte" da semana passada foi que ela precisava que alguém explicasse o que era Bitcoin – diz ele secamente, e fica claro que ele não se importa em fazê-lo.

– Eu também não entendo Bitcoin – comento depois de um longo gole de chá, a terceira bebida quente que Jack preparou para mim nas últimas doze horas. Não sei bem como cheguei neste ponto da vida.

– Está vendo só? – Millicent sorri, triunfante. – A talvez namorada do Greg está do meu lado.

Jack e Millicent sabem mais sobre a vida um do outro do que qualquer parente meu jamais soube sobre mim. Ela acompanha sem dificuldade nomes, lugares, acontecimentos que ele menciona, e, por sua vez, Jack sabe exatamente do que ela está falando quando anuncia que usará um vestido verde no jantar dos Rutherfords, ou quando ela reclama que terminou de ver uma série e não tem nada para assistir.

– Você não terminou – diz ele.

– Terminei, sim.

– Eu te dei doze temporadas de *Assassinato por escrito*. Você não pode ter assistido tudo em uma semana.

– Não tem mais nenhum episódio na TV.

Ele se levanta com um suspiro.

– Vou trocar o DVD. Já volto.

Abro a boca no segundo em que ele desaparece, pronta para preencher o silêncio com algum comentário sobre o tempo, mas Millicent já está me dando um de seus olhares penetrantes.

– Você não é bibliotecária, né?

Dou um pigarro.

– Não. Desculpa por ter mentido. É uma longa história, mas…

– Eu tenho 90 anos, não tenho tempo pra longas histórias. O que você faz, afinal?

Brinco com o saquinho do chá.

– Eu sou física.

– Como o Jack.

– Mais ou menos. Na verdade, não. – Mantenho os olhos na caneca. A situação em que minha carreira se encontra é um ponto sensível. – Ele é um professor de renome mundial. Eu sou só uma professora adjunta. E ele é um físico experimental, enquanto eu sou…

– Teórica. – Ela assente com a cabeça. – Como a mãe dele, então.

Eu olho para ela, atônita.

– A mãe dele? – Será que Millicent está se confundindo? Como a vovó Hannaway, antes de falecer, quando me confundia com sua irmã de que menos gostava e gritava comigo por ter roubado seu avental? – A senhora está falando da que…

– Morreu. Bem, claro. Ele só teve uma. – Ela bufa. – Não é como se a Caroline estivesse ansiosa pra assumir o posto. Foi de partir o coração ver esses dois meninos crescerem tão próximos. Mesma casa, mesma família. Um com mãe, o outro sem.

– Ah. – Eu não deveria fazer nenhuma das perguntas que zumbem na minha cabeça. Obviamente, Millicent está sob a impressão de que Jack e eu somos algo que não somos, ou não revelaria isso. Mas… – Quantos anos o Jack tinha?

– Quando a Grethe morreu? – *Grethe.* – Um ano, mais ou menos. O meu filho se casou novamente em pouco tempo. Eles tiveram o Greg logo depois. Sabe, nos primeiros anos, fui eu quem insistiu em não contar nada pro Jack sobre a Grethe. Achei que ele poderia ter uma vida normal, acreditando que a Caroline era mãe dele e que ele não havia perdido nada. Mas a Caroline nunca gostou dele, e… bem, era direito dela se recusar a cumprir esse papel. Eu não deveria ter me intrometido. Porque acabei piorando tudo… Alguns anos depois, ele se meteu em alguma confusão, como crianças sempre fazem, e a Caroline gritou com ele: "Não me chama de mãe, eu não sou sua mãe." Foi um momento de fraqueza. E a Caroline se sentiu culpada depois. Mas àquela altura o Jack já sabia.

Ela dá um suspiro.

– É difícil explicar pra um menino de 9 anos que tudo em que ele acredita é mentira. Que ele não deveria chamar de mãe a mulher que o *irmão* dele chama de mãe. – Millicent massageia a têmpora. – Jack pareceu levar tudo isso numa boa. Só que ele parou de chamar o pai de pai também. Eu virei Millicent. E desde então ele é muito desconfiado em relação a mentiras. Muito preocupado com… limites. Mais do que é saudável, eu acho. – Ela se ocupa empilhando as canecas em cima do prato de biscoitos vazio. Pela primeira vez desde que a conheci, ela aparenta ter a idade que tem. Frágil, velha, cansada. Sua boca está curvada para baixo, delimitada por linhas profundas. – E mesmo assim o Jack e o Greg sempre foram muito próximos, apesar de tudo isso. Foi uma bênção.

Eu me lembro de Jack cuidando de Greg depois do dentista, e meu coração se aperta. Tento imaginá-los crianças, Jack sendo algo diferente desse homem alto, seguro e autoritário, e fracasso miseravelmente.

– A senhora tem certeza de que ela… a Grethe… – Quero perguntar se Turner era o sobrenome dela. A razão pela qual Jack é um Smith, mas não um Smith *de verdade.* – A senhora tem certeza de que ela era física teórica?

A física corre nas veias da família de Jack, enquanto a única coisa que corre nas da minha família é eczema.

– Por que a pergunta?

– É só que… o Jack não parece gostar muito de teóricos.

Millicent me lança um olhar.

– Ele gosta de *você*, não gosta?

Ela fala como se eu fosse a pessoa mais idiota do mundo, e sinto meu rosto corar.

– Mas uma vez ele escreveu um artigo que…

– Ah, *isso*. – Ela dá risada, como se fosse uma boa lembrança de família. Primeiro dia do jardim de infância, conhecer o Pateta na Disney, e aquela vez que o neto colocou todo um campo de estudo em uma espiral descendente. – Isso não teve nada a ver com físicos teóricos. Ele era só um adolescente rebelde, irritado pelo que tinha descoberto da Grethe. Mas ele é um homem agora. Um bom homem. Pena que não posso deixar meu dinheiro pra ele, porque ele simplesmente vai dividir tudo com o resto dessa família ingrata.

– O que ele descobriu sobre a Grethe? – Toda a pegadinha do Smith-Turner tinha a ver com a mãe dele? Será que ele… a odeia? Foi algum tipo de vingança contra ela pelo… Pelo quê? Por ter morrido? É idiota demais. – Ele escreveu o artigo por causa dela?

Devo estar fazendo perguntas demais. A expressão de Millicent muda; primeiro torna-se cautelosa, depois vazia.

– Não lembro – responde ela com um dar de ombros esquecido, embora não seja real. Millicent, tenho certeza, não se esqueceu de coisa alguma em sua vida, certamente não do nome de Greg e muito menos do que levou Jack a ser quem ele é hoje. – Jack vai te contar. Quando vocês estiverem juntos há mais tempo.

– Nós não… É sério, eu e o Jack *não estamos*… nós não estamos *nessa* – explico.

Meu cérebro se encolhe tanto que se dobra em si mesmo.

– Ah, eu sei. Vocês têm algo bem diferente, não é?

– Não é nada, na verdade. Nem somos amigos.

– Entendi. – Seu tom é quase… de pena? – Bom, você vai descobrir no seu próprio tempo.

– Descobrir o quê?

– Já ajeitei o aparelho de DVD – anuncia Jack, aparecendo na porta. – E deixei instruções detalhadas sobre como mudar pra próxima temporada, já que as que escrevi na semana passada sumiram.

– Ah, sim. Tive que jogar o bloco de papel na sua tia Maureen quando ela disse que meu pulôver verde era chamativo demais.

– Claro, você *teve que jogar*. Posso levar a Elsie pra casa agora? Ou o sequestro ainda está em andamento?

Millicent bufa.

– Leva ela, por favor. Estou de saco cheio de vocês dois. Você não é tão divertida quanto Jessica Fletcher.

Ela nos expulsa tão sem cerimônia quanto nos deu boas-vindas, fazendo uma sinfonia de falsos ruídos de irritação que são desmentidos pelo modo como ela se agarra forte ao abraço de Jack.

– Mais tarde eu passo aqui pra remover um pouco da neve – promete ele.

– Tudo bem, mas não entre. Vou estar ocupada com a minha série.

– Eu sei. – Ele beija a testa dela. – Se comporte até o próximo fim de semana. Divirta-se pensando em formas de excluir as pessoas do seu testamento.

– Pode deixar – diz ela em um tom desafiador antes de bater a porta na nossa cara.

– É sério isso? – pergunto a caminho do carro.

Ouço a neve estalar sob nossos pés.

– O quê?

– Ela fica excluindo as pessoas do testamento?

– Provavelmente.

– Por quê?

– Mesquinhez. Tédio. Solidão. Quando eu tinha 16 anos, meu pai fez um comentário sobre o assado dela estar seco, e ela doou um milhão de dólares para um abrigo de coelhos.

– Meu Deus. Por quê?

– É um círculo vicioso. A maior parte da minha família parece gravitar em torno dela por causa do dinheiro, e é por isso que a Millicent usa o dinheiro como arma. Mas isso não ajuda a aproximá-la dos outros familiares que são seres humanos normais, mas que acham que ameaçar deixar todos os bens para o banco só pra dar uma lição em alguém é ir longe demais.

– Greg está entre os legais?

– Greg é o mais legal de todos, mas ele prefere evitar Millicent por completo. Ele gosta que as pessoas se deem bem, o que é impossível quando ela está em um determinado espaço quântico.

– Como o Princípio de Exclusão de Pauli. – Trocamos um sorriso, parados junto ao lado do carona do carro. – Mas você gosta dela.

– Ela é um monstro. Mas, depois de mais ou menos uns trinta anos, ela acaba grudando em você – diz ele com carinho. – Feito um carrapato.

Dou uma risada, e minha respiração é uma rajada de branco no espaço entre nós.

– Será que a gente deveria explicar pra ela que eu não estava de fato namorando o Greg?

– Não. Millicent está ocupada demais envolvida em uma guerra de cocô pra se importar com isso.

– Você… – Tento soar casual. – Você sempre a chama de Millicent?

– É o nome dela.

– Sim, mas por que não vó, ou vovó, ou vozinha, ou vovozinha…

– Vovozinha?

– Tanto faz. *Babushka*. Mãe dos meus ancestrais.

A expressão de Jack se torna inescrutável.

– É bom chamar as pessoas pelo nome. Diminui a chance de mal-entendidos. – Acho que vejo uma mínima hesitação, como se talvez ele estivesse pensando em dizer algo mais, porém é fugaz, e desaparece rapidamente na neve brilhante. – Vamos. Vou te levar pra casa antes que a sua colega de apartamento registre o seu sumiço.

Assinto, porque preciso resolver a confusão que é minha vida em um espaço livre de Smiths. Mas então algo me ocorre: o resto da minha vida será um espaço livre de Smiths.

Um espaço livre de Jack.

Provavelmente nunca mais o verei. Por que veria? Os círculos que frequentamos são um diagrama de Venn com pouca sobreposição. Talvez nos encontremos em uma conferência de física daqui a dois anos, quando eu ainda for professora adjunta, dando quarenta aulas por semana, e ele estiver fazendo campanha pelo Nobel. Mas meu acordo com Greg provavelmente está encerrado, o que significa que acabou. Essa é a última vez que verei

Jack. Este homem, este homem enlouquecedor, impossível, espaçoso, que parece me conhecer apesar de tudo que eu faço para *não* ser conhecida, vai sumir da minha vida.

Eu deveria estar ansiosa para voltar a tempos mais simples, quando costumava passar zero hora por semana em sua companhia e meu cérebro não era feito de guacamole, mas… que *desperdício*. Que perspectiva surpreendentemente aterrorizante.

E é por isso que eu o seguro, dou um puxão na manga de seu casaco. Por isso que abro a boca e digo, sem premeditação, sem pensar muito e tomada por um pânico imprudente:

– Euquerosaircomvocê.

A frase sai sem pausas nem entonação, apenas um som difuso. Que Jack, julgando pelo modo como suas sobrancelhas arqueiam, não entendeu.

Pigarreio. Respiro fundo.

– Se você ainda quiser. E se o Greg não se importar. Você pode me levar pra sair.

Jack apenas me olha, imóvel, sem reação, por muito tempo.

– Você não está falando de te botar para fora...?

– Não. Não! Não é disso que eu… – Sinto meu rosto corar. Estou com frio e cansada, minha cabeça dói, e não tenho ideia do que estou fazendo nem de por que ele não consegue *entender*. – Eu também posso fazer isso. Levar *você* para uma saída.

Ele assente. Devagar.

– Vai me expulsar da sua casa?

– *Não*, eu… – Percebo o brilho divertido em seus olhos, como se ele soubesse *exatamente* o que estou tentando dizer. Contraio os lábios, porque não quero encorajá-lo, não quero sorrir, mas estou prestes a fazê-lo. – Odeio você.

– Não tenho dúvida.

– Por que tudo é tão difícil com você?

– Eu gosto de te manter alerta.

– Escuta… Vamos sair – digo. Isso parece imprudente. Uma péssima ideia. Excitante. – Vamos só… tentar. Ver o que acontece. Pode ser?

– Pode – diz ele após uma breve pausa. – Mas tem uma condição.

Franzo a testa.

– Você já está fazendo exigências?

– Sempre. – Jack quase sorri, mas sua expressão volta a ser inescrutável. – Se a gente for mesmo fazer isso, quando você estiver comigo, preciso que seja sincera. Nada de fingir que é outra pessoa. Nada de tentar ser o que você acha que eu quero. Diga o que estiver pensando. E, quando não conseguir, pelo menos se permita pensar. Sem mentiras, Elsie. – Ele trava o maxilar. – Só você mesma.

Assinto. E então percebo que não tenho ideia de como fazer isso e dou uma risada, um pouco triste, muito apavorada.

– Posso tentar.

Ele concorda.

– Por enquanto, isso basta.

– Você deveria ser sincero também – acrescento. – Também não pode mentir.

– Eu não costumo mentir – diz ele simplesmente. Ouvir isso me faz pensar no que Millicent comentou sobre seu passado, e meu coração se aperta. Já vi Jack sendo brutal e desnecessariamente sincero. Mentindo, nem tanto. – E não consigo me ver mentindo pra você.

– Você nem me conhece.

– Não conheço – admite ele, e então observa meu rosto por vários segundos, como se não pudesse se contentar com a capa ou a primeira página, como se precisasse ler o livro inteiro todas as vezes.

Então ele se inclina na minha direção e o frio gelado da manhã derrete com seu calor. Meus olhos se fixam no rosto dele, na linha de sua mandíbula, tão afiada que poderia cortar um coração. Seus lábios são carnudos e voltados para cima, um começo daquele sorriso torto que me deixa com raiva e de pernas bambas, e... ele se inclina e murmura no meu ouvido:

– Mas adoraria conhecer.

Meus pelos se arrepiam, minha coluna se retesa como a corda de um arco, e, pela primeira vez na vida, estou pensando em beijos, em pele, em acordar com Jack esta manhã, em sua mão nas minhas costas, na tatuagem em seu braço, em seus lábios que parecem volumosos e macios, e no fato de ele não se barbear há algum tempo, e em como ele cheira *bem*, e...

Um clique. Atrás de mim. Jack se endireita e abre a porta do passageiro. A tensão dentro de mim ainda está zumbindo. Eu me sinto tonta.

– Entra – ordena ele, em um tom baixo e rouco, e talvez não para mim.

Deslizo para o banco e percebo que talvez isso seja real. Acontecendo *fora* da minha cabeça.

Eu, aproveitando uma chance de ser *eu mesma.*

16

FORÇAS FUNDAMENTAIS

De: glass.abigail.2@bostoncollege.edu
Assunto: Termodinâmica 2

Olá! Não fui às aulas esse semestre porque não consigo descobrir onde é a sala. Onde fica mesmo? Você poderia desenhar um mapa pra mim? Vlw.

. . . .

– Revoltante.

O Dr. L. pronuncia a palavra com um tom suave e vogais misteriosas, o que soa quase como um estranho sotaque francês. Eu acharia engraçado, mas é nosso primeiro encontro desde que lhe dei a notícia sobre o emprego, e não consigo sentir nada além de ansiedade. Ele me pediu para vir até aqui, e eu realmente não queria, com toda a neve e meus horários de merda. No entanto, aqui estou.

– É revoltante que eles tenham escolhido outro candidato – repete ele. – Talvez seja o caso de recorrer.

– Sabendo quem é a candidata vencedora, duvido que haja fundamento para isso.

– Georgina Sepulveda, é isso?

Eu assinto.

– E quem seria essa?

Fico surpresa com o fato de que algum físico ainda não conheça seu trabalho. Mas o Dr. L. às vezes é um tanto tacanho quando se trata de experimentalistas. Talvez com razão?

– Ela é a criadora do modelo Sepulveda. Uma brilhante física de partículas. E trabalhou no Instituto Burke anos atrás. – Olho para baixo. Em seguida, volto a olhar para o cenho franzido do Dr. L. – Sinto muito, Dr. Laurendeau. Eu sei que é decepcionante, mas…

– Eu me pergunto se Smith-Turner influenciou o processo seletivo, no fim das contas.

Aperto o braço da cadeira verde.

– Ele… Eu duvido.

– Não me surpreenderia em nada se ele tivesse feito algo assim.

Dou um pigarro.

– Estou convencida de que ele não…

– Elise, você quer que Smith-Turner receba o que merece tanto quanto eu, não é?

Sinto meu estômago revirar e abaixo a cabeça, envergonhada. O Dr. L. passou os últimos seis anos me aconselhando, e aqui estou. Um caos. Flertando com o babaca que quase arruinou a carreira dele.

Não estou sendo a Elsie que ele quer.

Preciso voltar a ser ela: Elise – trabalhadora, implacável, extremamente focada.

– Foi um grande contratempo, mas eu estou… me reorganizando – digo, tentando soar otimista. – Sobre a questão de encontrar um emprego para o próximo ano, eu…

– Mas você tem um emprego. Vários, na verdade.

– Sim. Com certeza. – Respiro fundo. – Mas esses bicos como professora adjunta consomem muito tempo e sobra bem pouco para pesquisa. E eu realmente quero terminar de desenvolver meu…

– Sempre há tempo para pesquisa. É preciso querer encontrar esse tempo.

Fecho os olhos, porque isso dói pra caramba. A Elsie que ele quer quase me foge, mas seguro as pontas.

– Tem razão.

– Você não poderia simplesmente dar menos aulas?

Respiro devagar. Inspiro e expiro.

– Financeiramente, não é uma possibilidade.

– Entendo. Bem, às vezes o dinheiro deve ficar em segundo plano.

Agarro o apoio de braço, sentindo uma pontada de frustração por ele me achar *gananciosa* por querer comprar insulina e viver em um lugar sem mariposas mutantes. O sentimento é imediatamente engolido pela culpa. É o Dr. L. Eu nem saberia o teorema de Nielsen-Ninomiya se não fosse por ele.

Respiro fundo, forçando-me a mencionar a ideia que vem crescendo na minha cabeça desde a manhã que passei na casa de Jack. Embora não haja nenhuma dimensão em que eu trabalhar para ele seria viável ou apropriado, talvez haja *alguma* esperança no que ele disse.

– Uma pessoa recomendou que eu considerasse buscar uma bolsa de pós-doutorado ou outra vaga voltada apenas para pesquisa.

O Dr. L. olha para mim, alarmado por uma fração de segundo, e então suspira.

– Nós já falamos sobre isso, Elise.

– Claro. Mas falamos sobre teóricos. Talvez alguns experimentalistas possam estar interessados em…

– Infelizmente, não. Perguntei para várias pessoas, e sinto muito, mas nenhum físico respeitado teve interesse em contratar você como pesquisadora – diz ele, e meu estômago revira ainda mais.

Baixo o olhar para minha calça jeans. Meu Deus, sou uma idiota. Uma completa idiota.

– Elise – prossegue ele, em um tom mais suave –, eu *sei* como você se sente. – Ele dá a volta na mesa, parando na minha frente. – Lembra quando começou o doutorado? Como você se sentia impotente? Como eu te guiei no desenvolvimento dos seus algoritmos, na publicação de seus artigos, fazendo seu nome na comunidade da física? Posso ajudar agora também.

Penso em todas as coisas que ele já fez por mim. Em tudo que devo a ele. Eu me pergunto onde estaria sem ele e não consigo pensar em nada.

– Você confia em mim?

Eu faço que sim.

Não recebo uma resposta formal do MIT até quarta-feira à noite.

Estou no meio do que está rapidamente se tornando um esforço semestral: reaprender o teorema de Noether para ser capaz de ensiná-lo a uma turma que quase sempre está roncando às oito da manhã, apenas para esquecer tudo outra vez quando chega a aula das nove e meia.

Meu cérebro é um escorredor de macarrão.

Quando o iXota toca, eu levanto a cabeça. Ceci está no sofá escrevendo seu artigo, mas desvia o olhar na minha direção.

– Sinto muito por não ter dado certo – diz Monica, depois de uma longa explicação que inclui quatro vezes as palavras *adequação ao instituto.*

Agradeço a ligação. As rejeições acadêmicas geralmente são e-mails de uma linha. Mais frequentemente, bolas de feno.

– Não é culpa sua, Monica.

– Ou é? – murmura Ceci, o que me faz sorrir.

– Eu entendo a situação – acrescento, e vejo Ceci revirar tanto os olhos que quase distende um músculo.

– Quero que você saiba que novas vagas serão abertas em breve – prossegue Monica.

Achava que minha esperança tivesse ficado à beira da morte em uma estrada, mas aparentemente ainda está respirando.

– Ano que vem?

– Entre três a cinco anos. Vários teóricos estão prestes a se aposentar, e o reitor não vai ter a audácia de acabar com os cargos efetivos. Espero que você se candidate de novo.

Siga sem mim, diz minha esperança, contemplando mais seis semestres do teorema de Noether. *Eu só vou te atrapalhar.*

– Com certeza.

– E vamos manter contato. Quem sabe um almoço assim que o semestre acabar.

– Eu adoraria.

– Maravilha. Tem algum feedback que você gostaria de me dar sobre o processo seletivo?

A voz de Jack soa em meu ouvido: *Diga o que estiver pensando. E, quando não conseguir, pelo menos se permita pensar.*

Tá. Muito bem. *Monica, lembra daquele encontro completamente irregular que tivemos antes da minha entrevista? Talvez você devesse ter me dito que eu não tinha nenhuma chance. Além disso, você exagerou na decoração de vaca. E, mais além ainda, o seu filho é um psicopata, e espero que ele desloque o pau enquanto faz sexo em público com um hidrante.*

– Apenas te agradecer por tudo. Muito obrigada.

Talvez Jack tenha razão. Contemplar a verdade é agradável, um prazer barato.

Quando desligo, há dois novos e-mails: um de um aluno pedindo o número do meu cartão de crédito para comprar 1.500 joaninhas vivas, outro de Greg:

> Oi, Elsie,
>
> Faz tempo que venho querendo entrar em contato, mas o Jack disse que era melhor esperar um pouco e... bom, ouvi dizer que agora você já está sabendo. Sinto muito por não ter conseguido o emprego. Mas é tão legal que você seja uma física. Que coincidência, né? Quem sabe o Jack possa te ajudar a encontrar alguma outra coisa? Ele tem muitos contatos!
>
> Enfim, quer almoçar um dia desses pra colocar o papo em dia? Eu pago!
>
> G.
>
> P.S.: Fui informado de que tentei urinar em/perto de você. Estou profundamente arrependido de minhas atitudes.

. . . .

Refletindo sobre minha repentina popularidade no que se refere a almoços – e pensar que o pessoal da escola me esnobava! –, quase não noto Ceci sentada ao meu lado na mesa.

– Ei.

Ela está comendo croutons direto do pacote, pegando-os com hashis. Seguindo minha política usual, não questiono.

– Como está se sentindo?

– Estou... – Que ótima pergunta. – Estou sentindo como se todas as bolas com as quais eu andava fazendo malabarismos tivessem caído no chão. E não tenho ideia do que está acontecendo agora.

Esse não é o arco da sua personagem, Elsie. Está mais pra um... obstáculo.

– Talvez haja um lado positivo?

Inclino a cabeça.

– Positivo?

– Agora você não precisa mais fazer malabarismos. Pode usar as mãos para... dar o dedo do meio para as pessoas. Coçar a bunda. Controlar marionetes de dedo. – Ela dá de ombros. – Se você acordasse amanhã e pudesse escolher qualquer coisa, o que você faria?

Meus olhos, mais rápidos do que meu cérebro, caem no canto superior esquerdo do meu computador, onde o documento do Word dorme seu sono negligenciado. *Eu terminaria meu trabalho com cristais líquidos bidimensionais*, penso na hora. Mas como, sem o emprego no MIT? E essa bola caiu, o que significa que...

Ceci suspira.

– Tá, quer saber? Foi uma pergunta difícil. Vamos apenas sonhar com o futuro.

– Claro. – Eu me reclino na cadeira. – Desigualdade de renda? Proliferação nuclear? Alterações climáticas?

– Estou sempre disposta a debater como o aumento do nível do mar levará as sereias a reivindicar a cidade perdida de Miami, mas estava pensando mais... no próximo ano. Em dinheiro.

Dou um suspiro.

– A Universidade de Massachusetts está com vagas abertas pra instrutores, e tem também a...

– Não. Escuta só, eu não quero que você faça isso. Estive pensando e... acho que consigo dar um jeito. – Seu olhar sincero e genuíno é apenas ligeiramente prejudicado pela gesticulação com um crouton. – Kirk vai me arrumar um emprego. Ele disse que vai precisar de mim pelo menos duas vezes por semana e quer me pagar como se eu fosse uma funcionária. A equipe dele está até elaborando um contrato.

Franzo a testa. Por que Kirk aparece tanto nas conversas? E acima de tudo:

– De onde Kirk tira esse dinheiro?

– Ele é cientista.

– Eu também sou cientista, então deixa eu perguntar mais uma vez: de onde o Kirk tira esse dinheiro? – Um pensamento arrepiante me ocorre. – Por favor, me diga que ele não é o Elon Musk.

– Sua *víbora*. Retire o que disse.

– Ele é o único cientista rico em quem consigo pensar!

– Kirk é o Kirk, eu juro! Ele nunca escreveria tuítes petulantes sobre como o mundo é injusto com os pobres bilionários. Pra ser sincera, eu duvido que ele saiba o que é o Twitter. Ele é tipo... – Os olhos dela brilham um pouco. – Um completo nerd, Elsie. No doutorado, ele criou um material aí que todo mundo quer, depois construiu uma empresa em torno disso com um amigo que tem um MBA. Mas a empresa é enorme agora, ridiculamente *enorme*. Tem ações e tudo mais. – Ceci está ficando animada. Croutons voam por todo o cômodo. Ouriça notou. – Aí agora ele tem que ir a várias cerimônias e reuniões, e odeia tudo isso, mas diz que, quando eu estou junto, elas são mais suportáveis, embora eu não saiba nada sobre ciência *nem* dinheiro...

– Peraí. – Arqueio as sobrancelhas. – Qual é o nome do material?

– Eu sempre esqueço. É um troço resistente blá-blá-blá de fibra sintética sei-lá-o-quê. – Ela bate os hashis nos lábios. – Taurus, talvez?

Eu gostaria de estar bebendo alguma coisa, porque isso merecia uma cusparada.

– Ceci, você é a namorada de mentira do cara que inventou o *Tauron*?

– Isso, isso. É esse o nome.

– O Tauron está literalmente *em todo lugar*. – Fico atônita. – Ele deve ser milionário.

– Eu acho que é, sim. E é por isso que você não precisa dar aula para milhares de turmas no ano que vem.

Ela me lança um olhar cheio de expectativa até eu dar um suspiro e murmurar:

– Ótimo.

– Obrigada. Enfim, eu pago o aluguel. Daí você pode trabalhar uma quantidade de horas razoável. Uma ou duas turmas. E no resto do tempo você pode ficar em casa e fazer sua pesquisa sobre brilhos.

– Cristais.

– Cristais. E podemos passar a noite comendo Gruyère e classificando os filmes de Wong Kar-wai em ordem decrescente no quesito impacto cinematográfico.

Ela sabe o quanto você gosta de Crepúsculo*?*

Abro um sorriso, tentando me lembrar de um único filme de Wong Kar-wai. Com certeza fizemos uma maratona de dois dias uns três anos atrás, durante a qual fiquei resolvendo equações no quadro-negro da minha mente enquanto Ceci sofria de síndrome de Stendhal.

– Acho que *2046* venceria.

Ela abre um sorriso sonhador.

– Provavelmente.

Eu não gosto de Kirk. Não, eu não gosto de como Ceci fica quando fala dele, porque eu só a vi agir assim a respeito de filmes estrangeiros, ou de Sapir-Whorf, ou de ouriços. Simplesmente não parece uma boa ideia gostar tanto de um namorado de mentira. Mas não tenho a chance de dizer isso a ela, porque Ceci já se levantou e está revirando o armário em busca de um pacote de salgadinhos. E porque meu celular está vibrando com uma mensagem – a primeira que recebo deste número:

Você tá livre amanhã à noite?

17
DESLOCAMENTO

ESTOU USANDO UMA CALÇA JEANS PRETA.

Um suéter bonito.

Botas na altura do tornozelo.

Deixo meu cabelo solto. Depois prendo em um coque. Solto de novo. Então faço uma trança.

E no fim deixo solto.

Não disse a Ceci aonde estou indo porque ela não está em casa e não consigo enviar uma mensagem explicando que:

Vou.

Sair.

Com.

Jack Smith-Turner.

Eu acho. Ainda tenho dúvidas se o motivo de ele querer me ver por acaso não é furtivamente substituir minha insulina por frappuccino. Talvez eu devesse ligar para alguém e dizer onde estou – facilitar o trabalho dos investigadores quando encontrarem meu cadáver em um pântano. Mas o carro já está lá quando desço as escadas, e eu simplesmente me sento no banco do carona.

O ar cheira a couro, a Jack e a péssimas ideias. Eu deveria dizer alguma coisa. *Oi, tudo bem? A semana foi boa? Teletubby favorito? Alguma opinião sobre as eleições?* Já fiz isso um milhão de vezes – sair com outras pessoas. Um milhão de encontros de mentira. Então por quê? Por quê? Por que eu não consigo? Por quê?

– Acho que acabei de ouvir sua cabeça explodir – diz ele lentamente.

Eu me viro para ele, que está tão bonito que quase chega a doer, e minha cabeça ainda está no meio da explosão.

– Quer voltar pra casa? – O sorriso. Torto. Divertido. Onisciente. – Tentar outro dia?

Balanço a cabeça antes de mudar de ideia.

– Quero fazer isso agora. – Engulo em seco. Olho para a frente. – Eu acho.

Ele liga o motor.

– Olha só você.

– Eu o quê?

Ele coloca a mão no apoio de cabeça do meu banco para olhar para trás e sair da vaga. Seus dedos roçam meu cabelo, macios, distraídos.

– Olha só você dizendo a verdade.

– Tem dois amigos meus na cidade para um congresso, e um outro amigo está organizando uma reuniãozinha. Achei que na presença de testemunhas você ficaria mais… relaxada.

Ele provavelmente tem razão, mas:

– Não quero ir de penetra.

– Eu ia adorar que você conhecesse eles.

Será que é uma boa ideia sair com ele e os amigos? Sou provavelmente muito sem graça comparada a eles. Não sou assim tão divertida – nem em meus melhores momentos, e definitivamente não quando estou com Jack, que até agora só viu minha pior versão.

– Todos os seus amigos são cientistas? – pergunto.

– Alguns. – Uma pausa. – Caramba. Não consigo pensar em ninguém que não seja.

Assinto. É mesmo difícil expandir nosso círculo social. Acadêmicos ficam amigos, saem juntos e, acima de tudo, quase que exclusivamente só transam com outros acadêmicos. Porque a academia é um pouco como uma vila olímpica, com distribuição de preservativos, mas sem a cerimônia de abertura.

Estacionamos em frente a um estreito prédio de tijolinhos e, depois de tocar a campainha de uma porta amarela, ele se vira para mim.

– Ei.

Eu me viro também. Por baixo do sobretudo, Jack veste uma calça jeans e uma camisa escura e ele é grande e atraente, e pela primeira vez em anos me ocorre que, quando as pessoas saem juntas – não *sempre*, mas *às vezes*, talvez *várias* vezes –, a noite não termina apenas com um abraço e um *boa-noite*.

Sinto um calafrio.

– Sinceridade – me lembra ele. – Você não precisa impressionar ninguém. Não há a menor necessidade de usar aqueles seus truques de animadora de festa.

Sorrio.

– Estava pensando em esculpir uma flauta doce em uma cenoura e tocar uma música pros seus amigos.

Ele me olha demoradamente, como se eu fosse a pessoa mais charmosa que já viu.

– Não vou mentir, isso seria muito legal.

Mesmo antes de ficar sabendo sobre a mãe de Jack, ele sempre me pareceu um lobo solitário, diferente do restante dos Smiths. Fica claro de imediato, no entanto, que seu grupo de amigos é a família que ele escolheu. Há mais de quinze pessoas na casa, e todas elas não apenas ficam felicíssimas em vê-lo, como também me recebem de maneira calorosa. A única exceção: Andrea, colega de Jack no MIT. Ela me encara como uma gárgula vagamente descontente, provavelmente constrangida pelo fato de eu não ter conseguido o emprego.

– Cerveja? – pergunta Sunny, a dona da casa, engenheira. Ela é uma bola de energia de cabelos escuros. – Vinho?

Estou pronta para passar o resto da noite segurando uma bebida que não quero só para evitar parecer deslocada, mas Jack diz:

– Eu quero. Elsie não bebe.

Eu nunca disse isso a ele, mas é claro que Jack sabe.

– Alguma outra coisa, então? Água? Refrigerante? Suco de laranja? Xarope de bordo? – Sunny franze a testa enquanto olha para a geladeira. – Leite?

– Integral? – pergunta Jack.

– Desnatado.

– Pode ficar com essa água branca pra você.

– Você é mesmo um Smith mimadinho, criado a leite com pera. – Ela dá um soco no braço dele. – Lembra quando a Caitie usava aquela bomba pra tirar leite e guardava as mamadeiras na geladeira da sala de convivência dos estudantes?

– E o Kroll tomou.

– No café. – Sunny balança a cabeça. – Bons tempos.

Jack tem amigos, piadas internas que remontam a uma década e todo um grupo de pessoas inteligentes e gentis que o provocam *porque* se preocupam com ele, e… não tenho certeza do que fazer com essa informação, além de ficar completamente fascinada. Por um segundo, me pergunto se eles sabem sobre o artigo que Jack escreveu, se o apoiam, qual é a opinião deles sobre física teórica, e então forço meu cérebro a calar a boca pelo menos uma vez na vida. Eu preciso aprender a me divertir em algum momento.

Uma das pessoas de passagem pela cidade é um biólogo de Stanford. Ele é tão alto quanto Jack – algo que eu pensava ser impossível, em especial dentro da comunidade nerd.

– Este aqui é o Adam – diz Jack, depois que eles dão um aperto de mão caloroso, daquele jeito afetuoso embora discreto, de homens que se gostam muito, mas provavelmente nunca admitirão às claras. Adam parece ser alguns anos mais velho. Fechado. Cara amarrada. Intimidador, ainda que a bela garota ao lado dele não pareça nada intimidada. – E esta aqui é…

Ela dá um passo à frente e envolve Jack em um abraço apertado.

– Jack!

Ele a abraça de volta com um sorriso.

– Oi, Ol. Bom saber que você ainda aguenta esse cara… Obrigado pelo esforço. Elsie, essa aqui é Olive Smith. Nenhum parentesco com a minha família horrível, sorte dela. Ela é… Adam, ela ainda é sua noiva?

Adam assente com uma expressão levemente irritada. Jack sorri.

– Ainda não escolheram uma data?

– Ela não escolheu – lamenta Adam, embora com uma cara severa.

– Ol, acaba logo com o sofrimento dele.

– Aos 28 anos? Eu ainda sou uma criança. – O olhar de Olive vai de mim para Jack. – E *vocês*? Já escolheram uma data?

Sinto vontade de morrer ali mesmo. Quero derreter e escorrer por um buraco em direção ao nada.

– Ah, a gente... – Começo e olho para Jack, esperando que ele me acuda. Ele apenas me lança um olhar entre contente e divertido, me encara e diz:

– Ainda não.

Eu me aproximo e lhe dou um beliscão forte nas costelas. Ele me interrompe com uma mão no meu pulso e um sorriso satisfeito.

– Como você e o Adam se conheceram? – pergunto a ele em uma tentativa desesperada de mudar de assunto.

– Na época da graduação, eu passei um verão em Harvard fazendo um estágio, no laboratório onde o Adam cursava o doutorado.

– Ele executou o pior *Southern blot* que eu já vi – diz Adam.

– Foram três meses difíceis. Eu fui gentilmente desencorajado de entrar para a biofísica. Então, alguns anos depois, me mudei pra Pasadena, e ele estava em Palo Alto, e a gente começou a sair junto. Fizemos trilhas por toda a Califórnia. E então ele me apresentou pra Olive quando... Ol, como você e o Adam se conheceram mesmo? – pergunta ele, com o tom de quem sabe muito bem a resposta.

Ela sorri.

– Ora, Jack, o *Adam* era *professor titular*. E *eu* era apenas uma *humilde estudante*.

– De pós-graduação – interrompe Adam, falando comigo. – E ela não era *minha* aluna.

– Mas era do departamento dele – acrescenta Olive com um tom travesso. – Foi *muito* escandaloso.

Jack sorri.

– Você deveria vender os direitos para um filme, Ol.

– Estou torcendo por uma minissérie da Netflix. Alguma coisa sexy tipo *Bridgerton*, sabe?

Claramente, Jack e Olive estão acostumados a fazer esse teatrinho. Adam solta um longo suspiro de sofrimento.

– Enfim. – Ele muda de assunto. – Como você tá, Jack?

– *Muito* entretido.

Jack e Adam são bem mais do que amigos circunstanciais. Em poucos minutos já estão absortos em uma conversa, falando sobre pessoas, coisas, lugares que não conheço. Olive e eu gravitamos uma em direção à outra, sentadas no sofá enquanto, ao nosso redor, os amigos de Jack riem e brincam e incorporam o epítome da vida adulta bem-sucedida.

– Você também não conhece mais ninguém e se sente a pessoa mais burra da sala? – pergunta ela em um sussurro.

Eu faço que sim. Todo mundo aqui é um pouco mais velho, e eu tento não imaginar os cargos acadêmicos que devem ter.

– O que você faz? – pergunto a Olive.

– Biologia do câncer. Acabei de terminar o primeiro ano do pós-doutorado. Provavelmente vou entrar no mercado de trabalho nos próximos dois. – Ela faz uma careta, dando um gole na cerveja.

– Você pretende ficar na Califórnia?

– Seria bom, já que meus amigos estão todos lá. Mas, sinceramente, empregos acadêmicos são tão raros que já vai ser difícil garantir que Adam e eu moremos na mesma cidade.

– Vocês têm algum plano?

Ela balança a cabeça.

– O bom é que o Adam recebe financiamento. A gente espera que qualquer instituição que me queira bata o olho no dinheiro e chegue à conclusão de que somos um bom pacote. Mas se isso não acontecer… – Ela dá de ombros. – Talvez a gente tente negociar a contratação dos dois por conta do casamento.

Sorrio.

– Daí vocês marcam a data?

Ela se aproxima, como se fosse me contar um segredo. A pele dela é noventa por cento sardas, e eu a conheço há apenas cinco minutos, mas já quero ser sua amiga.

– Eu já marquei. Vamos nos casar em abril. Durante o recesso de primavera. Adam só não sabe disso ainda.

– Como você vai fazer?

– Então, Adam gosta de natureza. Trilhas, essas coisas. Vou levar ele até o Parque Nacional de Yosemite, onde um guarda-florestal vai casar a gente em uma cerimônia rápida e indolor. Então vamos passar uma semana sozinhos. Nós e os ursos, eu acho. Ah, meu Deus, espero que os ursos não devorem a gente. – Ela dá de ombros para afastar o pensamento. – Enfim, Adam não ama ficar rodeado de gente, e depois podemos dar uma festa, mas... eu acho que esse é o tipo de casamento que ele quer. O casamento que a gente deveria ter.

Imagino Olive e Adam, sozinhos, caminhando de mãos dadas sob os pinheiros. Não é difícil.

– Por que você não conta a ele?

– Eu deveria, né? – Ela ri baixinho. – É só que... Eu estava bem mal quando o conheci. Ele fez tanta coisa... Ainda faz, sempre cuidando de mim, e eu... eu quero cuidar dele pelo menos uma vez, sabe? Fazer ele sentir que dou conta das coisas.

Assinto e, em seguida, olho para minhas mãos vazias.

E quando me permito ir bem longe na imaginação, fantasio que você me deixa até cuidar de você.

– Você e o Jack estão juntos há muito tempo? – pergunta Olive, e eu a encaro.

Dá para ver que a Elsie que ela quer diria que sim. Que ela ama muito o Jack e gosta de se imaginar como alguém que vai cuidar dele. Mas...

Sinceridade.

Por um segundo, eu me imagino contando toda a história: como fui a namorada de mentira do *Greg*, depois conheci *Jack*, depois conheci *Jonathan*. Mas duvido que Olive esteja familiarizada com o conceito de namoro de mentira, então resumo minha versão.

– É a primeira vez que a gente sai, na verdade.

É estranho dizer o oposto daquilo que alguém quer ouvir. E o sentimento é absolutamente terrível quando a resposta de Olive é um decepcionado:

– Ah.

Engulo em seco.

– Desculpa, eu...

– Não, não. – Ela sorri, me tranquilizando. – *Eu* que te peço desculpa. Por ter perguntado se vocês iam se casar.

Eu balanço a cabeça.

– A gente ainda está... se conhecendo.

– Isso é ótimo. É bom saber que ele superou a fase do "eu não namoro, meus limites são claros e só tenho interesse em sexo".

Sua imitação de Jack soa mais como Vin Diesel, mas me faz pensar: não tenho ideia do que Jack quer de mim. Olive é a segunda pessoa a mencionar como ele leva limites a sério. Ele não me deu nenhum, mas também disse que se sentia atraído por mim e…

E se o que Jack quiser de mim for sexo... O que eu faço?

Sinceramente, não faço ideia. Não tenho muita experiência. Não porque eu tenha comprado a ideia de que sexo é algo precioso, mas porque sempre me pareceu o meio para um determinado fim, uma forma de garantir que a pessoa com quem eu estava ficasse satisfeita comigo. Nunca fiz sexo por *eu* estar atraída pela pessoa, mas tudo bem: talvez eu nunca tenha *desejado* sexo, mas também nunca me importei de fazer. Porque não era *por mim*.

Com Jack, no entanto… tem algo diferente. Talvez porque ele me enxergue mais do que qualquer pessoa já enxergou. Eu me pego me lembrando do último domingo, no carro dele, repetidamente. À beira de um beijo que talvez não aconteça, tensa, enfeitiçada, com o corpo quente.

Acho que estou sentindo alguma coisa. Ou talvez não seja nada. O certo é que estou mais curiosa do que nunca. Se algo acontecesse, seria *por mim*.

– Vocês se conheceram no trabalho? – pergunta Olive.

– Mais ou menos. Também sou física. Mas sou professora adjunta.

– Ai.

Dou uma risada.

– Pois é.

– Você gosta de dar aula?

– Não. São muitas fotos em alta definição de erupções cutâneas mortais demais para que as pessoas frequentem as aulas. Examinar esse tipo de coisa não deixa tempo pra fazer pesquisa.

Ela ri também.

– Imagino. Eu não gostava de dar aula. É bom estar no pós-doutorado… Não ter que lidar com aquelas bobagens do pessoal da graduação, não ter a responsabilidade de ser um membro do corpo docente. Só fazer pesquisa.

– Parece um sonho.

Ela me lança um olhar surpreso.

– Você não quis fazer pós-doutorado?

– Não tinha vaga. Mas meu orientador do doutorado diz que é melhor assim. Em breve, eu consigo um cargo de professora.

– Mas você *quer* um cargo de professora?

– É... complicado. Mas eu confio nele. Devo muito a ele, então... – Dou um suspiro.

Olive examina meu rosto, seus imensos olhos me avaliando, e então diz:

– Na minha experiência, todos nós queremos confiar nos nossos mentores, mas eles nem sempre levam em consideração o que é melhor pra gente.

– Como assim?

– É que... – Ela morde o lábio inferior, pensativa. – A academia é um ambiente muito hierárquico, sabe? Tem muita gente que exerce poder sobre você, que deveria te guiar e te ajudar a se tornar a melhor cientista possível, mas... às vezes elas não sabem o melhor caminho. Às vezes elas não se importam. Às vezes, elas têm os próprios planos. – A expressão dela se fecha. – Às vezes, são todos uns merdas que merecem espetar o pé em um forcado e morrer.

Eu me pergunto que experiência ela viveu. Até abro a boca para questionar, mas Adam se vira para nós, como se tivesse sentido a mudança de humor da noiva.

– Olive, você tem alguma foto do smoking que o Holden comprou pro casamento dele? Jack não tá acreditando que tem lantejoulas.

O rosto de Olive se ilumina.

– Tem lantejoulas *mesmo* e é *incrível.*

Acabamos conversando, primeiro nós quatro e depois outros também, pelo que parecem minutos, mas acabam sendo horas. Enquanto Andrea está contando a história de como seu orientador apareceu completamente bêbado na defesa de sua tese e começou a oferecer biscoitinhos para o resto da banca, a almofada ao lado da minha afunda e eu ouço:

– Tudo bem por aí?

É Jack. Cochichando em meu ouvido, o braço apoiado atrás de mim, nas costas do sofá. Ele está surpreendentemente perto, mas eu não recuo.

– Seus amigos são divertidos.

– Eu imaginei que você fosse gostar mais deles do que de mim.

– Meio que gosto mesmo. – Sorrio, pensando em Millicent, Greg, Olive. Pensando que ele tem muito bom gosto para pessoas. E então noto algo na minha coxa: uma pequena porção de amêndoas. – O que é isso?

– Controle do nível glicêmico. – A boca dele se curva. – Ou você pode desmaiar em cima de mim. Já que é um hobby seu.

– Você roubou isso da cozinha da Sunny?

Ele me dá uma olhadinha.

– Eu passei anos dividindo sala com ela, e uma vez ela deixou uma amostra de urina em cima da mesa. – Ele olha para os meus lábios quando eu rio baixinho. – Jamais mexeria nos armários dela.

Eu balanço a cabeça. Com o canto do olho, noto Olive e Adam olhando para mim – não, para *nós dois*, de um jeito que não consigo entender. Concentro-me nas amêndoas, depois procuro uma lata de lixo para jogar a embalagem e…

– Elsie?

Georgina Sepulveda está na cozinha, linda e maravilhosa. Ela é *alta* – eu não tinha me dado conta de como ela era alta quando Jack estava por perto, fazendo-a parecer pequena.

– Que bom que você tá aqui. Eu queria mesmo falar com você, mas o Jack foi inútil, como sempre, e se recusou a me dar seu número. – Ela revira os olhos. – No começo eu achei que ele não tivesse e simplesmente não quisesse admitir. Mas você está aqui, o que significa que ele estava só sendo chato. Meu Deus, eu *sabia* que ele ia ficar desse jeito quando encontrasse alguém. Você e eu deveríamos virar melhores amigas só pra tirar ele do sério. – Seu sorriso é largo e caloroso, e me recordo, de forma imediata, violenta e constrangedora que da última vez que nos vimos agi feito uma criança mimada.

– Eu… – Olho ao redor feito uma idiota, em busca de… O quê? Um *teleprompter*? Isso é absolutamente constrangedor. – Eu não sabia que você estava aqui.

– Acabei de chegar. A reunião do corpo docente durou um tempão, sem motivo nenhum… tudo poderia ser resumido em dois TikToks de quinze segundos. – Ela dá de ombros, chegando mais perto.

Agarro a embalagem de amêndoas como se fosse um bichinho de pelúcia.

– Georgina…

– George, por favor. Georgina é a minha mãe. E a minha avó. A minha bisavó também, provavelmente. A gente deveria investir na compra de um livro de nomes de bebês.

– Ah. – Dou um pigarro. Minhas contribuições para esta conversa são inestimáveis. – Jack tá lá na sala se você...

– Eu sei. É impossível perdê-lo de vista quando ele está ao lado de Adam Carlsen. Eles são o Monte Rushmore das áreas STEM. Enfim... Quer almoçar comigo na semana que vem? Quero conversar com você, mas não na casa da Sunny. – Ela estremece. – Não consigo vir aqui sem pensar na amostra de urina.

Profissionalmente, minha vida está bem ruim. Psicologicamente, não estou, como diriam alguns, "saudável". Musicalmente, eu deveria contratar uma tuba para me acompanhar. Mas, em contrapartida, estou *arrasando* no quesito convites para almoçar.

– Você quer conversar comigo – repito, só para ter certeza.

– Quero. Em parte porque o Jack é meu melhor amigo, e ele ficaria chateado se eu roubasse você dele, mesmo que só um pouquinho. Mas principalmente porque, da última vez que nos encontramos, eu fui péssima e quero compensar.

O quê?

– Não, não, fui eu que fugi feito uma doida. A minha primeira reação ao descobrir que você conseguiu o emprego foi imperdoável e muito, muito ruim. *Eu* fui péssima...

– Sim, com certeza. – O sorriso de George é triunfante. – Para compensar, você vai aceitar meu convite pra almoçar.

– Isso foi... – Hesito. – Uma bela jogada.

– Obrigada. – Ela espana poeiras inexistentes do ombro e eu dou risada.

– Entendo por que o Jack gosta tanto de você.

– Eu que entendo por que o Jack gosta tanto de você. – O sorriso dela se suaviza. – Pode ser na próxima quarta-feira?

Faço que sim.

– Por mim, está ótimo.

Jack e eu vamos embora alguns minutos depois. Troco telefone com Olive, e Sunny me dá um abraço de despedida, cochichando que quaisquer rumores sobre amostras de urina que eu possa ter ouvido nada mais eram do que um grande exagero, enquanto Jack busca o carro. Ela também promete que, se Jack e eu terminarmos, ela ficará do meu lado, porque já gosta mais de mim do que dele.

Dou uma risada junto à porta.

– Agora estou me sentindo culpada por ter roubado as suas amêndoas.

– Ah, deviam ser de outra pessoa. Nessa casa não entram nozes de nenhum tipo… Eca!

No carro, estou pensando se Jack pesquisou, comprou e embalou um lanchinho adequado a diabéticos especialmente para mim quando ele pergunta:

– Onde vamos jantar?

– Ah. – Um sentimento feliz e surpreso pula em meu peito com a ideia de que a noite ainda não acabou. – Eu gosto de tudo.

Ele se funde ao tráfego.

– Ótimo. Tudo é uma das minhas coisas favoritas. Agora me fala o que você quer comer.

Olho para seu perfil quase perfeito. Ele não se barbeou nos últimos dias, parece um pouco cansado. Eu me pergunto se está acordado desde cedo. Se não comeu nada desde o almoço. Ele é enorme, provavelmente sempre voraz. Coisas simples, grandes porções.

– Hambúrguer – digo.

Ele me lança um olhar de *Valeu a tentativa.*

– Sim, Elsie, eu gosto de hambúrguer. Mas não foi essa a pergunta.

Franzo a testa. Como ele faz isso? Como ele *sempre*…

– Quer que eu pare pra você poder sair e colocar a raiva pra fora?

Dou um grunhido. A julgar pelo sorriso, ele com certeza me escutou.

Certo, o que eu quero? Bem, queijo. Estou sempre a fim de queijo. Mas queijo não é de fato uma refeição, e os lugares onde pode haver queijo geralmente são muito chiques e…

– Me diz – ordena ele.

– O quê?

– O que você tá pensando.

– Eu não…

– Fala.

– Sério, eu…

– Fala.

– *Queijo* – quase grito. E fico chocada.

Jack sorri, satisfeito.

– Eu conheço o lugar perfeito.

– Você tá brincando.

– Não.

– A gente não pode... Aqui, não.

– Por quê?

– Porque...

Jack espera que eu termine a frase. Quando não consigo, a onipresente mão nas costas me empurra para dentro do calor aconchegante do restaurante.

Do *Miel.*

– Parece um pouco sádico, até pra você – comento.

– Você está me subestimando, então.

– Mesa pra dois? – A hostess nos cumprimenta, alegre. – Preferem uma mesa ou um sofá?

Jack me olha como se fizéssemos parte de um cartel de drogas e eu fosse a líder que precisa assinar embaixo de qualquer decisão. Caramba, esse negócio de sinceridade é difícil. Está bem, o sofá, não... as pernas de Jack são compridas como arranha-céus, então ele provavelmente odiaria. Mas as mesas são menos reservadas, o que ele *também* pode odiar...

Ele se inclina para o meu ouvido.

– Para de construir modelos sobre o que você acha que *eu* vou gostar e apenas seja sincera em relação...

– *Sofá* – resmungo.

A hostess obviamente faz uma nota mental para dizer ao nosso garçom que eu sou uma maluca, mas seu “Podem me acompanhar” é impecável.

– Excelente escolha – murmura Jack enquanto nos dirigimos para o sofá, e só consigo pensar na Elsie de duas semanas atrás, de olhos brilhantes e cheia de esperança no futuro, sentada neste mesmo restaurante em frente a Jack e pensando em escorregar para debaixo da mesa e meter uma furadeira nos joelhos dele. A Elsie de hoje à noite fica boquiaberta quando ele diz à garçonete: – Vou querer uma cerveja artesanal. E ela vai querer a tábua de queijos.

Ergo a sobrancelha.

– Pensei que fosse para *eu* pedir o que eu quero.

– A tábua de queijos é o que você quer.

É mesmo. Mas...

– Como você sabe?

– Ikagawa pediu a tábua naquele dia. Eu vi como você olhou pra ela.

– E como foi?

– Com a cara que as pessoas fazem quando veem filme pornô.

Uma gargalhada me escapa.

– Está bem, você quer que eu seja sincera? Eu vou ser sincera.

– Manda ver.

– Brutalmente sincera. – Respiro fundo. Talvez seja o sofá, mais reservado, mas a sensação é de que estamos sozinhos no apartamento dele de novo. Só nós dois. Algo íntimo. – Às vezes, quando estou nervosa e não consigo dormir, pesquiso queijos no Google Imagens e apenas... rolo a tela. Infinitamente. E sinto paz.

– Isso não é nada. – Ai, meu Deus, a covinha. – George passa horas no YouTube assistindo a vídeos de gente espremendo espinhas.

Solto uma risada enquanto tomo um gole de água.

– A propósito, ela mencionou que você não quis dar o meu número pra ela.

A cerveja de Jack chega. Ele pressiona a língua contra a bochecha.

– Fiquei com uma imagem mental muito perturbadora.

– Que imagem?

– Da George me lembrando todos os dias pelas próximas décadas que ela conseguiu levar a garota de quem eu gostava pra sair antes de mim.

Eu rio, imaginando-a começando seu discurso de madrinha dizendo "O *Dicionário Webster* define *furar olho* como", então me dou conta de quem seria a noiva do casamento, e meu rosto de repente queima. Uau.

– Você está daquele jeito de novo.

– De que jeito?

– Preocupada. – Jack busca as palavras, como se ele mesmo não tivesse certeza. – Vigilante. Pensando demais.

Eu brinco com o guardanapo de pano.

– Como você sempre sabe o que eu estou pensando?

– Da mesma forma que *você* sabe o que todo mundo está pensando.

Franzo a testa.

– Eu só observo. Tento prestar atenção ao que as pessoas querem.

– É o que eu faço. Só que não me importo muito com a maioria das pessoas, mas não consigo parar de prestar atenção em você. – Ele dá de ombros. Há algo absolutamente, surpreendentemente sincero nele. – Então eu observo.

É mesmo tão simples assim? É o que está acontecendo aqui?

– No que estou pensando agora?

– Você tem perguntas.

Dou risada.

– Essa foi moleza.

– Foi. Vai, só faz as suas perguntas.

– Elas são meio... – Solto o ar junto com uma risada. – Não são exatamente perguntas do tipo estamos-nos-conhecendo-casualmente. Não são... normais.

– Você não é uma pessoa normal – diz ele, de um jeito que parece o oposto de um insulto. – E eu prefiro que você pergunte a que fique pensando demais.

Fecho os dedos ao redor do copo dele, sentindo a condensação na palma da minha mão. Então recolho a mão de volta ao colo, molhada, fria.

Certo.

– Naquele dia, na casa da Monica, você disse que não costuma sair com ninguém. E a Olive me disse que você não namora...

Ele ri.

– Olive?

– Talvez a gente tenha falado sobre a sua vida amorosa. – Sinto meu rosto ruborizar.

– Ah. Olive. – Ele meneia a cabeça. – Ela e Adam são... Acho que ela quer que todo mundo tenha o que eles têm.

Eu assinto. Passei duas horas com ela, mas foi a impressão que tive.

– Não é uma regra... Do tipo nada de compromissos, namoro ou comida depois da meia-noite. Eu não jurei nunca namorar porque o amor é uma construção capitalista ou alguma bobagem do gênero. – Ele dá de ombros. – Mas, quando era mais novo, tive alguns relacionamentos em que queríamos coisas diferentes e... É melhor ser direto. Assim ninguém se machuca.

– Entendi.

Imagino um menino ouvindo de sua mãe que não é mais filho dela. Depois crescendo e aprendendo a odiar a ideia de ter que dizer a uma mulher que ela não é mais sua namorada. Faz sentido, essa escolha dele. Também deixa meu coração apertado.

– E você? – pergunta Jack.

– Eu?

– *Você* namora?

Sorrio.

– Pra pagar as contas.

– Claro. Como foi que *isso* começou?

– Ah. – Volto a traçar padrões no copo. – Foi na época da faculdade. É uma história meio deprimente. Não combina muito com queijo. – Solto uma risada nervosa, esperando que ele ria também.

Em vez disso, Jack pergunta:

– Por que deprimente?

Sinceridade. *Sinceridade.* Provavelmente dou conta disso.

– Porque... eu não sabia.

– Você não sabia que estava namorando alguém?

– Não. – Engulo em seco. – Eu não sabia que era de mentira.

A atenção dele muda. Ainda está em mim, ele ainda está focado, mas seu olhar é mais cauteloso. Cuidadoso. Campo minado.

– Não é possível.

Nunca falei em voz alta sobre o que aconteceu, nem mesmo com Ceci, porque... ainda não sei exatamente como isso pode ter acontecido *comigo.* Já se passaram anos e ainda não parece a minha vida. Eu sempre fui tão precavida. Tão cuidadosa. E, quando tropecei, não esfolei um joelho apenas. Caí de cara no chão e quebrei todos os dentes.

– Quando eu estava no segundo ano, um conhecido se mudou para o exterior. O quarto que ele alugava era barato, então peguei a vaga dele. Foi assim que conheci o J.J. Ele dividia o apartamento com esse cara. – Empurro o copo para longe. – Eu já tinha visto ele pelo Departamento de Física e achava que era gente boa. Embora o plano dele fosse virar um experimentalista.

– Isso já devia ter sido uma pista.

Dou risada.

– Passamos quase um ano nos ignorando educadamente. A melhor relação entre colegas de quarto. Aí ele terminou com a namorada. – Suspiro. – Foi feio. Aquela loucura de quando a gente tem 20 anos, sabe? Eles ainda se gostavam, mas ela conheceu outra pessoa, e... Só sei que umas semanas depois, quando a garota foi buscar as coisas dela, nos encontrou jantando juntos e assistindo a qualquer coisa na TV. Ela pirou. Ficou com *tanto* ciúme, o que foi hilário, porque eu e J.J. estávamos sentados a três metros um do outro e eu estava comendo grão-de-bico... oficialmente a comida menos romântica do mundo. Mas foi assim que J.J. teve a ideia de a gente fingir que estava junto pra ela ficar com mais ciúme ainda e... sei lá, sair correndo pelo aeroporto de Boston jurando amor eterno por ele? Era um plano meio caótico. Mas eu aceitei, porque...

– Porque nessa época você não era muito melhor em dizer não do que é agora?

– Ei, sem críticas – reprimo. Jack sorri, e eu continuo: – Botamos o plano em prática, e... a gente não fingia só na faculdade, quando ela estava por perto. Ele contou pra todo mundo... Pros amigos dele, pros meus amigos. E, em minha defesa... na verdade, talvez eu nem tenha defesa, mas... nós não falávamos muito sobre o fato de que era um namoro de mentira. Ele me levou pra conhecer os pais dele no fim do ano, a gente estudava junto, ele me ensinou a jogar *Go*.

Jack assente devagar.

– Quanto tempo levou pra você ficar melhor do que ele?

– De muito pouco a extremamente pouco. Mas eu fingia que não, porque ele odiava perder. Ele odiava não se sentir a pessoa mais inteligente do recinto, mas era bom em esconder isso. Em público, ele era encantador. Mas, entre quatro paredes, as inseguranças vinham à tona e...

– Ele não era tão encantador assim?

– Não muito. Ele era egocêntrico, mas... você precisa entender que eu nunca tive muitos amigos. Sempre fui invisível, tentava passar despercebida, mas de repente eu estava no centro do universo de alguém. Nós passávamos o tempo inteiro juntos. Primeiro só algumas semanas, depois seis meses. Ele começou a me beijar quando estávamos sozinhos também. Depois, passamos um pouco dos beijos. E aí ele quis transar.

– E você?

Sinto a boca seca.

– Sim, eu transei com ele.

– Não... Você *queria* transar com ele?

– Eu... Eu não *era contra*. – Traço a toalha de mesa com o dedo. – Mas, principalmente, eu queria que ele tivesse uma versão de mim que fosse divertida.

Jack fecha os olhos e, de repente, fico com medo do que vou encontrar quando ele os abrir. Nojo. Pena, talvez. Crítica. Mas não: apenas aquele marrom-escuro, a fatia azul e um monte de outras coisas que não sou capaz de reconhecer.

– Nós éramos Elsie e J.J. Todo mundo dizia que a gente era um casal lindo, e eu me acomodei na situação. Li todos os livros da saga *Duna* porque eram os favoritos dele. Tentei me convencer de que Dream Theater era bom. Lavava a roupa dele. Cortei meu cabelo curto porque ele gostava. Eu me sentia poderosa, como se tivesse descoberto como era ser uma pessoa sociável. Tinha aprendido a fazer os outros desejarem minha presença. – Umedeço os lábios. – Então a ex dele quis voltar.

Jack contrai a mandíbula. E o pescoço.

– E ele te dispensou, dizendo que o namoro de vocês era de mentira.

Assinto.

– Eu não sabia nem se tinha o direito de ficar magoada. Foi só... confuso.

– Você estava apaixonada por ele?

Solto uma risadinha e faço que não.

– Que nada. E isso deveria facilitar as coisas, né? O fato de eu não ter perdido o amor da minha vida, de ele ser apenas um cara de quem eu só gostava porque sabia como agradar. Mas então eu percebi por que fiquei tão mal. – Preciso de uma pausa. Respiro fundo. – Eu me esforcei *tanto*. Dei tudo de mim pra ser a Elsie perfeita, exatamente como ele queria, e... – Dói demais dizer isso.

– Você deu a ele uma versão perfeita, e mesmo assim ele não te quis – diz Jack, sem emoção. Quase de modo distante. Como se eu fosse uma singularidade gravitacional que pode ser explicada, catalogada, prevista. Estou momentaneamente atordoada por perceber como ele está certo. Então fico surpresa por estar surpresa. – E o que você aprendeu com isso foi que tinha que se esforçar mais.

Faço que sim.

– Basicamente isso. – A tábua de queijos chega, mas meu estômago está embrulhado. – A namorada do J.J. não quis que eu continuasse no apartamento. E, como o contrato estava no nome dele, tive que me mudar. Eu não tinha exatamente pra onde ir, e... Vou te poupar dos detalhes, mas foi uma confusão. Faltei a provas, perdi o prazo de trabalhos. Não tinha créditos suficientes pra continuar ganhando a bolsa de estudos. Minhas notas do primeiro ano foram uma merda... e eram a primeira coisa no histórico que mandei pra me inscrever pra pós-graduação. Eu queria me tornar uma física há dez anos, e por causa de um... de um *cara* que era péssimo em *Go*, quase não consegui.

Eu me forço a pegar um pedaço de Fontina, porque... foda-se o J.J. É delicioso. Rico e suave, doce e pungente. Chego a esquecer que quase chorei feito uma criança de 4 anos no meio de um sofisticado restaurante de cozinha de fusão.

– Mas o meu mentor me salvou.

Jack fica tenso.

– Seu mentor.

Assinto, pegando outro cubo de queijo.

– Laurendeau.

O cara cuja carreira Jack acidentalmente arruinou. Estou tentando não pensar no artigo de Jack ou no que o Dr. L. diria se soubesse que estou aqui com ele. Parece um bom uso de minhas aprimoradas habilidades de compartimentalização.

– Ele viu além das notas ruins e das cartas de recomendação que diziam que eu era instável. Disse que eu tinha potencial. Me aceitou na pós-graduação. Tudo que conquistei, devo a ele.

Jack examina meu rosto por um bom tempo. Em seguida, solta o ar lentamente e meneia a cabeça uma vez, como se estivesse tomando uma decisão árdua.

– Elsie...

– Minha vez de fazer uma pergunta – interrompo. Chega de falar do J.J. e do Dr. L. – Já que o assunto veio à tona.

Jack hesita, como se não estivesse pronto para deixar o assunto de lado.

– O quê?

– Olive também disse outra coisa. Que, quando você *sai* com mulheres, geralmente é só pra... – Não consigo pronunciar as palavras. Mas não importa, porque Jack parece saber exatamente o que quero dizer. Aponto de mim para ele algumas vezes. – É isso que você quer?

Ele não responde de imediato. Em vez disso, me observa, sério, ilegível, impenetrável, como não fazia há algum tempo. E então, depois de um longo momento escolhendo as palavras com cuidado, ele diz lentamente:

– Eu e você não vamos transar...

– Prontos para fazer o pedido? – A garçonete nos interrompe.

Não voltamos ao assunto. E me pergunto por que o nó de alívio em minha barriga se parece tanto com decepção.

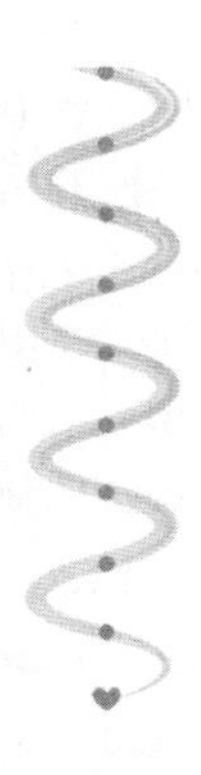

18

FLUXO

MEU PRINCIPAL SENTIMENTO em relação ao almoço com Greg é medo, seguido de perto por raiva de mim mesma, culpa e um impulso incontrolável de voltar correndo para casa e me servir de banquete para Ouriça. Será que ele me odeia? Ele me considera responsável por tirá-lo do armário? Será que quer o dinheiro de volta? Ele merece. Vou vender uma córnea. Ou um pé. O que valer mais.

No fim das contas, eu não precisava ter me preocupado. Porque Greg abre um sorriso largo no momento em que me vê e depois diz em um tom sugestivo:

– Você e meu irmão, hein?

– Ah, não. Não, eu...

Estamos em nosso café de sempre, mas, embora hoje uma distração ou outra me fosse ser bastante útil, não há crianças gritando, vômitos nem fofocas trágicas de outras mesas. Apenas a barista, com uma camiseta SE VOCÊ ODEIA O TOM BRADY, RESPIRE, eu e a carinha insinuante de Greg. Desejo silenciosamente um terremoto, mas sem sucesso.

– A gente... Eu e o Jack estamos só... saindo.

Houve o jantar da quinta-feira passada, é claro, que terminou com ele me levando pra casa e respondendo à pergunta "Você quer sair comigo de novo?" com um irritante "*Você* quer?". E depois teve a tarde de sábado, que passamos caçando os romances inspirados em *Assassinato por escrito* para Millicent e discutindo sobre a validade da teoria das cordas. ("Ela não produziu previsões experimentais testáveis", "Estamos trabalhando na matemática!", "Faça isso, mas, até que você me venha com uma descoberta substancial, o multiverso é tão científico quanto o Papai Noel ou a Grande Abóbora.") E ontem à noite, é claro, quando ele me levou de carro a uma aula na Northeastern à qual eu já estava indo de qualquer maneira. ("Ou você pode pegar o metrô e a gente se encontra lá, se você gosta de ver as pessoas se masturbando com as propagandas de suco de laranja.") Depois, passamos uma hora no carro dele, falando mal do palestrante por dizer que o experimento da onda gravitacional foi um desperdício de dinheiro.

Hoje é terça-feira e, sim, saí com Jack três vezes na última semana, mas, se eu contasse isso a Greg, ele presumiria que somos um casal, o que não somos. Nem demos as mãos, a não ser naquela vez que eu estava reclamando da militarização da ciência e quase fui atropelada por um Honda Civic. Ele agarrou meu pulso, me puxou para trás e não me soltou até me levar em segurança ao outro lado da rua. E por mais meio quarteirão.

Seja o que for, é lento – estático, algumas pessoas diriam. Talvez eu tenha me pegado pensando em beijá-lo. Talvez tenha me pegado pensando se Jack está pensando em me beijar. Talvez eu tenha andado comparando coisas aparentemente conflitantes que ele disse – *Eu e você não vamos transar. A garota que eu gostava. Muito bonita. Vai passar* –, tentando descobrir exatamente como ele se sente em relação a mim.

Acho que posso perguntar. Vou perguntar. Assim que estiver pronta.

– Não é nada sério. A gente só está... se conhecendo e... – Greg ergue a sobrancelha, e eu me retraio. Espiritualmente. – Não sei. Talvez?

Ele sorri.

– Eu tinha um pressentimento.

– Um pressentimento?

– Ele fazia *muitas* perguntas sobre você. Pensei que estava só sendo o irmão mais velho desnecessariamente superprotetor, mas, quando entramos no quesito "Elsie prefere inverno ou verão?", eu me dei conta de que tinha alguma coisa por trás.

Eu coço a têmpora.

– Você comentou isso.

– Comentei?

– O dente. Quando você…

– Ah. É. – Ele solta um suspiro. – Sabe, eu me diverti muito naquela noite. Talvez devesse incorporar mais drogas recreativas ao meu estilo de vida.

– Greg, tenho a sensação de que sem querer acabei te forçando a se assumir pro Jack e realmente sinto muito.

Ele balança a cabeça.

– O mais engraçado é que, em Woodacre, antes de o dente decidir me apodrecer por dentro, eu cheguei a pensar que era hora de falar pra minha mãe me deixar em paz. Além disso, eu poderia ter óctuplos e a vovó provavelmente ainda deixaria tudo pra Monsanto só por despeito. E o Jack nunca foi o problema. Há muito tempo que eu queria contar pra ele, e é ótimo que agora ele saiba e não me trate diferente. Nada mudou, exceto o fato de ele ficar se sentindo culpado por não ter pesquisado a definição de aroace antes e muito, *muito* arrependido de ter ficado a fim da minha "namorada". – Ele faz aspas no ar e em seguida dá risada. Eu quero sumir.

– Greg, eu… – *Sinceridade.* – Eu entendo, acho. Como você se sente sobre relacionamentos. Porque eu também não sei exatamente o que quero. E… adoraria continuar sendo sua amiga.

– Ótimo. Porque, agora que eu quase fiz xixi em você, estamos conectados para o resto da vida. – Ele sorri. – Ah, meu Deus. Sabe do que acabei de me dar conta?

– Do quê?

– De que, se você e o Jack derem certo, o tio Paul vai passar o resto da vida querendo fazer um ménage com vocês.

Fecho os olhos. Talvez eu que vá vomitar desta vez.

O almoço com George é um desafio completamente diferente. Tenho uma hora entre as aulas na Universidade de Massachusetts, e ela concorda em me encontrar em frente ao prédio onde trabalho. Não sei por que, no entanto, eu a vejo dentro da minha sala um minuto antes de a aula de Introdução à Física das onze da manhã terminar.

– O trabalho sobre cosmologia moderna deve ser entregue até... – Paro de falar no momento em que ela entra; seu casaco roxo, um lampejo de cor na sala sem graça. – Até o fim de semana. Duas páginas.

– Espaçamento duplo? – pergunta alguém do amontoado de corpos espremidos que é a última fileira.

Não sei por que todo mundo parece disposto a vender a alma para se sentar lá, já que não faço perguntas aos alunos e, desde que fiquem razoavelmente quietos, finjo não ver quando estão fazendo outra coisa. Certa vez, um cara fez a bainha de umas cortinas durante a aula de Mecânica Analítica, e eu não falei nada.

Ele tirou 9,5. Bom para ele e para suas janelas.

– Espaçamento simples. Tamanho 12. – Ouvem-se gemidos. – Por favor, não subestimem minha inteligência usando fonte Algerian. E não definam as margens três centímetros, como se eu não fosse perceber, porque vou verificar.

Eu não vou verificar. Na verdade, vou só folhear os trabalhos em busca de palavras-chave enquanto Ceci coloca algum filme do Noah Baumbach, que, infelizmente, não vai ser *Madagascar 3*. Meus alunos me achariam *muito* patética se soubessem como me esforço desesperadamente para dar 10 a todos eles.

– E lembrem-se: citações apenas de fontes acadêmicas.

A mão de alguém se levanta.

– E se o meu tio...

– Como eu disse, embora eu fique muito feliz de o seu tio ter se formado em biologia na Universidade de Delaware vinte e três anos atrás, eu *não vou* aceitar as historinhas que ele conta no Dia de Ação de Graças como fonte acadêmica. Vejo vocês na semana que vem.

– Esse parece um jeito divertido de passar o tempo neste mundão de meu Deus – diz George depois de se juntar a mim no tablado. – Quantas aulas dessa você dá por semana?

– Ah, umas quatro, cinco mil?

Ela ri, e eu imediatamente me sinto culpada. Deveria ser grata por ter um emprego. A alternativa é hipnotizar meu pâncreas para fazê-lo acreditar que pode produzir insulina e viver de pacotes de ketchup do Wendy's.

– Mas não é tão ruim assim. Os alunos são ótimos e...

– Dra. Hannaway? – Uma aluna do segundo ano corre na minha direção, a gola do suéter caída em um ombro. – Você pode ver pra mim se isso é só uma espinha ou...

– Nós já falamos disso, Selina. Eu não sou *esse* tipo de doutora.

– Ah, é. Verdade.

– Vai no centro de saúde da faculdade dar uma olhada nisso, tá bem? – Sorrio... por fora. Por dentro, é um banho de sangue. Em seguida, viro para George. – Por favor, nem comente – imploro.

– Vamos. – Ela me segura pelo braço. – Você merece uma refeição de doze pratos.

Ela me leva a um café turco perto do campus.

– Muito bem – diz George em meio a charutinhos de folha de uva. – Acho que nós duas sabemos o motivo deste convite.

– Sabemos?

– Claro. – Ela se inclina para a frente, as mãos unidas, os olhos fixos nos meus. – Jack é meu melhor amigo. Se você magoar ele, parto pra cima de você feito a Tonya Harding. Embora você provavelmente não seja tão apegada aos seus joelhos quanto a Nancy, então vou atacar suas mãos. Vai ser impossível segurar um giz sem sentir uma dor lancinante. Você vai ter que segurar o giz com os dentes, e todo aquele silicato de magnésio hidratado vai bagunçar o funcionamento do seu intestino para sempre.

Meu sangue se esvai. Estou planejando fugir para um vilarejo remoto na Letônia, alterar minhas digitais com um ralador de queijo, pintar o cabelo de preto, depois de loiro, depois voltar ao castanho só para despistar as pessoas, quando George cai na gargalhada.

– Ah, meu Deus, *a sua cara*.

Hesito. Ela diz:

– Desculpa, isso foi *totalmente* impróprio. Eu só não podia deixar passar.

Ainda estou atônita.

– Então você não me convidou porque...

– Não, não tem nada a ver com o Jack. Você pode arrancar o coração dele do peito, grelhar e comer com creme de milho se quiser. Tipo, eu *gosto* muito dele, mas relacionamentos são iguais a cu. A gente não tem que sair por aí cheirando o dos outros, blá-blá-blá. – Ela abre um sorriso travesso. – Me desculpa?

Bebo um gole do meu ayran.

– Tudo bem. É só que... Nancy Kerrigan é minha prima. E meu pai foi diagnosticado com doença pulmonar causada por giz.

Ela empalidece.

– Ah, meu Deus, eu sinto *muito*. Eu não queria... Isso foi horrível da minha parte... – Ela nota meu sorrisinho. – Você acabou de inventar isso, né?

Dou de ombros, roubando um de seus charutinhos.

– Você não apenas é perfeita para o Jack, como também acho que eu gosto mais de você do que *ele* gosta, e isso é *bastante*. Enfim, foi por isso que eu te convidei pra almoçar.

Ela empurra meu copo para o lado. Em seguida, coloca um pedaço de papel na mesa. George bebe sua água enquanto eu leio, leio – sem entender uma única palavra. A Sra. Whitecotton, professora do segundo ano do ensino fundamental, ficaria *muito* decepcionada.

– Isso aqui é...?

Ela assente.

– Não... Eu não participei da seleção.

– Mas você chegou na última fase de um processo seletivo no MIT. Alguém que não vou dizer quem é... vamos chamá-lo apenas de Jack... me disse que mais de trezentas pessoas se candidataram. Vou confiar que as suas qualificações foram verificadas e que você não tentou transformar um diploma de uma escola bíblica em um doutorado em física.

– Você... você tá me oferecendo um emprego? No seu laboratório?

– Como pós-doutoranda. Há dois projetos específicos de cristais líquidos nos quais eu gostaria que você trabalhasse.

– Isso é coisa do Jack – digo, em um tom um pouco acusatório.

– Não. Na minha relação com o Jack, geralmente, e por "geralmente" quero dizer *sempre*, sou *eu* que forço *ele* a fazer o que eu quero.

Isso só pode ser mentira.

– Olha, obrigada. É muito gentil da sua parte. Mas eu já disse pra ele que não. E agora que eu e ele estamos meio que... não seria uma boa ideia...

– Espera. – Ela franze a testa. – O que você quer dizer com já disse pra ele que não?

– Ele já me ofereceu o cargo.

– Ele *o quê*? – George explode. O garçom e cerca de quinze outros clientes se voltam para nós. – Jack te ofereceu um *emprego*?

– Você... não sabia?

– Isso é completamente *errado*. – Ela cobre o rosto com a mão. Chocada. – Não se oferece um *emprego* pra ex do seu irmão, com quem você está flertando há meses. – Agora são as duas mãos. – Meu Deus. *Homens*. Mesmo os bons são apenas...

– Você está me dizendo que não sabia?

– Não. E eu não contei pra ele que estava planejando te oferecer um emprego. Os fundos vêm das minhas bolsas... Isso está *completamente* desvinculado do meu trabalho com ele. – Ela suspira pesadamente. – Olha só, vou ser sincera: eu não sabia quem você era até a semana passada. Só te conhecia como a garota de quem Jack fala quando fica bêbado. Mas procurei o seu trabalho. E o seu trabalho é *bom*, e eu realmente gostaria de ter alguém como você na minha equipe. E antes que você pergunte... sim, o Jack também gostaria. Mas eu sou *melhor*. – Ela se inclina para a frente e aponta para uma linha no contrato. – É uma proposta de três anos. Posso te pagar cinquenta por cento a mais do que o valor da bolsa. Cristais líquidos são um projeto paralelo, para mim, então você lideraria a pesquisa. Autora principal em todas as publicações. Eu sei que você não tem experiência aplicada, mas a gente precisa de alguém que conheça muito bem a teoria. Chega de aulas, chega de fonte Algerian... Só pesquisa. Mas, se você quiser continuar fingindo que gosta disso tudo, tenho certeza de que podemos arrumar uma turma pra você lecionar.

O que está acontecendo? Por que agora todo mundo resolveu contestar minhas mentiras? Será que de repente virei a personagem principal?

– E o Jack no meio de tudo isso...?

– É insignificante. Não me leve a mal. Estou feliz por vocês. Quer dizer, por ele. Jack estava começando a perder a dignidade. Todo aquele misto de melancolia, tesão e culpa.

Pigarreio.

– E inclui plano de saúde?

– Você não tem plano de saúde atualmente? – Balanço a cabeça diante da pergunta e ela revira os olhos. – Esse trabalho de professor adjunto é a porra da décima primeira praga do Egito. Sim, claro, inclui plano de saúde. Você não vai precisar mais trabalhar com essa coisa de namoro de mentira.

Dignidade: desintegrada.

– Jack te *contou*?

– Ah. – Ela faz uma careta. – Hmm... não. Eu... li na sua cara?

Agora sou eu que cubro o rosto com a mão.

– Olha, ele teve que me contar. Porque eu te conhecia como uma bibliotecária. Mas, pode acreditar, não te julgo em nada... Eu passei o mestrado trabalhando como assistente de um comparsa do Elon Musk. Voltando à oferta de emprego... O mais importante é que três teóricos do MIT vão se aposentar nos próximos cinco anos. Você seria a primeira da fila para substituí-los.

– Não existe nenhuma garantia de que...

– Não existe nenhuma garantia de que não seremos sugados da superfície da Terra por um aspirador possuído por demônios. – Ela hesita por um segundo, como se estivesse decidindo se deveria acrescentar alguma coisa. – Elsie, eu sei que não deve ser fácil aceitar um emprego de alguém que roubou a vaga que você queria. Mas você concluiu o doutorado há menos de um ano. Você é *jovem* para concorrer a um cargo de professora. Sinceramente, fico surpresa que seja adjunta... A pesquisa é o seu ponto forte e você deveria se concentrar em enriquecer o seu currículo, não em verificar espinhas de alunos.

Faz sentido, e eu quero o que ela está oferecendo – dinheiro suficiente para não me preocupar, um escritório para organizar meus Funko Pops, três anos de paz de espírito. Mas...

– Posso conversar sobre isso com meu mentor?

– Claro. Quem é?

– Dr. Laurendeau, da Northeastern.

De repente, o clima pesa: em um segundo, George é pura determinação e confiança; no seguinte, ela recua, o cotovelo batendo contra o encosto da cadeira.

– *Christophe* Laurendeau? Jack sabe disso?

– Sabe. Por quê?

– Eu... Por nada. – Ela balança a cabeça. A luz em seus olhos diminuiu. – Mas você não precisa pedir a permissão dele. É o *seu* futuro. A *sua* carreira. *Sua* decisão.

Minha carreira, sim. Mas eu só tenho uma carreira porque o Dr. L. me deu uma chance.

– Até quando posso te dar a resposta?

– Posso esperar duas, três semanas no máximo. Depois disso, vou ter que começar a procurar alguém pra preencher a vaga. Tudo bem?

Meneio a cabeça, concordando. *Apenas aceite o emprego*, insiste uma voz gananciosa e cansada dentro de mim. Ela anseia por aqueles crisps de parmesão que custam cinco dólares a porção e está cansada de lembrar aos alunos que não podem rasurar as questões de múltipla escolha. *Roube um cartucho de tinta da impressora da Universidade de Boston e seja demitida. Assim você não terá escolha a não ser trabalhar para George. O Dr. L. vai lidar com essa decisão.*

– Então, além de te oferecer um emprego, que outras coisas absurdas e totalmente inapropriadas Jack propôs a você? – pergunta George. – Uma cerimônia de casamento durante a reunião do corpo docente? Hifenização retroativa para Hannaway-Smith-Turner em todas as suas publicações acadêmicas? Ficar pelado de conchinha na biblioteca do MIT?

Quase cuspo meu ayran em cima dela. Mas tudo bem, porque ela merece.

19

IMPEDÂNCIA

NA SEXTA À NOITE, COLOCO UM VESTIDO.

Nada chique. É um vestido de tricô que minha prima deu para mamãe por ser comprido demais, e que mamãe me deu por ser muito pequeno. Combino-o com meu único batom, meu único rímel, meu único lápis de olho, minha única meia-calça. Faço babyliss no cabelo sozinha, xingando baixinho sempre que queimo a lateral da mão para que Ceci não me ouça.

Leitor: ela ouve de qualquer maneira.

– Que reviravolta, hein? No nível M. Night Shyamalan – diz ela da cozinha, onde está servindo leite em uma tigela. – Você vê gente morta? Ah, meu Deus, será que *eu* estou morta?

– Cala a boca. Eu sempre me arrumo.

Ela sacode a colher na minha direção.

– Não para encontros.

– Na verdade…

– Não para encontros *de verdade* com seu arqui-inimigo profissional e irmão do cara com quem você teve um namoro de mentira, para quem você desejava uma morte que incluía cortes de papel, mas de quem agora gosta o suficiente para ajeitar aquele tufo de cabelo na nuca.

Dou um suspiro.

– Bela sinopse da minha vida.

– Obrigada. Se precisar de uma biógrafa... – Ela derrama cereal *dentro* do leite, sendo a criatura bizarra que é. – Aonde vocês vão?

– Jantar com os amigos dele. Jack tem um círculo social muito ativo que me lembra daquele verão em que minha melhor amiga era uma melancia com olhos de adesivo e me sinto absolutamente arrasada.

– No terceiro ano?

– No *ensino médio*.

– Eita. Bom, agora você *me tem*. Pronta pra chamar a polícia se você não estiver de volta às oito e meia. Posso? Sempre quis registrar o desaparecimento de alguém. – Ela segura a colher como se fosse um telefone. – Não, senhor policial, ela não tinha inimigos, mas fazia parte, *sim*, de um estranho conflito sectário que só alguém com doutorado em física seria capaz de entender completamente. Vista pela última vez com um cara grande em um banheiro químico durante o feriado de São Patrício. Sim, eu aguardo.

Dou uma risada.

– Me manda uma mensagem antes de ligar pro Liam Neeson. E pode ser que eu chegue mais tarde do que isso, mas não vou passar a noite fora.

– Nunca?

– Nunca.

Ela suspira. A colher tilinta.

– Você não tá deixando ele molhar o biscoito por causa daquele artigo? Seu eu de 17 anos está fazendo jogo duro com o Jack do passado?

Franzo a testa – com o uso da expressão *molhar o biscoito* e com o lembrete de que sim, o cara com quem estou saindo fez *mesmo* aquilo. E não é que eu me esqueça. É só que realmente não consigo conciliar as duas coisas: o jeito de Jack quando estamos juntos, gentil e engraçado, admirador do meu trabalho, e o fato de que quinze anos atrás...

– Elsie? É isso mesmo?

– Não. Não, ele só... não tem planos de transar comigo.

Ceci arregala os olhos.

– *Você* tem planos de transar com ele?

Talvez. Provavelmente. Não. Deveria? Eu quero. Estou com medo. Talvez.

– Eu tenho que ir. – Mordo a parte interna da bochecha e pego minha bolsa.

Em seguida, paro na porta ao ouvir Ceci dizer:

– Ei, Elsie?

Eu me viro.

– Você está linda. – Seus olhos grandes estão calorosos. – Mais do que o habitual.

Sorrio. Acho que pareço mediana como sempre, mas sinto meu coração quente, aberto para Ceci, essa pessoa linda e esquisita que não consegue ver a hora em relógios de ponteiro nem diferenciar esquerda e direita, que ao longo dos últimos sete anos esteve ao meu lado nos momentos mais difíceis. Por um momento, tudo que quero é abrir a boca e dizer: *Odeio esses filmes metidos a obra de arte. Será que a gente pode assistir a uma comédia romântica de vez em quando?* Riverdale? *Literalmente* qualquer *série das Kardashians?*

Mas o que sai é:

– Você é muito esquisita, colocando o leite na tigela antes do cereal, mas eu te amo mesmo assim.

Saio de casa enquanto ela me dá o dedo do meio. Então meu telefone toca, e é aí que minha noite desmorona.

Em minha defesa, atendo presumindo que é Jack, ligando para dizer que está atrasado, ou que eu estou atrasada, ou que alguém acertou seu lobo frontal e a lesão cerebral resultante o ajudou a perceber que não quer me ver nunca mais. Um trágico erro de cálculo da minha parte, porque:

– Elsie, finalmente. Você precisa vir pra casa *agora*.

– Mãe?

– Lance agora está com Dana. E Lucas deu um soco nele depois do jogo de futebol. *Todo mundo* viu.

Meu Deus.

– Mas eu conversei com eles na semana passada. Lance disse que não estava interessado…

– Ele mentiu, Elsie. Estou decepcionada com você por não ter percebido.

– Eu… – Solto o ar, enquanto saio do prédio. – Ele parecia sincero.

– É por isso que você precisa *vir pra casa* me ajudar a resolver isso. Estou com os nervos à flor da pele. Coitada de mim.

– Mãe, não dá. Eu não tenho carro, pra começo de conversa. E tenho que trabalhar.

– Arruma um professor pra te substituir.

– Não é assim... Eu não... Mãe.

Vejo o carro de Jack. Está muito frio. Todos os meus instintos gritam para que primeiro eu conclua a conversa, mas não resisto a entrar. O assento já está aquecido, o cabelo de Jack ainda está úmido, ondulando em mechas suaves no pescoço. Ele parece recém-barbeado e tem um cheiro divino – uma mistura daqueles sabonetes vendidos em lojas chiques e do perfume que senti na curva do seu pescoço no dia em que dormi aninhada em seus braços.

Um minuto, murmuro. Ele assente. Mamãe está falando sobre como Lance é incompreendido, Lucas é sensível, papai está ocupado com o trabalho e as senhoras malvadas da igreja com certeza ficarão felizes com a queda da outrora estimada família Hannaway. Enquanto isso, Jack observa meu casaco aberto. Meu vestido, que vai até o meio da coxa quando estou sentada. Seus olhos seguem a bainha, parando em meus joelhos, e se demoram apenas um pouco a mais do que o apropriado. Então ele engole em seco e desvia o olhar. Seus ombros sobem, depois abaixam, e ele dá a partida, olhando para qualquer lugar, menos para mim.

Ah.

– Mãe, eu preciso ir. Vou ligar pros dois amanhã e tentar convencê-los a desistir... de cometer algum ato ilegal, pelo menos...

– Você não tem como resolver isso a distância.

Dou um suspiro.

– Farei o que puder. Sinceramente, não sei se consigo resolver essa situação. Talvez *ninguém* consiga.

Mamãe reage, indignada.

– Como você pode ser tão *egoísta,* Elsie?

Solto o ar lentamente.

– Não acho que estou sendo egoísta. Vou ajudar assim que puder, mas os dois não ouvem nada do que eu...

– Inacreditável – diz ela, e depois... nada.

Absolutamente nada.

– Jack? – chamo.

– Oi?

– Se estou falando com alguém e do nada ouço o sinal de ocupado, o que isso significa?

Ele me lança um olhar.

– Parece que você já sabe.

– Meu Deus. – Estou pasma. – Minha mãe acabou de desligar na minha cara.

Ele assente.

– Era pra eu ficar chocado? Famílias funcionais não fazem isso?

– Eu... não sei. Seu pai costuma desligar na sua cara?

– Será que meu pai tem o meu número?

Dou uma risada e trocamos olhares, ambos confusos, mas achando graça.

– É a primeira vez que isso acontece. – Meu estômago está embrulhado. – Ela geralmente gosta de mim. Ou finge, pelo menos.

Jack olha para mim com sua cara de *Te entendo*. Não estou acostumada com a minha mãe ficar *tão* brava comigo. É uma sensação péssima, como se meu corpo estivesse expelindo várias pedras dos meus rins e, de repente, a ideia de sair para jantar não fizesse nenhum sentido. *Vai ser bom*, digo a mim mesma. *Você gosta dos amigos dele. Rir é o melhor remédio. Ou opiáceos.*

– Quer me contar o que aconteceu? – pergunta ele gentilmente, virando o carro nas estreitas vias de mão única de Boston.

– Minha família é... constrangedora.

– Mais do que dez pessoas usando camisas com as iniciais bordadas enquanto cercam uma senhora de 90 anos feito abutres na esperança de que ela caia morta e alguns maços de dinheiro rolem pelo chão?

– A minha família faria o mesmo se alguém tivesse dinheiro. Se alguma coisa acontecesse com a minha avó, meus irmãos sairiam no soco por causa do engradado de cerveja que ela deixou na geladeira.

– É por isso que eles estão brigando? Cerveja?

– Quem dera. É por causa de... – Reviro os olhos. É ridiculamente idiota. – Uma garota.

– Uma garota.

– Bom, ela é uma mulher agora. Mas era uma garota quando tudo começou.

Ele franze a testa.

– Quantos anos os seus irmãos têm?

– São mais velhos do que eu. E, sinceramente, acho que toda essa confusão é resultado de encefalopatia traumática. Os dois jogavam futebol americano, tiveram o cérebro transformado em mingau de aveia e conheciam setenta milhões de líderes de torcida com quem podiam, sei lá, jogar D&D embaixo das arquibancadas. Mas não, eles decidiram escolher a mesma garota. Dana.

Jack contrai os lábios.

– Acho que não é isso que as pessoas fazem embaixo das arquibancadas, Elsie.

– Eles são meus irmãos, ok? Nessa conversa, vamos considerar que eles estão brigando pelo direito exclusivo de assistir às aulas de decupagem da Dana. E o mais ridículo é que eles acham que estão em algum tipo de *Lendas da Paixão*. Os dois acham que a grande história de amor da vida deles está fadada ao fracasso por causa das tramoias do irmão gêmeo malvado, mas a verdade é que, vendo de fora, fica óbvio que *ninguém* ama *ninguém* ali. Dana obtém noventa por cento de sua dopamina vendo dois caras brigando por ela. Minha mãe só se importa com o que a babá da irmã do marido da prima dela acha e está totalmente de boa com o fato de eles estarem se esfaqueando, desde que não façam isso em público. E o mais triste é que Lucas e Lance costumavam ser melhores amigos. Eles se divertiam tentando me convencer de que hidratante labial era feito de esperma de dromedário e me vendo ter ânsia de vômito. Mas hoje em dia... já se esqueceram de que são irmãos, nem sabem mais por que começaram a gostar da Dana, pra começo de conversa. São apenas galinhas bicando a comida uma da outra... Como se fossem dois átomos de hidrogênio, e a Dana, o elétron que eles ficam o tempo todo roubando um do outro. Mas os dois são não metais e, embora quisessem poder pegar esse elétron pra sempre e mantê-lo pra si, não dá, mesma eletronegatividade, desculpa, não funciona. E voltamos à estaca zero *a cada malditos seis meses.*

– E onde você entra nisso tudo? – pergunta Jack, a voz soando baixa dentro do carro depois da minha gritaria.

Eu me sinto culpada por despejar toda a história da minha vida nele, como se Jack fosse a Oprah ou algo assim. Eu deveria ser *divertida*.

– Minha mãe me pede pra intermediar o acordo de paz.

Eu me remexo no assento. Os olhos de Jack deslizam para minhas pernas, ou talvez não. O carro está escuro, então não tenho certeza.

– Por quê?

– Como assim?

– Parece que os seus irmãos estão chateados um com o outro. – Eu concordo com a cabeça, e ele continua: – Por que ela quer que *você* se meta?

– Eu... Porque... Nós... – É uma pergunta do tipo "Por que o céu é azul?". Dispersão da luz solar pela atmosfera, dã. – É a minha família.

– É a família da sua mãe também. E do seu pai e dos seus irmãos. Mas eles não querem se envolver com o problema e querem que *você* resolva.

Ele vira à direita e os faróis da caminhonete vindo em nossa direção atingem seu queixo em um ângulo lindo, perfeito. A aparência dele, a voz baixa, o cheiro. Aonde esse homem quer chegar com isso? *Comigo?*

– Eu devo isso a eles.

– Deve?

– Sim. Você não entende... Eu... Eu dei muito trabalho pra eles quando era criança. O meu diagnóstico foi um perrengue, e os cuidados médicos eram muito caros. Eu devo isso a eles.

Meu estômago revira. Agora mamãe está com raiva de mim. Eu sou uma ingrata.

– Então, resumindo: como seu pâncreas parou de produzir insulina quando você era criança, agora você deve à sua família um trabalho emocional digno de uma doula?

Parece horrível quando colocado dessa maneira. Simplesmente horrível. Mas sim.

– É, tipo isso.

– O que a sua família acha da sua situação profissional?

– Ah, bom. – Dou de ombros. – Não acham muita coisa. – Não pretendo entrar em detalhes, mas ele está me encarando com uma sobrancelha erguida, e eu quero que mantenha os olhos na estrada. – Eu não falo com eles sobre essas coisas.

– Você não conta pra eles sobre a sua *vida*?

– Não foi o que eu quis dizer. – Embora eu não conte mesmo. – É que... eu sou a primeira da família a ir pra faculdade.

– Tem muita gente na academia nessa mesma situação que têm pais solidários e interessados.

Reviro os olhos. Porque eu sei muito bem que ele tem razão, e meu coração fica pesado com a ideia.

– Anda, vai fundo.

– Com o quê?

– Você tá doido pra me analisar.

Jack nem esconde o quanto se diverte comigo.

– Ah, é?

– Você obviamente tem uma opinião.

– Hmm.

– Fala logo.

– Falar o quê?

– Que eu não conto nada do meu trabalho pra minha família porque sou incapaz de permitir que as pessoas me conheçam para além das utilidades que posso ter pra elas. Que, se eu mostrar meu verdadeiro eu, com minhas necessidades e desejos, corro o risco de ser rejeitada. Que usei minha habilidade de esconder quem eu sou como um antisséptico emocional e, no processo, acabei me transformando numa marionete. Ou numa melancia com olhos de adesivo.

Ele manobra o carro sob o brilho dos postes de luz e, à medida que os segundos passam em silêncio, fico com medo de ter falado demais, revelado demais, sido *eu* demais. Mas então:

– Bom. – O sorriso dele é carinhoso. Doce. – Meu trabalho aqui está encerrado.

Fecho os olhos, deixando minha testa deslizar contra a janela – pele quente e vidro gelado.

– Eu sei que a minha vida é uma confusão.

– Ah, é?

– Aham. Eu só... não sei como parar.

– Então talvez meu trabalho não esteja encerrado. E você deva ficar por perto.

Eu me viro para verificar se sua expressão combina com seu tom – uma mistura de implicante, doce, divertido, esperançoso, outras coisas que nunca consigo entender.

Então percebo onde estamos.

– É o seu prédio.

– É.

Ele estaciona o carro. Não, ele faz *baliza*. Sem derramar uma lágrima, uma gota de suor, sem aquela ladainha de *Merda, ai, que merda*. Eu o odeio.

– Esqueceu alguma coisa?

– Não.

– Então por que…?

– Achei que seria melhor a gente pegar leve hoje. Relaxar.

– E os seus amigos?

– Eles sabem se divertir sozinhos.

– Mas eles estão nos esperando.

– Não. Eu mandei uma mensagem para eles.

– Quando?

– Enquanto você comparava o relacionamento dos seus irmãos com uma ligação covalente apolar.

– Eu… Por quê?

– Porque você está obviamente chateada. E provavelmente teve uma semana longa no trabalho. E teve uns almoços mais ou menos não consensuais com duas pessoas que eu sei que são um grande pé no saco. Acho melhor a gente ficar em casa. – Ele desliga o motor. – Só nós dois.

– Mas… – Olho para o prédio dele. Ao contrário do meu, não parece estar prestes a ser condenado e menos ainda a pegar fogo devido a fios expostos. – O que a gente vai fazer?

Ouço o sorriso em suas palavras.

– Eu tenho algumas sugestões.

– Então, *Amanhecer* é o primeiro.

– O quê? Não. *Crepúsculo* é o primeiro. Caso contrário, seria a saga Amanhecer.

– Claro. Quer um cobertor?

As luzes estão baixas, mas Jack rastreia meus movimentos enquanto balanço a cabeça e encolho as pernas sob o corpo. O chocolate quente que ele fez está na mesinha de centro, bem ao lado de sua Heineken, e acho que o vi aumentar o termostato quando entramos, depois de perceber que eu estava tremendo no corredor gelado. Estou arrumada demais, maquiada demais, com cachos demais para uma noite no sofá. Mas não me importo.

– Está bem.

Ele pega o controle remoto e se senta ao meu lado, perto, mas não de um jeito ameaçador. Não perto o suficiente para me tocar, mas a almofada se move e o ar ao meu redor fica mais quente. Mais denso.

– Eu não estou acreditando que você tem um box de *Crepúsculo.*

– Eu precisava entender o motivo do hype.

– Você comprou os Blu-rays. Quem compra Blu-rays?

– Pessoas que não conseguem encontrar VHS.

Eu o observo. Seus olhos estranhos e lindos.

– Quantos anos você tem, exatamente?

– Setenta e três.

Dou uma risada.

– Não, sério.

– Dezessete.

– Você tem trinta e três, é isso? Trinta e dois. Trinta e quatro?

– Vai ficar sem saber.

– Me dá uma dica. O que você mais lembra da infância? Slime? O sinal de linha do telefone? Presilhas de cabelo em formato de borboleta? Pessoas morrendo de peste bubônica?

– Você pode fazer piada do meu box de *Crepúsculo* o quanto quiser... Já vi o jeito que você está olhando pra ele.

– Interessada de um jeito educado e discreto?

– Cobiçando descaradamente o bônus *Edward na Itália.*

Eu rio de novo. É bom estar aqui, em um lugar quente.

– Então, o que você sabe sobre os filmes?

Ele tamborila no joelho.

– Eles têm um bebê assustador feito em computação gráfica chamado Elizabelle...

– Renesmee.

– ... e alguma coisa sobre peles que brilham? Macacos-aranha?

– Também tem beisebol de vampiro.

– Animador.

– Tá, mas sério agora. – Eu me viro um pouco para ele. – Você vai odiar?

– Provavelmente. Mas não mais do que *2001: Uma Odisseia no Espaço*.

– Do que *você* gosta?

– De perseguições de carro que desafiam a física, principalmente. De pessoas escalando prédios. Monstros do espaço. – Ele dá de ombros. – George diz que são meus filmes de "homem branco raivoso".

– Bom, a gente pode assistir a um desses. *Vingadores: Ultimato* ou alguma coisa com o The Rock. Tipo, e as coisas que *você* quer?

– O que tem?

– A gente nunca foca nelas.

– Porque não tenho problema em dizer o que eu quero.

– Você tá querendo ganhar uma estrelinha por causa disso? – murmuro com ressentimento.

– Estou mesmo.

Brinco com a bainha do meu vestido.

– Eu entendo que você quer me ajudar a recuperar minha individualidade, mas, se vamos ser amigos, temos que fazer coisas que *você* gosta também. Se não...

– Elsie. – Ele toca o meu queixo e o levanta até que meus olhos estejam na altura dos dele. – Você já está fazendo. Nós estamos fazendo.

Sustento o olhar até não aguentar mais, então me afasto.

– Tá bem. – Engulo em seco. Duas vezes. – Mesmo assim, você não precisava comprar o box.

– Eu já disse, eu...

– Não, tipo... – Minhas bochechas estão quentes. – Tem na Netflix. E no Amazon Prime.

Arranco o controle remoto de sua mão antes que Jack possa me perguntar como eu sei. Em seguida, ignoro a maneira divertida como seus olhos se demoram em mim e, entre goles no meu chocolate quente, rio com seus comentários sussurrados: "Verde demais" ou "Eles frequentam o *ensino médio*?" ou "Qual é o lance com o ketchup?".

Mais ou menos na metade, me desprendo da onda hormonal de angústia adolescente paranormal e olho para Jack. Ele está analisando o filme atentamente, concentrado, como se fosse um documentário sobre física de partículas.

– Prometo que não vou te fazer perguntas sobre a história depois – digo a ele. – Pode ficar no celular. Pegar no sono. Revirar os olhos.

– É isso que as pessoas fazem quando você vê *Crepúsculo* com elas?

– Eu não vejo.

– Você não...?

– Não com outras pessoas. – Nunca faço nada de que *eu* goste absurdamente na companhia de outra pessoa. – Costumo assistir no notebook a uma dessas versões que as pessoas gravam no cinema, que emanam uma aura densa e culpada. Uma vez a Ceci entrou no meio de *Eclipse*. Desliguei o monitor e jurei pra ela que estava me masturbando enquanto via hentai.

A boca dele se curva.

– Com Bill Nye, não?

– Não pensei nisso. – Ele volta os olhos para a tela, mas algo está crescendo em meu estômago, algo pesado e desconfortável. – Ei – digo, e ele se vira novamente para mim. – Obrigada.

– Por sugerir um pornô com Bill Nye?

– Não. Por... – Não consigo colocar em palavras. Até que consigo. – Por querer me conhecer o suficiente a ponto de assistir ao meu filme favorito comigo.

Eu me inclino para a frente, planejando beijá-lo na bochecha. Mas algo acontece quando me aproximo e...

Os planos mudam. Eu protelo.

Jack é quente. O cheiro dele é bom e parece familiar, real como poucas coisas na minha vida. Então eu fico. Só porque é muito bom. E fico mesmo quando ele se vira para mim, e sua boca está tão perto da minha que tenho quase certeza de que isso vai se transformar em outra coisa. Em um *beijo*.

Ele solta o ar.

Eu inspiro.

Jack ergue a mão e me segura pela nuca. Meus olhos se fecham. Um calor intenso se espalha por toda a minha barriga, minha pele está em chamas, o coração dispara.

Finalmente, um beijo que eu quero. E, ah, como eu quero *esse* beijo. Eu quero...

– Não – diz ele. Seus lábios quase roçando os meus. – Não.

Ele me solta de forma abrupta. Abro os olhos, e Jack está na beirada do sofá, a poucos metros de mim, de costas.

– Jack?

As costas dele estão tensas. Jack esfrega os olhos, murmurando algo que soa muito como "cedo demais", e de repente sinto frio e pavor.

– Eu não queria...

Estendo a mão e toco as costas dele. Jack imediatamente recua, e percebo que essa é a maneira errada de pedir desculpa por invadir seu espaço pessoal.

– Elsie, preciso que você não me toque por um minuto.

Ele vai até a janela, esfregando a mão na boca. Na TV, Bella está chorando. Eu também sinto vontade de chorar. Estou absolutamente constrangida. Meu constrangimento poderia alimentar um país europeu de médio porte.

– Desculpa – digo para seus ombros tensos. – Talvez eu... – *Sinceridade. Quando a sinceridade é demais?* – Acho que estou me sentindo atraída por você.

– Merda – solta ele. Jack se vira, passando a mão pelos cabelos. Eu nunca o vi demonstrar aflição abertamente antes. – Merda – repete ele baixinho, e me sinto perdida.

O que foi que eu fiz? Eu não queria... Ele respira fundo. De repente, se torna mais imponente.

– Eu não vou comer você – promete em um sussurro, quase falando sozinho.

– Eu... – Não faço a menor ideia do que responder. – Eu estou...

Confusa? Sendo rejeitada, talvez? Mas não pedi para ele fazer *isso*. Jack está presumindo coisas demais com base em alguns segundos de proximidade, e fico tentada a apontar isso, e é por esse motivo que me choco quando o que digo sai em um tom vagamente ressentido.

– Tudo bem. Você já tinha mencionado antes que não está interessado.

Ele solta uma risada.

– Eu nunca disse isso.

– No restaurante, você disse que não queria transar comigo.

– Eu disse que não *ia* transar com você.

Franzo a testa.

– É a mesma coisa.

– Não é, não.

Minha mente acelera para tentar alcançá-lo. Então alcança, e todo o meu corpo esquenta.

– Foi assim que você interpretou o que eu disse? – Ele parece incrédulo. – Como falta de interesse?

Dou de ombros, como se não importasse. Como se não me afetasse.

– Você acha que eu não *quero* transar com você – diz ele, direto como sempre.

– O que você queria que eu pensasse?

– Como assim?

Dou um pigarro.

– Por que outro motivo você não transaria comigo?

Jack balança a cabeça. Está com o maxilar travado, como se essa fosse uma regra que ele criou para si mesmo, algo em que pensou muito.

– Porque é melhor assim pra você. Pra nós dois. No momento.

– Desculpa, você... – Pigarreio de novo. – Você acabou de me *informar* que nós não vamos transar porque isso é o melhor pra *nós dois*?

Ele assente uma vez, como faria diante de um fato conhecido e indiscutível. *Moléculas de água retardam a luz.* É neste momento que me levanto, indignada.

– Você entende que isso deve ser o resultado de uma conversa entre duas pessoas, né? – Estou descalça. Ele é muito mais alto do que eu, e meu pescoço reclama diante do ângulo nada natural. – Você não pode sair tomando decisões sem qualquer explicação...

– Na verdade, eu posso, sim.

A maneira como ele se curva também não deve ser confortável. Estamos dividindo meio metro quadrado. Braços cruzados. Sérios. Um segundo atrás estávamos brincando um com o outro no sofá. Inacreditável.

– Isso é absurdamente condescendente. Você não pode presumir que sabe o que é melhor pra...

– Então, beleza. – Ele avança, e eu sinto cada milímetro. – Como eu faço você gozar?

Eu... devo ter entendido errado.

– O quê?

– Do que você gosta no sexo? O que você quer? Do que você precisa?

– Os olhos dele são poços escuros sob a luz fraca. – Como eu faço você *gozar*?

Balanço a cabeça. Edward está se movendo na velocidade da luz para salvar seu amor, e minha mente está lenta feito uma lesma.

– Como é que é?

– Você disse que era condescendente da minha parte não conversar sobre sexo. Então vamos conversar. – Este é o Jack do nosso primeiro encontro: desafiador, intransigente, exigente. – A menos que isso te deixe incomodada. Um bom sinal de que talvez seja melhor você não transar também, mas...

– Não é isso – falo às pressas.

Mas talvez seja, um pouco. Não falo muito sobre sexo com as pessoas. Apenas com Ceci, e principalmente sobre o que as freiras do século XIV supostamente faziam enquanto deveriam estar cuidando do canteiro de ervas aromáticas. Mas não tem nada a ver com *incômodo*. Não falamos sobre sexo pela mesma razão que não falamos sobre dividendos de ações: não é algo muito presente em nossa vida.

– Então me fala – repete ele. Seu olhar muda para algo não exatamente desafiador. Como se, pela primeira vez, não fosse um jogo de poder, e ele realmente quisesse saber. – Como eu faço você gozar?

– Essa é uma pergunta muito *estranha*. Eu... – Uma ideia se acende na minha cabeça. – Ah, meu Deus. Você acha que eu não tenho experiência. – Dou uma gargalhada bem na cara dele. – Eu tenho, sim. Transei com J.J., tipo, um milhão de vezes, de um milhão de maneiras! – acrescento, só para ver a reação dele. Mas a reação de Jack é irritantemente inexistente. – Você acha que estou mentindo?

– Não. Se você me dissesse que tem até a carteirinha do Clube da Orgia, eu ia acreditar. Então, já que você tem essa experiência toda, não vai ter problema nenhum em me dizer: como eu faço você gozar?

Eu abro a boca e... fecho imediatamente.

– Estou esperando, Elsie.

Odeio quando ele age assim. Tão... presunçoso e impiedoso e sabichão e...

– Ainda estou esperando.

Olho para os meus pés, para a meia-calça transparente em volta dos meus dedos, e de repente me sinto apenas...

Envergonhada. Não faço ideia do que dizer a ele e por um segundo penso em mentir. Fingir que sou a porra de uma deusa do sexo. Estrela de *Vinte gozadas e um sobretudo*. Mas Jack é um detector de mentiras, e ele saberia, e seria ainda mais constrangedor do que a verdade: não faço ideia de como ele pode me fazer gozar.

Minha mente se volta para J.J., e eis uma verdade que não vou admitir em voz alta neste apartamento chique: não sei sequer se tenho *capacidade* de gostar de sexo. Jamais me questionei, porque a ideia de *eu* gostar de algo nunca foi uma prioridade.

– Você faz isso com todas as mulheres com quem transa? – pergunto com um tom amargo. – Um exame admissional?

– Às vezes.

– Às vezes?

– Em outras, é mais uma questão de tentativa e erro.

Sinto meu estômago revirar.

– E depois?

– Depois, eu faço o que elas gostam. Peço pra elas fazerem o que eu gosto se elas estiverem a fim.

Ciúme. Esse é o sentimento: estou com ciúme dessas garotas desconhecidas. Na minha cabeça, todas são deslumbrantes, inteligentes e têm pernas compridas. Dignas de serem comidas por Jack.

Diferentemente de mim.

Viro as costas e vou até uma das milhões de janelas. Não sei como ele suporta a nudez deste lugar. Parece um aquário. Ele precisa de cortinas.

– Elsie. – Jack está atrás de mim. Vejo seu reflexo no vidro, os olhos fixos nos meus como diante de um espelho. – Você tem esse padrão de fazer coisas que não gosta pelo bem dos outros, e eu preciso ter certeza de que nós não vamos cair nisso. Preciso saber que você não está tomando a iniciativa só porque acha que é o que eu espero. E preciso ter certeza de que você não acha que precisa ser uma... trepada fantasiosa em que o único foco é o *meu* prazer. Que você se sente capaz de reconhecer e articular as suas necessidades.

Encosto a testa no vidro, observando meus olhos ficarem vesgos sobre o nariz.

– Você deveria me dizer o que está pensando – comenta Jack depois de um tempo, muito mais gentil do que um minuto atrás.

– Por quê?

– Porque eu quero saber. – Ele suspira. – E você prometeu que ia tentar.

Claro. Sim, eu fiz isso. Uma ideia estúpida.

– Estou pensando que… – Eu me viro. Bato as unhas no parapeito da janela e fecho os olhos quando não suporto mais encarar Jack. No que estou sempre pensando? Quanto mais tento entender minha própria mente, mais depressa ela esvazia. – Estou pensando que coisas conflitantes podem coexistir: você querer me proteger e também estar fazendo isso de forma condescendente. Estou pensando que, ao tentar me respeitar, você acabou tomando uma decisão por mim… como todo mundo antes de você. Estou pensando… que não te conheço muito bem ainda, mas às vezes, quando estou com você, sinto que me conhece melhor do que eu mesma. – Engulo em seco. – Mas também estou pensando em outra coisa.

– No quê?

Abro os olhos. Ele… Eu *quero* ele. Para mim. Não sei exatamente em que formato, linha do tempo, contexto, mas quero.

– Estou pensando que não sei como você pode me fazer gozar. Mas que seria divertido descobrirmos juntos.

Estou exausta de tanto pensar, de pensar demais, de repensar, de não pensar. Então, pela primeira vez na vida, deixo minha mente ficar em branco. Paro de pensar e começo a sentir, saboreio a ausência de fórmulas e modelos de previsão e simplesmente ajo.

Seguro a bainha do meu vestido e o tiro em um movimento fluido.

Solto-o aos pés de Jack.

É uma grande aposta. Nunca fiz nada tão corajoso, idiota e imprudente antes, mas com Jack é assim: ele é parte de muitas das minhas primeiras vezes. E não importa se, no segundo em que tiro a roupa, perco a coragem. Encaro o tecido, com muito medo de mover meus olhos para qualquer outro lugar, deixando a tensão crescer, a pressão aumentar, até que ouço ele dizer baixinho:

– Elsie.

Ergo o olhar.

Não sou insegura em relação a meu corpo, provavelmente porque estou muito ocupada sendo insegura com cada coisinha que faço, digo e transmito. Mas, se eu fosse, se eu tivesse alguma dúvida sobre ser atraente, bonita, desejável o suficiente para ele, ela se dissolveria como açúcar na água.

As bochechas de Jack estão rosadas. Suas pupilas, dilatadas, fixas em algum ponto entre meu umbigo e o elástico da minha calcinha. Pendendo na lateral do corpo, suas mãos se contorcem e depois se fecham em punhos.

– É cedo demais – diz ele outra vez. – A gente deveria esperar até você se sentir mais confortável perto de mim.

– Eu me sinto confortável perto de você – rebato. E então, graças à sinceridade, acrescento: – E também me sinto péssima. Mas isso é porque você é um babaca, e é improvável que mude.

Ele solta uma risada. Eu o observo enquanto Jack me olha e talvez possa ganhar se jogar direito.

– Se nós... Precisamos de regras – diz ele então, e me ocorre que já ganhei.

– Eu não...

– *Eu* preciso de regras – frisa Jack com firmeza, em um tom que não deixa espaço para objeções. Ele está olhando para a curva dos meus seios acima do sutiã, mapeando a borda do algodão preto simples. – Você me promete que...

– Vou te parar se eu precisar. Dizer a verdade. Ser sincera.

Quase reviro os olhos. Ele tem razão, mas estou impaciente. Pegando fogo. Formigando com uma sensação de quase vitória. De possibilidades.

Ele engole em seco.

– Vamos com calma. – Ele está começando a soar como se tivesse acabado de terminar uma corrida. Penso em fazer uma piada envolvendo crossfit, mas minha mente está ocupada. – Não vamos transar. E as roupas ficam.

Olho para o meu vestido.

– É pra eu me vestir de novo?

– Meu Deus. – Ele lambe os lábios e se aproxima. Ergue a mão, que paira em algum lugar ao redor da minha cintura, mas não me toca. – As *minhas* roupas ficam.

Não vão ficar. Não tem como em termos de logística. Mas ele parece obcecado por estar no controle, então eu digo:

– Como quiser.

Levo as mãos às costas para abrir meu sutiã. Ele me impede e se aproxima ainda mais.

– Não tira, não.

Assinto e me curvo para tirar as meias.

– Deixa as meias também. – Seu maxilar trava. – Por favor.

Ah.

– Está bem. – Dou um pigarro. Meu coração está disparado e o rosto dele está vermelho, e nenhum de nós está fazendo nada. Fomos capturados. Estamos presos no meio-termo. – A gente pode... sei lá. A gente pode se beijar agora? Ou ainda é "cedo demais"...

Jack não é desajeitado, nunca, mas seu abraço de alguma forma é. Apressado demais, ávido, impaciente, um impulso muito forte quando ele me pressiona contra a janela. O vidro frio incomoda minha pele, um contraste inebriante com o peso inflexível do peito dele contra o meu.

– Por que...?

A boca de Jack cobre a minha, e me sinto desnorteada, depois tonta, em seguida confusa. Na minha experiência, beijos são breves, algo para fazer antes de passar a outras partes do corpo, ao que interessa. Mas Jack não termina o beijo nunca: sua língua pressiona a minha, acaricia lentamente, me instiga a abrir mais a boca. Ele me beija como se já estivesse dentro de mim. Não sei o que fazer em relação a isso, então o momento se estende infinitamente, denso e quente, até que inevitavelmente começo a me contorcer contra ele.

Há um sofá próximo. Uma cama, inúmeras cadeiras, um colchão de ar sobre o qual já ouvi algumas histórias. Estamos aqui, no entanto, meus quadris pressionados ao parapeito da janela até o momento em que Jack me senta nele. Ele ainda é mais alto, maior, mais forte, mas cede alguns centímetros de vantagem e eu me arqueio na direção dele, me contorcendo para chegar mais perto.

– Peraí. Espera, deixa eu...

Os dedos dele se fecham em meus pulsos e passam meus braços ao redor de seus ombros. Uma mão desliza entre minhas coxas e levanta uma delas para abrir espaço para seus quadris, e então estamos encaixados, enfim perto o suficiente.

Dou um gemido, e Jack grunhe e interrompe o beijo.

– Está tudo bem? – pergunta ele, ofegante. Algo duro pressiona minha barriga por baixo da calça jeans dele. – Tudo bem por você? Você...

– Sim.

– Graças a Deus. – Ele afasta meu cabelo e encosta o nariz no meu pescoço. Respira fundo. – Seu cheiro é tão bom. Sou maluco por ele desde o verão passado, mas está ainda melhor e...

– Cama. A gente deveria ir pra cama.

– A gente não vai pra cama. – Ele mordisca a minha bochecha, então lambe onde mordeu, e nós dois gememos com a sensação. – Eu não vou comer você. A gente só vai... se pegar. Brincar um pouco. Isso não é... – Ele enfia o dedo no bojo macio do meu sutiã e o abaixa. Pressiona a testa contra a minha e olha para baixo, para o meu mamilo intumescido. – Porra – murmura ele.

– Eu posso tirar...

– Não. – Ele geme baixinho e corre o polegar pelo meu mamilo. Belisca apenas um pouco forte demais, me fazendo ofegar. – Não vou te comer, mas porra, eu queria. – Ele esfrega a palma da mão inteira no meu peito, e meu gemido é humilhante.

Isso vai ser bom. Muito, muito bom. Já é muito melhor do que... do que qualquer outra coisa. Faz com que eu emita ruídos constrangedores.

– O que eu faço? – pergunta ele, encaixando os dedos na curva da minha cintura.

Eu o encaro, os olhos brilhantes, já um pouco atordoada.

– O quê?

– Do que você gosta?

Ele está olhando para o meu corpo como se eu fosse uma aberração vinda do espaço, algo pertencente a uma deusa, a ser investigada de maneiras maliciosas, metódicas e obscenas. Sua mão traça minha barriga. Desliza até o ponto onde minha meia-calça dá lugar à pele macia. Roça com reverência o sensor logo acima da minha calcinha, como se essa coisinha da qual minha vida depende fosse tão parte de mim quanto meu umbigo. J.J. me pedia para tirá-lo, dizia que achava desconcertante. Fazia piada, me chamando de mulher biônica. E aqui está Jack. Lambendo os lábios e perguntando:

– Por onde eu começo?

Não faço ideia.

– Hmm...

Ele me beija de novo, desta vez lenta e carinhosamente, diferente daquele desespero inicial. Jack descobre meu outro seio e seus dedos estão de volta, brincando com meu mamilo como se fosse um instrumento. Um calor líquido desce pelo meu ventre.

– Tentativa e erro, então.

– O que você faz com outras garotas?

– Outras garotas?

– Garotas normais.

Ele ri contra o meu colo e então dá um leve chupão.

– Elsie.

– Eu só quero saber. Se eu... se eu não fosse *eu*, o que você faria?

– Não – diz ele contra o meu ombro.

– Eu só... Você pediu sinceridade. – Ele está lambendo a curva interna dos meus seios como se fossem frutas deliciosas e doces. Corro os dedos por seu cabelo, me arqueio contra ele e imploro: – Por favor.

Ele murmura contra o meu mamilo. Espero que Jack o coloque na boca, tensa como uma corda de violino, e quando ele não faz isso, quando se afasta para me olhar, quase dou um gemido de frustração.

Eu dou um gemido. Uma reclamação suave e sofrida.

– Se você fosse qualquer outra mulher... – Suas palmas acariciam meus joelhos, abrindo minhas pernas. – Se você fosse qualquer outra pessoa, eu te levaria pra cama. E eu te comeria em qualquer lugar que você permitisse. – Seus dedos são como eletricidade, subindo pela parte interna das minhas coxas, acendendo as terminações nervosas. – Eu chuparia você, talvez enquanto você estivesse me chupando. E, como tenho a impressão de que vou passar décadas sonhando com os seus peitos, eu pediria permissão pra gozar neles. Fazer uma pintura. – Ele alcança o elástico da minha calcinha. Respiro fundo. – Eu te daria um banho e comida antes de te levar para casa se você quisesse. – Seu polegar empurra o tecido úmido para o lado. Desliza por baixo dele. – Mas você não seria você. E eu não pensaria muito em você depois disso.

Ele encosta no meu clitóris e eu solto um gemido. A sensação é tão boa que faz meus joelhos dobrarem, a onda de prazer sobe pela minha coluna.

– Estamos indo rápido demais – diz Jack com a voz rouca enquanto traça círculos lentamente.

Minha vulva lateja no ritmo do meu coração, e minhas unhas se cravam com força no parapeito da janela. Fico feliz por estar usando uma calcinha preta, que não revela o quanto estou molhada. Por as luzes estarem baixas.

Feliz por poder fechar os olhos, fingir que ele não está me encarando, vendo cada detalhe que me compõe.

– Elsie, acho que você deveria me pedir para parar.

– *Não*. Pode fazer o que for, mas, por favor, não para.

Ele ri, sem fôlego.

– Mais rápido? Mais devagar? O que você quer?

Eu quero tudo e mesmo assim jamais será suficiente. Estou vazia, desejando e contraindo ao redor de nada e…

– Elsie, o que você…

– Eu *não sei* – choramingo, pegando fogo, fora de controle. – Eu não sei, mas por favor… você pode…

– Shh. Tudo bem. – Ele pressiona o polegar com mais força e minha cabeça se recosta contra a janela. – Nem eu sei o que quero de você e tive muito mais tempo pra pensar a respeito. – Ele está perto, lambendo meu pescoço e meus mamilos, roçando os dentes no meu pescoço. Isso torna tudo pior e muito, muito melhor. – Também não sei o que estou fazendo. Não com você. Isso é novo.

Minha cabeça é uma confusão absoluta de prazer e pânico. Isso é... *Ai, meu Deus.*

– Muito generoso da sua parte – consigo dizer.

Meus quadris se movem ao encontro dele, buscando mais contato. Jack vê minha tensão e não faz nada. Eu o odeio. Eu o *odeio*, eu o odeio, eu…

– É *realmente* muito generoso imaginar a namorada do irmão toda vez que você goza.

Outro gemido. Meu.

– Eu nunca fui dele.

– Eu não sabia. Foram meses sem saber disso.

Quero perguntar em que ele pensava. Quando começou. Digo apenas:

– Eu tinha certeza de que você me odiava.

Ele ri, um pouco melancólico, e se inclina para beijar minha têmpora.

– Eu te odiei em alguns momentos. Por me fazer odiar meu irmão, só porque era *ele* quem comia você. – A mão dele se move e algo muda: mais pontos de contato, Jack afastando meus lábios, a base de sua mão pressionando contra meu clitóris. É ainda melhor. Muito melhor. – Quer que eu coloque um dedo dentro?

Um rubor se espalha pelo meu peito. Sinto meu corpo inteiro queimar, um misto de vergonha, calor e prazer.

– Eu não... Eu normalmente...

Eu o sinto assentir contra o meu rosto.

– Não, então.

– Mas...

No passado, nunca liguei muito para sexo com penetração. Mas também não ligava para beijar e tocar, e, sentada aqui, tremendo com a mão de Jack entre minhas pernas, não posso deixar de pensar que talvez possa ser diferente.

– Tentativa e erro – digo, o que o faz rir, um som profundo em seu peito.

– Tem certeza?

Faço que sim. E então sinto seu dedo médio roçando minha entrada, me tocando suavemente enquanto seu polegar acaricia meu clitóris, e acho que vai ser complicado, acho que meu corpo vai ter que se habituar, mas estou errada. Ele mergulha em mim como uma pedra na água, gentil, mas sem hesitação, e é apertado, mas a fricção é gostosa. Ele se afasta para me encarar, e ficamos assim, ambos um pouco surpresos, ambos sem ousar respirar. Até que ele beija minha boca e move o dedo dentro de mim.

Minhas costas se arqueiam e me contraio ao redor dele. Nós dois trememos.

– Caralho – diz ele, suspirando. – Aqui, né?

Ele faz de novo, atingindo um ponto que é de alguma forma indecentemente perfeito. Meu corpo inteiro é tomado por calor, vibrando com a intensidade desse toque.

– Ai, *meu Deus*, Jack, você...

Ele repete o gesto mais algumas vezes, e eu perco a capacidade de falar. Seus beijos se aprofundam, tornam-se mais agressivos, mas estou perdida demais em meio ao prazer que me sobe à cabeça, descoordenada demais para corresponder aos beijos de forma significativa. Jack percebe, eu acho, porque solta um gemido gutural, e sua outra mão desliza pelas minhas costas e me puxa contra seu peito, uma criatura mole que ele pegou do chão, se contorcendo sob ele, derretendo entre seus dedos, totalmente indefesa.

– Imaginei muitas vezes ficar assim com você. Mas, Elsie, isso é irreal. Você é *irreal*. – Seus lábios traçam minha bochecha. – Quando eu estiver dentro de você, vou perder a porra da cabeça. – Ele ofega contra a minha orelha, como se fosse algo indecente demais para dizer em voz alta, mesmo que estejamos sozinhos em uma sala escura.

– Você *está* dentro de mim…

– Você sabe do que eu estou falando… – Ele morde o lóbulo da minha orelha. Sua mão acaricia minhas costas de cima a baixo, um toque calmante que é o oposto dos movimentos no ponto melado entre minhas pernas. – Dois?

Engulo em seco. Minhas coxas estão começando a tremer, e um pensamento assustador me ocorre: talvez eu *goze* com isso. Pode ser que eu realmente tenha um orgasmo. Posso perder completamente o controle e um pouco da minha dignidade na frente de outra pessoa. Na frente *dessa* outra pessoa.

– Elsie? Um dedo só? Ou você quer mais?

Não sei. Não. Sim. Balanço a cabeça e agarro cegamente seu braço, cravando as unhas nele. Seu bíceps parece um carvalho, os músculos são firmes, e me sinto menos perdida. Ancorada.

Eu quero mais disso tudo. De Jack. Mas já estou quase explodindo.

– Suas mãos são muito grandes – digo, em vez *eu gosto das suas mãos. Eu amo as suas mãos. Eu observo as suas mãos.*

– Está bem. – Ele lambe meus lábios. Estamos desenhando juntos um mapa de um lugar que nenhum de nós visitou. – Está bem, vamos manter só um.

– Eu acho… – Seguro o rosto dele. Faço questão de olhá-lo nos olhos. – Eu acho que a gente deveria ir pra cama. Transar. Transar de verdade.

Ele ri, tenso.

– Eu acho que você deveria me deixar ficar de joelhos e te chupar até amanhã de manhã.

Meu Deus. *Meu Deus.* Balanço a cabeça, tonta, quente, deslumbrada.

– Vamos só transar. Você… Não tem como você estar gostando disso – digo a ele em meio a um gemido. Eu claramente estou. Adorando tudo isso.

– Tem certeza? – Ele me inclina um pouco, e não há como confundir o volume quente de seu pau contra meu quadril.

– Ah.

– Pois é.

– Eu não… Nem estou fazendo nada. Se a gente fosse pra cama, eu poderia…

– Você faz uns sonzinhos. Mexe o quadril quando eu faço... Aham, sim. Isso. E esses pequenos espasmos ao redor do meu dedo, que me fazem pensar em você apertando meu pau. Considerando como você é apertada, não vai acontecer tão cedo, mas... – Ele fecha os olhos e respira fundo. – Desculpa.

Seu ritmo em meu clitóris está aumentando, e estou me perdendo rapidamente, a respiração superficial e a visão embaçada.

– Pelo quê?

– Estou só tentando me controlar.

– Você não precisa se controlar. Pode me levar pro quarto e...

Meu canal se contrai em torno do dedo dele e nós dois gememos.

– Tem certeza que não quer dois dedos, Elsie?

Eu me recosto na janela. O vidro está molhado com meu suor e não está mais frio.

– Vamos tentar.

Dessa vez, ele fica olhando. Observa o dedo indicador desaparecendo dentro de mim ao lado do dedo médio, a outra mão fazendo um carinho calmante na minha cintura. Eu contraio e ofego e me contorço, mas ele não desiste, continua entrando lentamente, e, depois de alguma resistência, meu corpo cede, se arqueando involuntariamente para abrir espaço, deixando escapar um pequeno ruído final de gratidão e descrença.

– Meu Deus – diz Jack. – *Caralho.*

Estou me acostumando. Com essa sensação de estar preenchida por algo quente e maravilhoso. Eu me mexo de forma experimental. Me contraio ao redor do dedo dele até que nós dois façamos sons animalescos.

– Bom?

Eu faço que sim. Minha visão está embaçada.

– Bom.

Ele me dá beijinhos suaves, quase castos. São apenas detalhes, pontuando nossas ações mais ardentes e molhadas.

– Então talvez você goste de ser preenchida – diz ele, a voz rouca.

Assinto. Talvez, sim.

– Te dou qualquer coisa... o que você quiser se me deixar te chupar agora.

Eu me recosto, desfruto a sensação de estar preenchida e tento tomar uma decisão, embora meu cérebro pareça estar derretendo.

– Eu nunca fiz isso – sussurro, e imagino que Jack considere a situação inaceitável, porque cai de joelhos na minha frente e inspira profundamente contra minha barriga.

São necessárias exatamente duas lambidas para que eu vá diretamente ao espaço sideral. Uma ao redor da minha entrada, que seus dedos estão deixando bem aberta, e sinto como se fosse morrer de vergonha, de calor, da pressão líquida que cresce a cada um de seus gemidos guturais. Então ele sobe para o meu clitóris, e eu sei, eu *sei*, que nunca senti nada parecido na vida, que as coisas boas vêm com moderação, que eu deveria tentar fazer durar, mas tudo acaba antes de começar. Meu corpo se contrai e se rompe e explode em uma bolha de puro prazer físico que parece intenso demais para suportar. Meus dedos puxam o cabelo de Jack com muita força, se cravam em seu couro cabeludo, e ele continua me chupando, mesmo depois do clímax. Seus dedos ainda estão em mim, bem fundo, como se para me dar algo contra o que me contrair enquanto aproveito as últimas ondas do orgasmo, e é perfeito, isso é perfeito. É explosivo, estrondoso, nuclear. Em algum lugar do universo, antimatéria está sendo produzida, e é tudo por causa disso aqui.

Por causa de nós dois.

– Acho que estou morrendo – digo no segundo em que consigo respirar, falando muito sério. Meus calcanhares estão apertados nas costas dele, e ruídos úmidos ecoam de onde ele ainda está me lambendo.

– Acho que quero fazer isso todos os dias – responde Jack, beijando minha entrada como se fosse minha boca. – Todos os dias pelo resto da minha vida.

Mal presto atenção em suas palavras, a incandescência de prazer embaralhando minha mente enquanto ele tira os dedos de dentro de mim e se levanta, dando um beijo suave em meu queixo. Ele murmura elogios tranquilizantes e acaricia meu cabelo, como se soubesse como me sinto desorientada. Acho que é isso que é aconchego. É tão bom quanto o orgasmo.

Então algo me ocorre: eu gozei. Ele, não. Penso naquele momento tenso de desespero logo antes, o medo de ficar presa à beira do prazer, e me pergunto se é onde Jack está agora. Se é assim que ele se sente, tenso demais, prestes a explodir.

– Eu quero transar – digo pela milionésima vez, e é verdade.

Eu quero. Quero ver Jack gozar, por uma série de razões que pouco têm a ver com ele. Estou sendo absolutamente, puramente egoísta.

– É contra as regras desta noite – murmura ele em meu ombro.

– Então você vai simplesmente parar?

Mexo a coxa, e ainda está lá. Seu pau duro.

– Estou bem com...

– Sinceridade – interrompo. Nós dois estamos começando a manejar a palavra como uma arma. – O que você quer agora? Esquece as suas "regras".

Reviro os olhos ao pronunciar a última palavra, o que parece diverti-lo. Sinto um calor na barriga, uma reação física a sua covinha.

– Eu não preciso...

– Sinceridade.

– Está bem. – Ele solta o ar e olha para o meu corpo. Avalia as possibilidades. – Eu quero gozar na sua barriga.

– Ah. – Eu esperava... Não sei o que eu esperava. Mas não era isso. – É um... fetiche que você tem?

Ele balança a cabeça.

– Não, geralmente não. Mas... – Ele olha além dos meus olhos, estranhamente tímido.

– Sinceridade? – peço mais uma vez.

– Nunca me considerei um cara possessivo. Mas... você passou muito tempo com outra pessoa. Isso mexeu um pouco com meu cérebro reptiliano.

Meneio a cabeça, concordando, pensando no ciúme que eu mesma senti.

– Acho que você deveria, então.

Ele engole em seco.

– É?

– Aham. – Sorrio para ele. – Mas lembre-se de não tirar as roupas. Tem as regras e tudo mais.

Ele me lança um olhar obsceno. Por um momento, me divirto com a sensação de provocá-lo, então ouço o cinto dele se abrir e tilintar, o barulho do zíper, a roupa farfalhando conforme ele coloca o pau para fora, e o sorriso morre em meus lábios.

Agora sou eu quem fica olhando. Ele não presta atenção na minha reação. Apenas segura o pau, movendo a mão para cima e para baixo. Ele está duro e é grande e grosso de uma forma que eu não achava possível. Olho para a maneira como ele está se tocando, depois para o sofá, depois para ele novamente, e pergunto:

– O tamanho não... atrapalha?

É uma pergunta constrangedora, e eu quero entrar em uma air fryer e me fritar diretamente para outro plano de existência no segundo em que ela sai da minha boca, mas Jack nem me escuta. Seus olhos se movem rapidamente por todo o meu corpo, como se eu não estivesse quase nua na frente dele há mais de dez minutos.

– Você realmente é a coisa mais linda que eu já vi – murmura ele.

– Você disse que não se importa com isso. Que não costuma notar. Que existem muitas mulheres bonitas no mundo.

– Não sei. – Ele costuma ser tão confiante, mas neste momento parece tão desorientado quanto eu. – Você, eu noto. – Ele dá beijos molhados no meu queixo. – Acha que consegue gozar de novo?

Impossível dizer. Eu nunca gozei com alguém antes, e uma melhoria de duzentos por cento parece ousada, mas quem sabe? Só que prefiro estar com a cabeça no lugar para isso aqui. Para observá-lo. Saber como Jack fica quando não está totalmente no controle.

– Acho que não quero.

Ele assente, e o que acontece a seguir não é pensando no melhor para mim. Ele se posiciona entre as minhas coxas e inclina o pau para que a parte de baixo entre em contato com o meu clitóris. Nós dois ficamos ofegantes, mas é o que *ele* quer. Assim como a maneira como Jack encaixa a cabeça do pau na minha entrada, e o longo momento em que a deixa ali, grunhindo, uma reviravolta no multiverso, onde existem dois futuros: um em que ele me penetra e me come, outro em que ele segue suas regras inflexíveis.

Infelizmente, Jack Smith-Turner é um homem persistente.

Eu penso que poderia estar fazendo isso por ele. Poderia ser mais do que apenas um corpo quente e braços esguios em volta de seu pescoço.

– Quer que eu...?

– Hoje, não. – Seus movimentos estão acelerando, os nós dos dedos roçando ritmadamente minha fenda. – Eu só quero olhar pra você. Saber que você está aqui. – Depois de apenas alguns segundos vejo a tensão em seus braços, os tremores silenciosos em seus dedos, como ele já está perto. – Caralho, Elsie. – Sua voz é urgente. Um pouco desesperada. Sua testa encosta na minha. – Nesses últimos meses, teve dias em que eu só conseguia pensar em você. Mesmo que eu realmente não quisesse. – Em seguida, ouço um "caralho" sufocado que parece uma lufada de ar contra meus lábios, e eu sei que ele chegou lá.

Acho que Jack vai terminar com um grunhido, me sujar inteira, talvez admirar sua obra, mas não é isso que acontece. Em vez disso, ele se afasta para que seus olhos possam focar nos meus até o último segundo, vidrados e praticamente negros. Sua mão livre me busca cega e freneticamente. Ele agarra a minha mão quando a encontra, entrelaçando nossos dedos em um aperto firme, e é aí que eu sei. Quando percebo lá no fundo que para Jack não se trata de uma pegação ou de uma trepada. Nem mesmo de uma gozada, ou de qualquer outra coisa que eu, idiota, possa ter suspeitado.

Se trata de nós dois. Da possibilidade de algo que vai muito além de nós dois.

– Elsie – murmura Jack ao gozar.

Ele parece recuar para dentro de si mesmo, mergulhar fundo em sua mente para lidar com o prazer chocante disso tudo e evitar perder a cabeça, e tudo que preciso fazer é abraçá-lo com força para lembrá-lo de que sim. Eu estou aqui. Com ele.

Eu estou aqui.

É absolutamente aterrorizante o que isso pode ser. O que eu quero que seja. Me faz chorar, e então soluçar, e então me faz agarrar Jack como se minha vida dependesse disso, o sêmen grudando em sua camisa e na minha barriga, acumulando-se em meu umbigo. Para crédito dele, Jack não me pergunta qual é o problema. Ele não pede explicações. Apenas me abraça apertado, com os dois braços, mesmo quando minhas lágrimas se transformam em risadas, como se eu fosse uma louca e instável que não sabe o que ser ou o que sentir.

Peraí. É exatamente isso que eu sou.

Eu rio. Então rio um pouco mais. Então não consigo parar. O filme acabou, "15 Step" do Radiohead toca desconcertantemente durante os créditos em preto e branco, e eu volto a rir.

– Você está estragando o momento. – Sinto o sorriso dele contra o meu pescoço, sem fôlego como se ele tivesse acabado de concluir uma maratona.

– Me desculpa *mesmo*. Eu só…

– O quê?

– Só estou me perguntando se você ainda acha que é "cedo demais".

Ele dá um tapa na minha bunda. Eu solto um gritinho e continuo rindo.

– Sim. – Ele se afasta e inclina minha cabeça para que eu o olhe. – É *muito* cedo. Mas a única pessoa que pode fazer a gente ir devagar é você, então...

– Então o quê?

Ele coloca uma mecha de cabelo suado atrás da minha orelha. Seus olhos estão preocupados, calorosos e vazios de tudo que não seja nós dois.

– Seja boazinha comigo, Elsie. É só o que eu peço.

20

CORPOS EM QUEDA

De: sandrashuberton@gmail.com
Re: Artigo de termodinâmica

Doutora Hannaway, já se passaram 23 horas, você já corrigiu meu artigo?

Sábado é uma névoa.

Ando pelo meu quarto com cautela, muitos olhares distantes e mãos parando no meio do caminho, como se não conseguisse lembrar para que abri o armário, ou como apertar o tubo e obter a quantidade certa de pasta de dente.

É a primeira vez. Sinto que houve uma mudança de paradigma dentro de mim, mas não sei como explicar. Jack e eu fizemos várias coisas que adolescentes de hoje em dia mal considerariam um grande amasso, mas e daí? Tento reformular cognitivamente a noite passada como dois adultos se divertindo casualmente, mas minha cabeça está cheia de pensamentos agressivos, intrusivos e constrangedores que dificultam focar na correção de provas. Como se já não fosse difícil focar nisso normalmente.

– Que horas você voltou ontem? – pergunta Ceci quando eu apareço na cozinha.

Como sempre, ela está envolvida em uma série de atividades: ensinar Ouriça a cruzar uma pista de obstáculos, ouvir um audiolivro sobre as mulheres dos Plantagenetas, preparar um mingau de aveia.

Tento me lembrar de que horas marcava o relógio do carro de Jack quando ele me deixou aqui. Os números vermelhos piscando no escuro, como se dissessem: *É melhor você ir*. E Jack se inclinando sobre o apoio de braço para me dar um beijo, depois me puxando para seu colo. Sussurrando: *Ainda não*.

– Uma hora, mais ou menos.

– Um recorde.

– A gente viu um filme – informo, para evitar dizer *Acho que tive a noite mais emocionante da minha vida adulta, e nem envolveu queijo*.

– Que filme?

– Humm... Um filme de vampiro.

– Ah, meu Deus. *Nosferatu*?

– ... Aham.

– Sortuda. – Ela suspira. – Vocês se pegaram antes ou depois que o conde Orlok acordou?

– A gente não... – Ela aponta para o meu pescoço, e eu me viro para ver meu reflexo no micro-ondas. Merda. – Durante.

Ela assente com ar malicioso.

– Esse filme dá tesão, né?

Lembro meus irmãos de que, se eles forem presos por matarem um ao outro, seu futuro incluirá bem pouco de Dana e muita bebida alcoólica fermentada na cadeia. Em resposta, sou chamada de escrota (Lucas), ordenada a cuidar da merda da minha vida (Lance) e ouço um deliberado *Humpf* (mãe).

– Eles *concordaram* em não atropelar um ao outro caso se encontrem na feira orgânica, pelo menos.

– Fico feliz em ver que você está fazendo sua parte pela família, Elsie – diz ela.

Acho que estou perdoada. Porque fui obediente. Deveria haver algum alívio nisso, mas enquanto mamãe fala sem parar sobre uma frase motivacional em Comic Sans que minha tia postou no Facebook e que pode ou não ser uma indireta, me imagino praticando a sinceridade. *Mãe, para. Isso não é legal*.

Não faço isso, no entanto.

Muitas vezes me encontro com o Dr. L. aos sábados, e estou morrendo de vontade de discutir a proposta de George, mas ele não está na cidade. Em vez disso, almoço com Ceci (uma tigela de quinoa – tiro uma foto e mando para Greg, que responde com sete emojis com a mão na testa) e depois passo a tarde na feira de ciências, trabalhando sozinha no estande do Clube de Física da Universidade de Massachusetts, porque nenhum dos alunos que deveria ajudar apareceu. Quase congelo de frio, me pergunto se deveria me preocupar com o grupo de jovens que me implora para ensiná-los a construir uma catapulta, então imagino como será passar por isso tudo de novo no ano que vem.

Então imagino viver a vida como *eu* quero.

Quando recebo uma mensagem de Jack, meu cérebro para de funcionar.

> JACK: Greg convidou a gente pra jantar. Quer ir? Podemos ficar em casa se você preferir.

Ele fala como se suas noites de sábado fossem minhas, embora essa situação entre nós tenha acabado de começar, e meu coração salta muitas batidas.

> ELSIE: Eu tô na Universidade de Massachusetts fazendo coisas indescritíveis, vou ficar aqui até tarde. Mas posso encontrar vocês quando terminar.

> JACK: Perfeito.

Penso muito na palavra *sinceridade* antes de acrescentar:

> ELSIE: Queria passar a noite com você depois.

A resposta demora muito para vir, e me pego imaginando respostas. *Rápido demais. Vamos voltar aos eixos. Vamos com calma.*

Mas algo mudou. Talvez no parapeito da janela. Talvez quando ele mordiscou meu queixo depois de abotoar o meu casaco. Talvez no estacionamento, no momento em que ele pegou minha mão e me puxou de volta para o carro, dizendo que eu não podia ir embora sem antes contar a ele o final do filme. *Eles vão para a faculdade? Edward em algum momento vai a um dermatologista? Quem ganha a cebola de ouro?*

A resposta dele demora muito para chegar, mas não fico surpresa quando chega.

JACK: Ótimo.

No momento em que Greg abre a porta, já estou em um estado de pânico absoluto.

– Achei que seria falta de educação chegar de mãos vazias – falo às pressas –, então trouxe isto. Porque era barato, mas não o mais barato. – Entrego a ele a garrafa de vinho tinto como se fosse uma batata quente. – Só notei o nome depois de entrar no ônibus, e...

Greg olha para o rótulo, que proclama "Ménage à Trois" em uma fonte sexy e sedutora. Ele solta uma risada.

– Eu juro, isso *não é* uma proposta.

– Entendi. – Ele me abraça, de um jeito ao mesmo tempo novo e reconfortantemente familiar. – Vou colocar o convite pra orgia na geladeira e terminar de cozinhar. Fique à vontade.

Eu me forço a sair do meu poço de ansiedade, tiro o casaco, então começo a acompanhá-lo até a cozinha, quando...

Jack.

Sem nenhuma razão aparente, meu coração acelera e não consigo respirar. Talvez haja algo errado com minha saúde cardiopulmonar – será que todo o meu corpo está se fundindo ao pâncreas e pedindo arrego? Será que nada dentro de mim *funciona* mais? Mas na verdade não importa. Eu não me importo. *Jack* não se importa. Ele para a apenas alguns metros da entrada, braços cruzados, olhos castanhos cheios de calor e alegria enquanto murmura:

– Parece que você e o tio Paul têm algo em comum, no fim das contas.

– Eu... Ele... Foi só um mal-entendido.

Os lábios dele se curvam.

– Quando você disse que queria passar a noite comigo, não imaginei que quisesse dizer *aqui*.

Resmungo baixinho, cobrindo os olhos com a mão. E, quando sinto o calor de Jack, sei que ele se aproximou e me deixo afundar nele.

– Ei – diz ele, os lábios contra minha têmpora, e de repente tudo parece um pouco mais certo no mundo.

Quero beijá-lo, desesperadamente, tão desesperadamente quanto não quero que o irmão dele esbarre com a gente se beijando em sua sala de estar. Então me afasto e abro a boca para dizer a primeira coisa em que consigo pensar.

E a fecho imediatamente.

Será que estou ficando louca? Meu cérebro está vazando pelos meus ouvidos? Eu não posso dizer *isso*. Eu não sou maluca de...

– Sinceridade – repreende Jack suavemente.

Merda.

– Eu... – Engulo em seco. Tomo coragem. Respiro fundo. – Eu senti sua falta. – Esfrego a testa. – Meu Deus, eu sou muito esquisita.

Ele assente devagar, como se refletisse a respeito. Em seguida, diz:

– Eu fui pra universidade hoje, trabalhar um pouco. Em vez disso, fiquei me perguntando se seria muita loucura eu te chamar pra morar comigo.

Solto uma risada surpresa.

– Você também é esquisito.

– Aham.

– Você já...?

– Não. Primeira vez.

– Qual é o nosso problema?

Os olhos dele fitam os meus, inflexíveis.

– Acho que nós dois sabemos.

Rio de novo.

– Qual é?

– Fala sério, Elsie. Você sabe aonde isso vai dar.

Dou um passo para trás, quase esbarrando em uma cristaleira lotada. Sinto um pânico borbulhar enquanto absorvo a conversa. Acho que sei a que ele está se referindo, mas... Não é possível. Pode *parecer* que sim, mas é muito rápido.

– Não – digo.

Então me viro, com a boca seca, porque ele está me olhando daquele jeito de novo, o jeito que reserva para quando nós dois sabemos que estou mentindo. Fico com medo de que ele volte a ser o cara impiedoso de sempre, mas Jack apenas balança a cabeça, coloca uma mecha de cabelo atrás da minha orelha e diz:

– Você vai chegar lá. – Ele prolonga o toque por um momento, depois baixa a mão, bem quando Greg nos chama para avisar que o jantar está pronto.

– Sou um cozinheiro muito medíocre – avisa ele, e não é mentira, mas sua comida medíocre combina perfeitamente com meu vinho medíocre, e melhor ainda com as histórias da infância medíocre dos dois.

Aparentemente, quando adolescente, Greg costumava postar todos os dias letras de músicas emo no status do Facebook. Jack teve a fase do skate *e* a fase do coque samurai (separadamente). Uma vez, eles participaram de um thriller de máfia caseiro intitulado *The Godson*, que Greg promete me mostrar em algum momento. Em troca, eu os divirto com minhas histórias mais estranhas envolvendo namorados de mentira, como o cara que me fez estudar canções de marinheiros para o nosso encontro, ou o que tinha medo de papel de parede.

– Isso é... fácil – digo a Jack quando Greg sai para atender a uma ligação do trabalho.

Ele está lavando a louça, e eu, secando.

– O quê?

– Isso... – Encaro seus dedos cheios de sabão. – Isso aqui. Nós três. Eu achei que seria estranho, mas...

Não é.

– E por que você acha que é fácil? – pergunta ele, com o tom de quem já tem a resposta.

Eu não tenho, no entanto. Não sei o que dizer, mesmo depois que Greg desenterra *The Godson* para sua primeira exibição em vinte anos. Depois de nos despedirmos com um abraço, eu cochilo no carro. E, quando chegamos em casa, penduro o casaco no *meu* gancho.

Será que é muito ruim eu ter começado a pensar nesses termos? Se estar em algum lugar três vezes fosse um sinal de propriedade, Ceci e eu seríamos as baronesas do corredor de queijos do supermercado. Mas meu casaco sempre fica no mesmo lugar – entre um casaco preto leve e o cordão com o crachá de Jack do Instituto de Física do MIT. A crescente familiaridade me dá espaço para utilizar pronomes possessivos.

– Quer um chocolate quente? – pergunta Jack.

Ele avança pelo apartamento adentro, acendendo apenas uma luz. Seu rosto está cheio de sombras, e estou um pouco perdida nelas.

– Não.

– Alguma outra coisa?

Balanço a cabeça e reprimo um bocejo. Já passa das duas da manhã e tudo que eu quero é um travesseiro, mas acho que estamos prestes a transar. É isso que significa *passar a noite*, certo? Eu deveria pesquisar na internet.

– Vamos subir, então.

No quarto, ele me entrega um moletom extra grande e me leva até o banheiro. Visto o casaco porque estou cansada demais para me perguntar o motivo, porque é confortável e porque talvez seja algum fetiche dele. Jack gostou da lingerie. Roupas esportivas podem ser o próximo passo. Ou dildos com tentáculos.

Uso o enxaguante bucal, lavo o rosto e em seguida volto para o quarto, o cabelo preso em um coque bagunçado, o algodão pesado batendo quase nos meus joelhos. Passo por Jack e seu olhar curioso e me jogo no *meu* lado da cama – mais pronomes possessivos injustificados –, então me posiciono para um microcochilo de vinte segundos. Ou talvez esteja mais para uns dez minutos, porque, quando acordo, Jack está bloqueando a luz que entra pelo corredor. Ele tem cheiro de banho e pasta de dente. E está vestindo calças de pijama xadrez e uma camiseta do *Toy Story*.

– Fofo – digo, fechando os olhos novamente. – Já reparou que rola um clima entre o Woody e o Buzz?

– Eu sempre achei bem descarado.

– Queria só confirmar. Obrigada. A gente vai... – digo, sendo interrompida por um bocejo – ... transar, né?

O colchão afunda.

– Claro.

Sob o cobertor, mãos fortes me puxam para mais perto, pernas longas se entrelaçam nas minhas, e já fizemos isso antes. É reconfortante. Familiar.

A palavra *meu* surge novamente em minha mente sonolenta, e eu a deixo flutuar por mais tempo do que deveria.

– Está bem, ótimo. – Não consigo parar de bocejar, mas forço minhas pálpebras a se abrirem. – Eu tomo anticoncepcional. Aqueles injetáveis. Pego no posto de saúde, ou não teria como pagar.

– Esse pessoal do posto de saúde é legal.

– Aham. – Eu me aproximo. Sinto seu pau duro contra a minha barriga, mas nada nele transmite impaciência. – A gente não precisa, tipo, usar camisinha. A menos que você tenha chato.

Sua bochecha pressiona a minha.

– Acho difícil que camisinha proteja qualquer um de chato, meu bem.

Pego no sono em um travesseiro que cheira a xampu, a uma pitada de suor e à sala de Jack no MIT, pensando na logística de criaturinhas pulando de uma virilha para outra, e acordo de repente.

– Não me deixa dormir – digo, bocejando contra o pescoço dele. – A gente deveria estar transando.

– A gente está. Estamos transando loucamente. Só fecha os olhos.

Eu fecho. É mais fácil.

– Por acaso isso é alguma outra regra sua? Você curte BDSM?

– Tenho uma queda por consentimento. E gosto que minhas parceiras estejam acordadas.

Imagino legiões de parceiras bonitas, inteligentes e curvilíneas com diplomas avançados.

– O que houve com a geóloga?

– Quem?

– Você estava com ela no dia em que te conheci. Bonita. Baixinha. Cabelo escuro. Eu esqueci o nome dela...

– Madeleine. Ela agora está na Europa tirando um ano sabático. Espanha, eu acho. – Ele passa uma mecha de cabelo para atrás da minha orelha. – Ela é legal. Vocês duas se dariam bem.

Estou um pouco mais acordada.

– Você já esteve com muitas mulheres?

– Hmm. – A voz dele ronrona pela minha pele e ressoa nos meus ossos. – Eu não sei.

– Como assim você não sabe?

– Não tenho ideia de quais são os parâmetros para "muitas".

– Entre cem e 312 – respondo, e ele me dá um tapinha na bunda. Eu rio e me derreto nele. – Também não tenho certeza.

– Então jamais saberemos.

– Mas você faz muito sexo.

– Faz tempo que não faço.

– Desde quando?

– Acho que você sabe.

Ah.

– Você gosta de sexo – digo. Não é uma pergunta.

– Gosto. – Jack hesita. – Mas também passo meses sem pensar nisso se estiver ocupado trabalhando em uma bolsa ou em um experimento.

– Tipo seus atuais experimentos fracassados?

Ele ri baixinho, beijando meu cabelo.

– Eu pensei mais em sexo nos últimos seis meses do que nunca.

– Espero que você goste. – Eu me enterro ainda mais nele. – Comigo.

– Eu vou gostar.

– Você não tem como saber.

– Tenho, sim.

Ele faz carinho nas minhas costas, como se eu fosse um animal de estimação agitado precisando me acalmar. Talvez eu seja.

– Compatibilidade sexual é importante. E se nós não...

– Aí nós vamos trabalhar nisso.

– Eu não quero ser um *trabalho*. Não quero que você sinta como se eu fosse um *trabalho*.

Jack suspira.

– Acho que, em algum ponto do caminho, você confundiu as coisas. O seu cérebro decidiu que você não vale o tempo e o esforço das pessoas, e que, se pedir alguma coisa, elas não apenas vão negar, mas também te abandonar. – Ele diz isso com naturalidade, como se fosse Arquimedes de Siracusa repetindo pela décima vez suas descobertas sobre força de empuxo ascendente na acrópole. – Não é assim que o amor funciona, Elsie. Mas não se preocupa com isso por enquanto. Eu vou te mostrar.

– Mas eu...

– Vai dormir.

– O quê? Por quê? Não! – Tento me mover, mas os braços dele me prendem com mais força. – A gente devia estar transando.

– Já, já. Por enquanto, só fecha os olhos e fica em silêncio por vinte segundos.

– Por quê?

– É um fetiche meu.

– Pervertido. – Dou um bocejo. – Cadê o sexo anal e o bondage?

– Vamos chegar lá. Seus olhos estão fechados?

Faço que sim junto ao peito dele.

– Perfeito. Agora conta até vinte na sua cabeça.

Sua respiração tem um ritmo suave e constante sob minha orelha. Estou aquecida e segura e, quando chego ao treze, já apaguei.

21

MOVIMENTO HARMÔNICO COMPLEXO

MEU PRIMEIRO PENSAMENTO É: *Vou comprar cortinas para ele.*

O segundo: *Vou ficar sem queijo, insulina e possivelmente papel higiênico pelos próximos seis meses. Para juntar dinheiro. Para comprar cortinas para ele.*

De tecido. Com blecaute. Do chão ao teto.

É inaceitável dormir tão tarde e depois acordar, o quê? Às sete e meia da manhã? Oito? Nove? Só porque um cara não sabe que cortinas existem. Parece um conceito bastante simples para...

– Vou te arrumar uma máscara de dormir.

Abro os olhos e penso: *Azul.* Menos de um oitavo dos olhos dele é azul. Isso não faz sentido.

– Como você sabe o que eu estava...?

– A sua cara feia me acordou – responde ele, a voz rouca de sono.

Jack boceja e se espreguiça ao mesmo tempo, e parece um abalo sísmico, uma enorme falha tectônica com imensos blocos se deslocando sob a crosta terrestre. Porque durante a noite acabei deitada de bruços em cima dele.

– Como? – pergunto.

– Você se mexeu muito – diz ele. – Pareceu a maneira mais fácil de evitar que você chutasse as minhas canelas.

– Peraí… Que horas você…?

– Uns cinco minutos depois de você.

– Uau.

Eu *deveria* me afastar. Mas ele é uma cama muito boa, firme, volumosa e quente. Estou grogue de sono, já que não dormi nem muito tempo nem muito profundamente e não quero sair ainda.

Por um momento, foco em mim mesma, em meu corpo. A mão de Jack está na base das minhas costas, sob o moletom. Meus pés estão entrelaçados nas canelas dele. Sua boca está a vários centímetros de distância, mas também acessível, e vou até ela.

Minha intenção é um simples selinho, suspeitando que haverá certo hálito matinal de ovo podre, mas não há nada disso. Seu gosto é o mesmo, familiar, e Jack aprofunda o beijo em algo suave, lento, deliciosamente preguiçoso. O tempo não existe. Esta cama é a extensão do universo. Ainda estamos sonhando, em segurança, protegidos dentro de nossas cabeças.

Jack não age com pressa, não força o ritmo. Apenas move lentamente a língua contra a minha, acaricia devagar a minha pele. Seu batimento cardíaco acelera, mas permanece estável. Sua respiração fica superficial, e eu sei disso apenas ao sentir seu peito subir e descer contra o meu.

É uma boa maneira de acordar. Quero acordar exatamente assim de novo, de novo e de novo. Quero sentir os raios de sol ofuscantes nos banhando, e essa nova luz dentro de mim, frágil e escaldante ao mesmo tempo.

Talvez seja por isso que não há cortinas. Sob a luz, é fácil sentir-se corajoso. Todas as coisas das quais tenho medo parecem conquistáveis, e a sinceridade vem quase sem esforço.

– Jack?

Recuo, me apoiando na palma das mãos, uma de cada lado da cabeça dele. Meu cabelo está solto e nos envolve como um relicário.

– Elsie. – A mãos dele sobem para segurar meu rosto.

– Eu… – Não estou com medo. Simplesmente *não estou*. – Eu menti.

Seus lábios se curvam de maneira sonolenta.

– Qual das vezes?

Eu o encaro.

– Te odeio.

– Aham. – Seus polegares deslizam com suavidade pelas minhas bochechas. Carinhosamente. Porque é disso que se trata. – Que mentira é essa de que você está falando?

– Eu disse que não sabia. Mas eu sei.

– Sabe o quê?

Engulo em seco.

– Onde isso vai dar. Onde a gente vai dar. Nós dois.

Algo ganha corpo entre nós, denso e pesado. Eu sei. Ele sabe. Já entendemos. É quase um sinal, a permissão do universo para seguir em frente. Os olhos de Jack estão calorosos e inquisitivos, e ele diz:

– Vem cá.

Não me lembro de ter tirado o sutiã ontem à noite, mas devo ter tirado, porque, quando ele joga meu moletom no chão, minha pele muito pálida está nua sob a luz ofuscante. Não quero sequer pedir que ele desvie o olhar.

Jack me vê. E tudo bem.

– Vem cá – repete ele, e sua boca está na minha, insistente, sem se conter dessa vez. Como se ele estivesse me beijando por agora, por todas as vezes que não pôde antes e por mais tarde também. Não sei o que o deteve ontem, ou duas noites atrás, ou pelas últimas duas semanas, mas o que quer que tenha sido derrete ao sol da manhã.

Você, sugere uma voz. *Todas aquelas Elsies que não eram autênticas atrapalharam o caminho.*

Estou sem fôlego quando ele se senta para tirar a camisa, e isso… isso realmente é *novidade*. Ele está quase tão nu quanto eu, estamos *de igual para igual*, e, quando Jack tenta me puxar para perto, eu balanço a cabeça e começo a inspecioná-lo. Sento-me em seus quadris, montando-o como se ele fosse uma fera delicada e complacente, e não a coisa mais perigosa da minha vida.

– Eu… Antes da entrevista e tudo o mais, eu ficava tentando adivinhar o que eram. – Traço a dobra do cotovelo dele. – As suas tatuagens.

Ele *aceita* ficar quieto, mas *não consegue* não me tocar. Sua mão cobre minhas costelas, o polegar acariciando a lateral do meu seio.

– Como você sabia que eu tinha tatuagens?

Engulo em seco.

– Dava pra ver um pedacinho de uma delas.

– Ah. – Seu polegar se move até o meu mamilo, leve como uma pena. Eu arqueio as costas com o toque. – E o que você achava que era?

– Arame farpado. Uma letra do Bon Jovi. A cara do Elon Musk.

– Meu Deus.

Dou uma risada, mas minha respiração está pesada.

– Perdão.

As tatuagens são lindas. A equação de Dirac. A nuvem eletrônica. Decaimento beta. A sequência de Fibonacci. Modelos cinemáticos, planos astrais, a equação de Drake, a estrutura molecular do MBBA. Traços pretos de tinta desbotada entrelaçados em uma bela pintura. Toda a base da física moderna está em seu ombro largo, envolvendo seu imenso bíceps. Traço cada linha, cada curva e cada canto, e ele me deixa explorar. Vibrando de expectativa, mas deixa. Nunca fui tão egoísta antes, nunca gastei tanto tempo com algo que é só meu, e acho que Jack sabe disso. Acho que é por isso que ele deixa.

– Você lembra como foi? – pergunto. – Aprender tudo isso pela primeira vez? A equação de Schrödinger. O Modelo Padrão.

Ele assente. Engole em seco. Seu pau está duro sob a minha virilha, pacientemente impaciente.

– Saber que o universo pode ser compreendido – diz ele.

– Que é feito de padrões. Regras que podem ser aprendidas, descobertas, previstas.

– Descubra todas elas e você saberá como transformar o mundo naquilo que deseja – diz ele.

– Descubra todas elas e você saberá como se tornar o que o mundo quer – digo em troca.

Nós nos encaramos por um momento. Minhas mãos estão nele e as dele estão em mim, e estou pensando no Jack de 2, 5, 10 anos, sozinho no mundo, chamando alguém de mãe, sendo instruído a não fazer isso. O único Smith de cabelos claros. Penso em um menino determinado a moldar seu ambiente. Ele escolheu seu próprio mundo, no fim das contas, não foi? Greg. Millicent. Seus amigos. Ele esculpiu um lugar para si mesmo.

E tenho certeza de que está pensando em mim. Em todas as Elsies que criei para caber em todos os mundos que habitei, em todas as pessoas nesses mundos. Ele me despe de todas elas uma a uma, como tem feito desde o dia em que nos conhecemos.

Não somos tão diferentes, eu e você, penso, e então percebo que solto o ar com força. Estava prendendo a respiração e nem tinha percebido.

– Eu sei onde a gente vai dar – repito, sentindo a certeza disso em meus ossos, como Dirac, como a relatividade, a forte interação entre quarks e glúons, e ele toma o que eu digo exatamente pelo que é: permissão para assumir o controle, para nos girar na cama, me prender embaixo dele.

Jack tira a minha calcinha e a enfia debaixo do travesseiro, como se estivesse guardando um tesouro.

– Você poderia ser meu mundo inteirinho – sussurra ele em meu ouvido antes de descer para o meu colo. – Se permitir.

Eu afago o cabelo dele.

– Acho que vou permitir.

– Então me desculpa.

– O quê... Pelo que você está pedindo desculpa?

Jack está abrindo espaço para si mesmo entre minhas pernas, afastando-as, me tocando com firmeza, explorando, de um jeito urgente, como se estivesse em busca de respostas. Será que eu quero isso? Estou pronta? Estou molhada o suficiente? *Sim*. Sim. Não sei.

– Porque não vou deixar você ir embora nunca mais.

Dou um gemido. Sua ereção roça minha barriga, e eu estico a mão para alcançá-lo. Quero senti-lo também. Quero tocá-lo. Mas, no segundo em que minha mão se fecha em torno dele por cima da calça, Jack parece gaguejar. Sua expressão fica vazia e então ele inspira profundamente. Ele está duro. *Muito* duro.

– Para – ordena ele, abafado.

Eu obedeço. Mas digo:

– Sinceramente? Eu queria continuar.

Ele não sabe se deve acreditar em mim. Mas permite que eu nos faça deitar de lado, e quando deslizo os dedos pelo cós de sua calça, ele fica parado, imóvel, exceto pelo movimento em sua garganta.

– Você não gosta disso? – pergunto.

– Gosto – responde ele, rouco.

– Você parece...

– É novidade pra mim também.

Eu rio baixinho.

– Uma punheta?

– Ficar com alguém que eu... – Ele não conclui. Meus dedos o envolvem e seus olhos se fecham. Jack parece despencar. Para dentro de si mesmo. – Caralho.

Subo e desço a mão, mas é estranho, desajeitado, uma vez que ele ainda está de calça. Jack está distraído demais com o meu toque, e preciso empurrar o cós várias vezes antes que ele entenda que eu quero que tire de uma vez.

– Você pode me dizer? Como você gosta? – pergunto, ajustando a pegada.

Preciso das duas mãos. Sim, vai ser melhor com as duas mãos. Ainda é uma posição estranha, mas também íntima, pois estamos bem próximos. Gostoso. Sinto o cheiro dele no fundo do nariz e é bom. Muito bom.

– Está gostoso demais, Elsie.

– Não, eu... – Balanço a cabeça junto ao seu peito. – Me fala como você faz. Quando está sozinho.

– Isso está... porra, está muito bom. Só... vai devagar por enquanto. Não para. E se você... A cabeça... Sim. Sim, *bem aí.*

– O que mais?

Eu o ouço engolir em seco.

– A sua voz.

– Eu... O quê?

– Só continua falando.

– Eu não... – Uma risada me escapa. – Acho que não consigo falar putaria.

– Você pode falar sobre a fase nemática. Pode contar até dez. Não me importa, só...

– Eu... posso falar sobre a proposta da George. Sobre como tenho pensado seriamente em aceitar. Se eu aceitasse, nós trabalharíamos juntos. Eu estaria no MIT com você no ano que vem. Ganharia um salário razoável, então talvez quem sabe a gente pudesse almoçar juntos às vezes. Eu pagaria...

Ele faz um ruído profundo, gutural, e desce a mão por entre nossos corpos. Penso que ele está prestes a me afastar, mas Jack inclina a cabeça para a frente e aperta suas bolas com força, agarrando minha mão em seguida.

– Quero te comer – diz ele, o rosto enfiado no meu cabelo. – Por favor, deixa eu te comer.

Eu apenas assinto.

É lindo tê-lo em cima de mim. Jack é tão largo e pesado que eu esperava me sentir presa, desagradavelmente contida, mas nada disso acontece. Passo os braços pelo pescoço dele, levanto o queixo para beijá-lo, deixo que me pressione contra o colchão e me domine deliciosamente.

E então, quando sua barriga desliza pela minha, sinto uma pontada de pânico.

– Espera.

Ele para *instantaneamente*. Olha para mim, atento.

– Se não for bom, a gente vai trabalhar nisso. Certo?

Ele ri em meus lábios.

– Esse já é o melhor sexo que eu fiz na vida.

– Mas e se...

– Sim. – Ele abre minhas pernas, ou talvez elas se abram sozinhas. Sinto seu pau pressionando minha barriga primeiro e depois deslizando para baixo em meio a meus lábios encharcados, encaixando-se na entrada da minha vagina. – Nós vamos.

De repente, parece improvável que isso dê certo. Ele é muito maior do que J.J. e, embora eu já soubesse disso em algum nível abstrato e teórico, as implicações práticas agora são evidentemente óbvias. Há uma impossibilidade física. Ou então vai doer pra caramba. E esta é a parte de que sempre gostei menos no sexo: alguém se enfiando dentro de mim, e eu lutando para me ajustar, para acompanhar, para acomodar. Imagino que será igual, e por uma fração de segundo me pergunto se *eu* serei capaz de suportar, caso não seja bom. Com Jack.

É uma novidade, eu me preocupar com o meu próprio prazer. Estou refletindo sobre isso, vagamente atônita, quando algo muda.

Jack entra em mim.

A cabeça de seu pênis desliza para dentro, apenas um ou dois centímetros.

Meu corpo se contrai ao redor dele em um leve espasmo.

Solto um gritinho abafado e ele balbucia junto ao meu rosto alguma coisa que soa como "caralho". Arqueio o corpo na direção dele enquanto perco o fôlego, tentando chegar mais perto, buscando aquela sensação.

Isso é... bom. Muito, *muito* bom. Bom em um nível *sem precedentes.* Talvez eu esteja apenas molhada o suficiente, talvez esteja mais relaxada do que nunca, mas ele não está nem metade dentro e já estou espasmando, sentindo o formigamento de um orgasmo no fundo do ventre.

– Puta merda – diz Jack, e me ajuda a ir em busca dessa sensação.

Sua mão escorrega entre nós, o polegar pressionando meu clitóris, e eu me contraio ainda mais em torno dele, um gemido abafado saindo da minha garganta e se misturando com um gemido alto dele.

Minha cabeça fica vazia. Estou confusa. Tonta. Não acho que gozei, mas isso é bom de um jeito que não consigo nem começar a analisar. Parece certo, e meu corpo sabe, porque acolhe Jack como se eu fosse o lugar ao qual ele pertence.

Então talvez você goste de ser preenchida.

Sim. Sim. Parece que eu gosto *mesmo* de ser preenchida.

– Já botou tudo?

Ele faz que sim. Penso em rir na cara dele, dizer que só poder estar mentindo, mas Jack não está em condições de mentir. Seus olhos estão vidrados. O braço que usa de apoio está tremendo ao lado da minha cabeça, como se o esforço para se controlar estivesse em algum nível acima do humanamente possível.

– Você é... grande.

Ele assente, como se soubesse e isso não importasse. Meus mamilos estão muito duros contra seu peito largo, e o contato é delicioso. Eu poderia gozar apenas com isso, me esfregando contra ele. Solto um risinho sem fôlego.

– Sexo é assim pra pessoas normais? – pergunto, movendo os quadris, rebolando, indo para a frente e para trás, só para ver até onde isso vai. As possibilidades são tentadoras.

– Nunca foi assim pra ninguém na história – diz ele, a voz grave e trêmula, e então começa a me beijar mais intensamente, sua língua invadindo minha boca, e em alguns segundos estou mais relaxada, estou aberta, estou perdida, e são necessárias apenas duas estocadas, uma forte e outra quase acidental. Então ele entra todo, sinto seu saco batendo em mim, e parece um sonho, algo predestinado.

– Caralho – murmura ele de novo, mas eu mal escuto.

Concentro-me em meu próprio corpo, em como está completamente preenchido. Sinto Jack em meu crânio, nos dedos dos pés e em tudo entre os dois pontos. Eu vibro, me contraio suavemente em torno dele, e, mesmo que nunca tenha estado tão perto de ninguém, ainda não é o suficiente. Ele deve saber, porque me levanta do colchão e me envolve em seus braços. Estou completamente, totalmente envolvida por ele, pela tensão perfeita deste momento, e Jack começa a entrar e sair de mim, entrar e sair, em um ritmo delicioso e em uma fricção prolongada.

Não vou aguentar. É absurdamente, estupidamente gostoso. Minha cabeça pende para trás contra o travesseiro, e seus lábios encontram minha mandíbula, mordiscam meu queixo, mordem meu pescoço.

– Eu vou te comer em todos os lugares possíveis, Elsie. – Ele lambe a base do meu pescoço. – De hoje até o dia em que a gente morrer, eu vou te comer *em todos os lugares.*

Faço que sim. Deixo que ele saiba que pode fazer isso. Há uma sensação tensa e líquida crescendo no meu ventre, espasmos de prazer descendo por meus braços e pernas, subindo pela minha coluna. Estendo a mão para Jack novamente e o puxo para os beijos que quero, mas não funciona. Estamos muito à flor da pele, somos muito novos nisso, e estamos desesperados demais para aproveitar tudo. Nossos lábios se encontram, então param, nós dois distraídos.

– Você consegue gozar assim? – pergunta ele, sua respiração um fluxo quente contra a minha orelha.

Sinto-me à deriva. Nunca mais vou ouvir a voz dele e não pensar nisso. Na sensação dela sendo profundamente marcada no meu cérebro. Nos sussurros de *Sim* e *Desse jeito* e *Perfeito* e...

– Elsie. – O corpo dele treme ao meu redor. À beira de ceder. – Você consegue gozar assim?

– Não sei. Eu... Talvez?

Estou perto, acho. Prestes a explodir. É fenomenal, a maneira como ele alcança todos os lugares dentro de mim ao mesmo tempo, é mesmo uma obra-prima da biologia o fato de que algo possa funcionar de maneira tão gloriosa, e eu só preciso de mais um pouquinho, só mais um pouquinho…

– Merda. – As estocadas dele aceleram, Jack enterra o rosto no meu pescoço e acho que está quase lá. Acho que ele não esperava. Ele não quer gozar, ainda não, mas talvez isso esteja totalmente fora de seu controle.

E é exatamente o que *eu* quero. Vê-lo descontrolado.

– Você é uma delícia. Isso é uma delícia – digo a ele, e são palavras tão insignificantes, quando o que quero dizer é: *Esta é a melhor coisa que eu já senti* e *Obrigada* e *O que você quiser, sério, o que você quiser, é só pegar*.

– Caralho – repete ele, e eu posso ver em seu rosto o segundo em que se perde de vez. Jack aperta meu quadril, me segurando contra ele enquanto mete o mais fundo que pode, e então sinto seu pau espasmar em movimentos bruscos e rápidos. – *Elsie*.

Estou gemendo. Ele está ofegante. Sua pele desliza pela minha, suada, e meu corpo se aperta contra o dele. Suas costas ficam rígidas como um aço, e eu o abraço quando seus quadris se movem de maneira errática, então param, e…

O calor que se espalha dentro de mim é interrompido. Observo os olhos de Jack ficarem opacos, sinto-o morder meu ombro como se eu fosse sua âncora, como se ele quisesse lembrar que estou realmente aqui. Os grunhidos que solta vêm de algum lugar profundo, algum lugar que duvido que ele mesmo conheça, e eu o abraço até que seu orgasmo se reduza a algumas estocadas desajeitadas e involuntárias.

Ainda estou vibrando com uma tensão latente. E deveria ser frustrante – é frustrante que ele tenha gozado, e eu, não, que haja um calor me preenchendo, me fervendo de dentro para fora. Mas foi bom mesmo assim. E, depois de um tempo, ele sai de dentro de mim, sua respiração rápida e entrecortada, e me encara. Sua expressão é abalada, um pouco atônita.

– Merda – diz ele, suspirando junto ao meu pescoço, seu coração feito um tambor contra a minha pele. Não consigo parar de tremer. – Desculpa.

– Tudo bem. Eu…

Ele abre minhas pernas com as mãos, e eu me arqueio como um arco-íris quando ele desliza dois dedos para dentro de mim e me sinto maravilhosamente preenchida de novo. Jack consegue me beijar direito agora, suave, profunda e avidamente, e diz:

– Deixa eu… Eu vou…

Ele está completamente em modo "cérebro reptiliano". Estou molhada com seu gozo e com minha própria lubrificação, e ele desenha círculos rápidos e belos no meu clitóris, que imediatamente me levam ao clímax. Fecho os olhos e gozo em ondas fortes, e quando isso acontece ele mete os dedos em mim mais uma vez, algo delicioso em torno do que me contrair, algo lindo e aterrador, e, quando adormecemos assim, penso que não importa aonde isso vai dar, talvez, apenas *talvez*, acabe sendo um lugar do qual nunca mais eu queira sair.

22

MASSA CRÍTICA

QUANDO ACORDO, o sol está alto no céu, e as sombras se reduziram a pequenas manchas. É a primeira vez que fico até tão tarde na cama desde a ocasião em que tive uma gripe, no primeiro ano da faculdade, e passei 48 horas alucinando que minha pele era uma casca de ovo e que meu esqueleto finalmente havia crescido o suficiente para eclodir dela.

Hoje não há pesadelos. Apenas uma sensação de descanso profundo e o enorme corpo de Jack curvado às minhas costas, o braço trespassado por cima de mim, me prendendo a ele. Não é muito diferente da maneira como acordei exatamente duas semanas atrás. Exceto que estamos nus, nossa pele pegajosa. Desta vez ele *vai ter* que trocar os lençóis.

Algo no fundo do meu crânio se agita, dizendo que não posso perder tempo, que devo sair da cama e ser produtiva – responder a e-mails, limpar o forno, comprar um jazigo em um cemitério. Silencio essa voz e me espreguiço nos braços de Jack. Ele continua dormindo, de pau duro novamente. Eu me pergunto se é outra xixireção. Se...

– Uma o quê?

Ai, merda.

– Nada. – Eu falei em voz alta? A voz de Jack soa grave e rouca.

– Você…

– Não. Não. Eu…

Escondo o rosto no travesseiro. É por isso que não durmo até tarde: se descanso o tempo necessário, o filtro entre minha mente e minha boca para de funcionar e…

A mão de Jack desliza pela minha barriga. Ele começa a se esfregar sonolentamente contra minha bunda, e minha mente se esvazia.

– Tudo bem? – pergunta ele, ainda sonolento.

– Por favor. – Engancho o pé na panturrilha dele, que dá um beijo úmido na curva do meu ombro.

– Você bem que disse que a gente podia precisar trabalhar no sexo.

Fico tensa. Se não fosse bom, eu disse. Não foi bom? Eu achei que foi, mas… não sei de nada. Ele é o especialista aqui.

– Desculpa, eu…

– Elsie. Trabalhar porque *eu* durei muito pouco.

Ele morde o local onde me beijou e então seu pau roça em mim, toca minha entrada. Ele faz alguns ruídos suaves, meio grunhidos, perto do meu ouvido, depois desliza para dentro e mete até o fundo com um único movimento. Tenho espasmos ao redor dele, e a pressão que Jack faz contra meus músculos é apocalipticamente gostosa. O encaixe ainda é apertado, mas estou molhada de seu gozo, mole de sono, e ele desliza para dentro como um sonho.

Jack belisca meu mamilo intumescido, como se soubesse exatamente o que meu corpo deseja, mesmo quando nem eu sei. A palma de sua mão pressiona minha barriga, e me pergunto se ele pode sentir a si mesmo se movendo dentro de mim, se percebe o quanto estou preenchida. Suas estocadas são longas e lentas, ao mesmo tempo cautelosas e fortes o suficiente para mover todo o meu corpo para mais perto da cabeceira da cama.

– Está bem, está bem, eu… – Ele dá uma risada pesarosa e sem fôlego junto ao meu pescoço, e eu estico o braço. Para segurar a bunda dele, para mantê-lo perto. – Talvez você devesse ficar no controle. Antes que eu esmague você contra o colchão de novo enquanto te como.

Surpreendentemente, ainda sou capaz de corar.

– O que eu…

– Só… mexe o corpo. – Ele me beija na curva do pescoço com o ombro. – Faz o que for gostoso. Deixa eu olhar pra você… isso. *Isso.*

Esfrego a bunda contra a barriga dele, de leve, devagar, desajeitada no começo, porque a posição é estranha e porque nem sei o que estou fazendo. Mas começo a rebolar em um movimento longo e sinuoso, e algo parece certo, e…

Ofegamos em uníssono.

– Assim? – murmura ele contra o meu ouvido, inclinando meus quadris para me penetrar ainda mais. – É assim que eu te faço gozar?

Minha mente está enevoada.

– Você já me fez gozar.

Ele faz um ruído gutural.

– Eu quero sentir. Com meu pau dentro de você.

Dou um gemido e então não estou mais no comando. Sinto o prazer jorrando dentro de mim, com uma força assustadora, mais rápido do que imaginava ser possível, desabando feito uma avalanche. Aperto a mão dele e Jack aperta a minha de volta, e quando meu corpo pressiona o dele, Jack *realmente* me esmaga contra o colchão, e me come como se não estivesse por completo no controle, e repete meu nome sem parar, como um grito de guerra. Ele cheira a sexo e ao nosso suor e ao melhor sono que já tive, murmura coisas carinhosas e obscenas em meu ouvido, promete que não vai me deixar ir embora jamais.

O sol está alto no céu, Jack está dentro de mim, e eu sorrio para os lençóis por motivo algum.

Talvez eu esteja feliz.

Embora, devido à falta de experiência prática, não consiga ter certeza. Mas no banheiro, enquanto observo gotículas de água no pescoço de Jack, minhas pernas ao redor de sua cintura enquanto ele me pressiona contra a parede de azulejos, eu me pergunto se talvez seja isso. Esse peso quente e reconfortante brilhando timidamente dentro do meu peito talvez seja algo como esperança.

Espero que haja mais dias como este.

– Para de sorrir desse jeito – sussurra ele no meu ouvido. O jato do chuveiro bate em suas costas e seus lábios têm gosto de água quente. – Ou vou passar o dia todo dentro de você.

Rio contra o pescoço de Jack e finjo que não ouvi.

O relógio do banheiro, o mesmo que imagino que Jack xingue toda vez que se atrasa pela manhã, marca 12h37. Eu me enxugo, fervilhando de possibilidades, com a leve e crescente impressão de que, pela primeira vez, não estou fugindo, mas *rumando* para algum lugar.

– Comida – diz ele assim que visto o meu moletom (o moletom dele) e um par de meias que ficam escorregando pelas minhas canelas. Jack abre um sorriso bonito, tímido. – Eu tenho umas fantasias megaelaboradas em que te sirvo um banquete com um bicho que eu mesmo cacei, limpei e preparei – diz ele, beijando a minha testa.

– Por quê?

Ele me encara, sobrancelha erguida.

– Não me pergunta *por quê*, como se fosse uma coisa racional. Então, o que você vai querer?

– O que você sabe fazer?

– Nada. – Ele dá de ombros diante da minha risada surpresa, então me joga por cima do ombro para me levar para o primeiro andar. Eu me sinto como uma bebida borbulhante. – Mas vou aprender. É minha nova obsessão.

Não me lembro da última vez que ri tanto.

O banquete acabou sendo queijo-quente levemente queimado com sopa de tomate pré-pronta. Sento-me no *meu* banquinho na ilha da cozinha e Jack come seu sanduíche de pé na minha frente. É ao mesmo tempo a coisa mais banal e mais deliciosa que já provei.

No meu celular, há uma mensagem de Ceci, enviada às 9h23.

> CECI: "Eu nunca vou passar a noite na casa do Jack", ela disse. "Estou destinada a morrer sozinha, estrangulada pela teia de aranha que tomou conta da minha vulva devido à inatividade sexual", ela disse.

Dou uma risada, e Jack sorri só por causa disso, o que não é muito a cara dele, além de idiota. Ele é idiota. Eu sou idiota. Nós somos idiotas. Ou talvez tenhamos apenas 16 anos. Jack Smith, Jack Smith-Turner, Jonathan Smith-Turner e eu transamos. Mais de uma vez. *Mais* de mais de uma vez. E agora estamos tomando café da manhã à uma da tarde. Esta linha do tempo não é minha, mas vou defendê-la mesmo assim.

Conto a ele sobre a ciência do queijo-quente, a carga negativa da superfície das moléculas lipídicas, estresse e tensão, o pH ideal, que deve estar sempre em torno de 5,5. ("Queijo manchego, então", diz ele. "Ou cheddar suave. Gouda, também.") Meu coração está batendo vertiginosamente com a ideia de que este homem sabe o pH de diferentes tipos de queijo de cabeça quando meu telefone apita.

Um lembrete para trocar meu sensor de insulina. Considero adiar até chegar em casa, então olho para Jack e penso: *Sinceridade*. Este dia, esta sopa não muito boa, este homem com uma tatuagem de buraco negro escapando pela manga da camiseta, é tudo bom demais para eu economizar na sinceridade.

– Vou precisar de uns minutinhos lá em cima – digo, descendo do banco. – Mas já volto.

– O que houve?

– Só preciso trocar meu sensor de insulina. – Vasculho minha bolsa e, em seguida, levanto meu kit, triunfante; uma bolsa amarelo-pálido com pequenos ouriços que Ceci me deu anos atrás. – Não se preocupa, você não precisa ver. Eu sei que as pessoas têm nervoso. Vou fazer isso lá no quarto...

– Me mostra como faz.

Ele deixa de lado o resto do sanduíche. Lava as mãos.

Dou uma risada.

– Por quê?

– Porque eu quero saber.

– Por que você... Ai, meu *Deus*. Você quer encher minha insulina de xarope de milho entupido de frutose. Isso tudo é um plano muito bem elaborado pra me matar?

Jack sorri e balança a cabeça.

– Estou começando a gostar do jeito como você ignora todas as explicações racionais pra tudo que eu falo e logo considera que eu sou um assassino em série completamente desequilibrado.

– Acho que é uma coisa nossa.

Os bíceps dele se contraem quando Jack apoia a palma das mãos na mesa.

– Me mostra como funciona – repete ele.

Parece uma ordem suave, e eu respondo com uma pergunta suave:

– Por quê?

– Porque eu quero saber essas coisas.

Há algo nas entrelinhas. *Porque quero saber da sua vida*, talvez, ou *Porque quero saber de você*. Meus olhos pousam no kit e me imagino usando palavras como *reservatório* e *aviso de expiração* e *cetoacidose*. Explicando como cada componente funciona. Eu nunca disse nenhuma dessas palavras em voz alta. Elas vivem exclusivamente na *minha* cabeça, junto com o resto dos *meus* problemas.

Até Ceci só sabe o básico. Mas é Jack. Então engulo em seco.

– Você tem desinfetante?

A covinha está de volta.

– Achei que você nunca ia perguntar.

Menos de uma hora depois, eu me acomodo entre suas longas pernas no sofá, os dedos dos pés roçando as panturrilhas dele, a mão de Jack espalmada na minha barriga sob o moletom. Ele se recusa a assistir ao final de *Crepúsculo* ("Acho que já vi o suficiente"), mas concorda comigo que *Lua Nova* é o melhor da série ("Comparativamente"), se enrosca em mim para tirar uma soneca de duas horas durante *Eclipse* ("Você está com o meu cheiro... Você deveria estar sempre com o meu cheiro") e então acorda quando a tarde começa a virar noite, bem a tempo da gravidez inesperada de Bella.

– Isso é *bizarro* – diz ele, rindo de cada coisa que os personagens fazem.

– Cala a boca.

Ele ri mais alto junto à minha nuca.

– Cala a boca... – repito. – Ela pode *morrer*!

Mais risadas.

– Isso mostra as dificuldades e o sofrimento da experiência humana universal, *Jonathan*.

Ele mordisca minha orelha um pouco forte demais.

– Ainda é melhor que *2001*, *Elsie*.

– Sem dúvida. – Um pensamento me ocorre. – Aliás, está tudo bem com a Millicent?

– Sim. Por que a pergunta?

– Hoje é domingo. Ela não deveria estar te ligando com alguma emergência de vida ou morte? Talvez o entregador esteja jogando o jornal nas roseiras dela ou algo do tipo?

– Tenho certeza de que a entrega de jornais não funciona mais assim desde o início dos anos 2000. E ela fez toda essa rotina de fim de semana ontem. Mandou a foto de um jacaré saindo de uma privada em um posto de gasolina na Flórida. Alegou que era no banheiro dela.

– Ela sabe mandar fotos?

– Impressionante, né? – Ele tamborila na minha barriga. – Passei lá pra almoçar. Entreguei o livro pra ela. Fui repreendido por não ter te levado junto.

– Ah. – Eu ruborizo. De... alegria?

– Não me lembro da última vez que ela gostou de alguém. Não que ela tenha admitido gostar de você.

Eu rio. Então, depois de alguns segundos, arrisco:

– Ela me contou que gostava da sua mãe.

Há uma mudança em Jack, mas não para pior. Ele não fica tenso, apenas parece menos relaxado, um pouco mais na defensiva ao dizer:

– Acho que sim.

Sinto-me encorajada.

– Ela era física, né?

– Era.

– Teórica?

Ele solta um suspiro profundo e exagerado que me faz subir e descer.

– Infelizmente.

Belisco seu antebraço em retaliação. Ele não percebe, mal-educado.

Fico tentada a falar sobre o artigo. Descobrir como ele foi capaz de fazer algo assim com a mãe – com todos nós – e exigir que assuma responsabilidade pelas consequências. Mas também não quero perturbar essa coisa... frágil, nova e radiante que estamos vivendo. E depois de certa queda de braço, o último impulso vence, e o que eu pergunto é:

– Você tem lembranças dela?

Eu o sinto balançar a cabeça.

– Ela morreu muito nova.

– Você... – eu me viro até ficar de bruços em cima dele – se parece com ela?

– Não existem muitas fotos. A minha família basicamente jogou tudo fora.

Se ele se ressente disso, não dá para perceber.

– Quando você adotou o sobrenome dela?

Jack ri baixinho.

– Foi uma decisão da Millicent, na verdade. Ela me obrigou a mudar meu nome legalmente quando eu tinha 10 anos. Acho que se sentiu culpada, o que não é comum. – Ele coloca uma mecha de cabelo atrás da minha orelha. – Eu sei que ela era sueca. Loira. Os olhos dela tinham essa mesma estranha...

– Heterocromia?

– É. Ela era mais alta que o meu pai. E mantinha uns diários detalhados sobre o trabalho dela. Millicent me deu quando eu comecei a ficar obcecado por física.

– Ela tem algum trabalho publicado?

O maxilar de Jack fica tenso.

– Só dois. Ela se casou na metade do doutorado e não voltou a trabalhar depois que eu nasci. O diagnóstico veio logo depois. – Seu tom é cauteloso, como se estivesse escolhendo as palavras com cuidado.

– Por que ela não voltou?

Ele suspira.

– Houve alguns... problemas. Com o pesquisador principal do grupo dela.

– Por quê?

– Eles discordavam... em relação a uma pesquisa conjunta. Ele era absurdamente controlador. Ela se recusou a obedecer. Você pode imaginar o resto. – A expressão dele está neutra. – Os diários são... Ela não ficou nada bem quando descobriu que não teria autorização pra voltar.

– Que absurdo. Como ele ousa excluir alguém do próprio grupo de pesquisa?

Jack não responde. Sua pausa parece um pouco mais longa do que o normal.

– O trabalho dela era sobre semicondutores.

Meus olhos se arregalam. Não é minha área, mas sei um pouco sobre o assunto, porque é um dos temas com os quais meu mentor trabalha. Eu me pergunto se já li os artigos da mãe de Jack anos atrás, sem me dar conta. Um fio invisível nos conectando.

– Era bom?
– Bem consistente, sim.
– Aposto que ela era ótima. Quer dizer, ela era uma física *teórica*.
– Verdade. Mas ela se casou com meu pai.
– Bom argumento. Talvez na época ele fosse mais... presente na vida das pessoas?
– Talvez. Ou talvez ela precisasse de um *green card*? Ou do dinheiro dos Smiths.
– Ela era uma *doutoranda*, realmente. Seria uma bela jogada.
– Sem dúvida. – O sorriso dele é carinhoso.
E me faz perguntar:
– Você sente falta dela?
Uma longa pausa.
– Não sei se dá pra sentir falta de alguém que a gente nunca conheceu, mas... – Ele organiza os pensamentos. Ordena seus sentimentos. – É fácil olhar pra minha família disfuncional e rir, agora que eu tenho minha própria vida. Mas, quando eu era adolescente, teve épocas em que as coisas ficaram muito ruins em casa. E eu lia os diários dela e pensava que talvez, se ela estivesse por perto, tudo pudesse ter sido... – Jack engole em seco. – Mas ela não estava.

Passei a vida inteira me sentindo isolada, e nada do que qualquer pessoa me dissesse mudava isso. Então fico em silêncio e apenas me inclino para a frente, escondo meu rosto no pescoço de Jack, beijo sua garganta quando ele engole em seco. A mão dele sobe para segurar minha cabeça, mantê-la ali, e eu o sinto se virar para a tela novamente. As complicações da gravidez de Bella estão se tornando algo quase alienígena, e Jack resmunga junto ao meu cabelo.
– Elsie. Eu não aguento mais ver isso.
– Mas essa é a melhor parte. A montanha-russa emocional da transformação dela. O enredo inapropriado com o Jacob. A cara dela quando bebe sangue.
– Sem condições.
– Tá bom. Você pode se distrair de outro jeito. Mas fica perto de mim, porque você é um aquecedor disfarçado de forma de vida orgânica.
– Perfeito.

Jack me levanta como se eu fosse ridiculamente fácil de manusear, nos vira, se apoia sobre mim. Apenas observo, confusa, conforme ele desce pelo meu corpo com uma cara séria e concentrada, sobrancelhas franzidas, e então levanta meu moletom como se...

Será que ele...

Ele não vai...

Ele vai mesmo...?

– O que você está fazendo?

– Você falou pra eu me distrair.

Eu me apoio nos cotovelos.

– Quis dizer tirar uma soneca ou fazer o Wordle de hoje...

– Só assiste ao seu filme, Elsie.

– Mas...

Ele me pega pelos quadris e me segura como se eu fosse um artefato precioso, ao mesmo tempo firme e gentil. Seus beijos entre minhas pernas são longos, esfomeados, ávidos, lambidas lentas que me fazem arquear contra o sofá e tremer em sua boca. Há algo de atrevido nisso – na maneira como ele gosta de fazer, os sons que emite, o fato de que parece se perder em alguns momentos, como se me chupasse mais para seu próprio prazer do que por mim.

– Ah – digo, cravando as unhas em seu couro cabeludo. Os braços de Jack envolvem minhas coxas, a palma das mãos segurando meus joelhos separados, e por um tempo eu consigo engolir meus gemidos suplicantes. Depois, não dá mais. – Ah. *Ah, Jack* – gemo, e gozo uma vez, depois outra, em seguida um pouco mais, e então ele já tirou a camisa e está em cima de mim, dentro de mim, estocadas pacientes enquanto me beija sem parar e me diz como eu sou linda, o quanto ele ama tudo isso.

Risadas ofegantes contra minha respiração descompassada quando ele me lembra de quando eu fiquei com medo de que o sexo não fosse bom, de que esse prazer sobrenatural e resplandecente, completamente transformador, não fosse suficiente.

– Foi fofo – murmura ele em meu ouvido – quando você achou que te comer uma vez diminuiria minha vontade.

Eu me agarro aos músculos suados de suas costas, sinto meu corpo inteiro tremer, e, quando ele ordena "Olha pra mim", minhas pálpebras se abrem e nós dois gozamos. A pressão que sinto no ventre e no peito é pesada, avassaladora, deliciosa, e minhas unhas afundam em seus ombros conforme a tarde vira noite.

– Segunda vez que fazemos isso com *Crepúsculo* ao fundo – diz ele.

– Não acredito que a gente perdeu a parte em que a Bella bate no Jacob.

– Meu Deus, Elsie, *que filme é esse*?

A sala está escura como breu, exceto pelo brilho da TV. Dou uma risada colada à pele de Jack, e a sensação é de estar em casa.

Ele não me deixa ir para casa. Embora, para ser sincera, eu não esteja tentando muito.

– Dou aula amanhã às oito da manhã.

– Não importa.

– Na Universidade de Boston.

– Não importa mesmo assim.

– Preciso passar em casa, me vestir, pegar minhas coisas, pegar o ônibus...

– Eu levo você.

– Me leva aonde?

– A qualquer lugar.

Estou sentada na bancada enquanto Jack corta cenouras para a sopa que quero muito. A receita está no celular dele, uma propaganda vermelho-brilhante de uma aula de culinária para casais piscando para nós da bancada.

– Você teria que acordar às seis. Não posso te pedir pra fazer isso.

Jack baixa a faca e se aproxima, parando entre as minhas pernas. Ainda assim, é mais alto do que eu. Estou tentando me ressentir dele por isso, mas meu coração cresceu um milhão de vezes nos últimos sete dias. Está prestes a flutuar em direção ao céu.

– Você não precisa pedir. – Ele beija a ponta do meu nariz, depois minha boca, depois meu nariz de novo. – Porque eu estou oferecendo.

Meu coração infla um pouco mais. Estou ficando sem espaço.

– E se eu disser não?

– Não faz isso. Tá bem?

Abro um sorriso, e a mão dele desliza sob meu moletom e sobe pela minha cintura. Eu amo isso. Tanto quanto achava que o odiava. E Jack tem razão: isso está indo rápido – rápido demais, talvez. Mas eu me pergunto se certos relacionamentos são uma prova viva do princípio da incerteza de Heisenberg: sua posição e sua velocidade simplesmente não podem ser medidas ao mesmo tempo, nem mesmo em teoria. E neste momento estou ocupada demais saboreando *onde* estamos para levar qualquer outra coisa em consideração.

– O que foi? – pergunta ele.

Balanço a cabeça.

– Estava só pensando.

– Pensando em…?

– Sabe, durante o processo seletivo, eu fiquei pensando em como seria se conseguisse o emprego. Trabalhar com você. E eu tinha umas fantasias meticulosamente elaboradas.

Isso desperta o interesse dele.

– Nelas eu embalava seus sanduíches em uma merendeira do *Crepúsculo*?

Dou uma risada.

– Ah, não, não.

– Você usava aquele vestido vermelho que usou no Miel, e eu deitava você…

– *Não.* – Eu *ainda* sou capaz de corar, é incrível. – Envolvia principalmente eu te perturbando até você desistir, caindo em desgraça.

– Entendi. – Ele parece intrigado. – O que você ia fazer?

– Ah, você sabe. Colocar seu material de escritório em gelatina. Espalhar o boato de que você caga nos mictórios. Te incriminar por crimes de colarinho branco. Esse tipo de coisa. – Jack parece achar graça. – Quer dizer… eu ainda posso fazer isso.

– Pode.

– Alguns diriam que eu deveria.

– Alguns... – Ele beija o canto do meu sorriso. – Talvez ano que vem – diz Jack baixinho, soando esperançoso, uma promessa aninhada ali dentro, e percebo que adoraria aceitar a proposta de George porque quero trabalhar com ela, porque quero dedicar meus neurônios aos cristais líquidos, porque eu *não quero* gastar onze quinze avos do meu tempo viajando entre os *campi* e porque quero ter dinheiro suficiente para surpreender Ceci com chapeuzinhos para sua bolota espinhenta feia e assassina. Mas esse homem, que seria a pior parte do emprego dos meus sonhos, talvez seja a coisa que eu mais desejo.

Para surpresa de ninguém, acabo ficando. E, levando em consideração o que acontece no dia seguinte, essa se mostra uma decisão muito acertada.

23

PONTO DE FUSÃO

RECEBO O E-MAIL DO DR. L. – "Infelizmente, estarei viajando esta semana, mas podemos nos encontrar na próxima segunda-feira" – *antes* de ser emboscada por um aluno de Introdução à Física que me conta sobre um filme superlegal que ele acabou de ver e me perguntar se alguém teoricamente seria capaz de inverter o tempo (porra, Christopher Nolan) e *depois* de uma das minhas coordenadoras me ligar para avisar que sim, há uma vaga para mim no ano que vem, mas adjuntos terão um corte salarial em razão de impostos de *sei lá o quê*, e *sei lá o quê* do reitor, e *sei lá o quê* da exploração de membros não efetivos do corpo docente, que é a espinha dorsal do modelo capitalista da academia.

Um garoto com algo bem parecido com coqueluche tosse em cima de mim no ônibus, uma chuva gelada e escorregadia começa a cair no segundo em que desço no meu ponto e, de alguma forma, apenas uma das luvas que Ceci tricotou para mim em sua breve fase de trabalhos manuais ainda se encontra no meu bolso. Tem muita coisa acontecendo. Muita mesmo. Mas não me importo. Porque, acima da gigantesca mensagem de Lance me pedindo para descobrir se Dana vai ao show do U2 com Lucas, há outra mensagem: uma foto do modelo do Colisor de Hádrons que vi na mesa de Jack e depois apenas cinco palavras.

Ficaria ótimo dentro de gelatina.

Abro um sorriso. Respondo dizendo que pensei em gelatina sabor cereja e depois sigo meu caminho até o Departamento de Física da Universidade de Massachusetts.

JACK: Esqueci que toda primeira segunda-feira do mês a gente tem uma reunião na casa da George. Quer ir comigo? Ou então vou te buscar e a gente pode fazer queijos-quentes cientificamente precisos e assistir ao bônus da família Cullen na minha casa.

Estou sorrindo tanto que quase esbarro em um bebedouro.

ELSIE: Preciso corrigir doze bilhões de trabalhos.

JACK: Faz o que eu faço. Dá nove pra todo mundo.

ELSIE: Você faz isso mesmo?

JACK: Dou uma meia dúzia de setes e oitos pra disfarçar.

Desta vez esbarro no bebedouro. *Outro* bebedouro.

ELSIE: Não é de admirar que eles puxem tanto o seu saco. Essa reunião na casa da George tem algum código de vestimenta?

JACK: Se tiver, eu pretendo ignorar.

ELSIE: Camisa henley?

JACK: O que é henley?

ELSIE: É o nome das camisas que você usa todos os dias.

JACK: Elas têm um nome?

Uau. Homens.

ELSIE: Me manda uma mensagem com o endereço da George. Te encontro lá quando terminar aqui.

A porta de George se abre e uma jovem rechonchuda com um sorriso deslumbrante me abraça calorosamente e me dá as boas-vindas ao maior e mais lindo apartamento que já vi.

– Eles estão na sala de estar – diz ela, e ao fundo ouço pessoas conversando. Há um leve sotaque, e me lembro de George mencionar que sua esposa é uma guru financeira grega. – Vou subir, comer um docinho com maconha e ouvir Bach em meus fones de ouvido com cancelamento de ruído. Divirtam-se.

A primeira pessoa que encontro é Andrea. Ela está na cozinha quando passo, colocando tortilhas em uma grande tigela.

– Ah. – Ela olha para mim. – Você... veio.

Seu sorriso é de surpresa. Levemente tenso.

– Oi. – Decido entrar na cozinha, esperando passar uma sensação de *isso não precisa ser constrangedor*. – Como vai?

– Bem. – Ela amassa o saco de tortilhas vazio. – Que bom que você fica confortável de vir na casa da George, levando em consideração o que rolou.

– Ah. – Sinto meu rosto ruborizar. Tanto esforço em vão para evitar o constrangimento. – É. Eu...

– Andy – interrompe alguém atrás de mim –, George quer saber se...

É Jack, claro. Que para no meio da frase, exatamente como eu parei, como se tivesse perdido completamente a noção do resto do mundo.

– Dra. Hannaway, a senhora está atrasada.

Ele diz isso como se estivesse esperando por mim. Como se passasse o tempo que estamos separados pensando em quando poderá implicar comigo de novo, como se eu fosse a primeira e a última coisa em sua mente, e, antes que eu me dê conta, estou dando um passo à frente, assim como ele, me colocando na ponta dos pés, pressionando meus lábios nos seus, sorrindo contra sua boca.

É um beijinho discreto, mas meu coração bate forte, assim como o de Jack quando coloco minha palma contra seu peito. Eu me afasto, menos de um centímetro, para olhá-lo nos olhos. É como se o fim de semana tivesse provocado uma mudança em nós. Algo fundamental no formato do meu cérebro e do dele também. Seus cílios estão baixando: ele está olhando para minha boca e inclinando a cabeça novamente, e...

– O que George queria saber, Jack?

Merda.

Desço da ponta dos pés e me viro para Andrea, envergonhada. Olho para Jack, esperando encontrar seu olhar despreocupado de sempre, mas ele ainda está me encarando, parecendo um pouco abalado, como se eu fosse seu norte magnético.

Ele dá um pigarro.

– Que vinho você quer.

– Quais são as opções?

Ele parece confuso.

– Ah, tinto. E... – Ele dá de ombros, um braço me envolvendo, como se colar em mim fosse natural para ele. Parece certo.

– Deixa eu adivinhar. – Andrea revira os olhos. – Branco?

– Acho que sim.

Ela bufa, pega a tigela de tortilhas e passa entre nós dois para sair da cozinha. Nós a observamos se afastar, cabelos loiros ondulados e uma postura perfeita, e então... Jack chega perto novamente. Muito perto. Talvez perto demais. Ele se inclina para beijar minha testa.

– Oi.

Não consigo tirar os olhos dos dele.

– Oi.

Ficamos assim, em silêncio, provavelmente muito tempo. Sinto o cheiro de sua pele limpa, do seu xampu amadeirado, da camisa de flanela vermelha que escolhi esta manhã em seu armário. Não sinto vontade de dizer nada, então não falo. Mas ele logo pergunta:

– Pronta pra jogar?

– Ah... jogar... o quê?

– Você vai ver. – Seu sorriso faz meu coração vibrar. – Você também vai adorar.

Ele tem razão, mas, depois que Diego, amigo de Jack, me explica o *Blitz Go* ("As mesmas regras de sempre, só que apenas dez segundos por jogada"), eu cogito ficar de fora da competição.

– É muito pouco tempo. – Mordo o lábio. – Talvez eu não devesse...

– Só segue seu instinto – sussurra Jack em meu ouvido, o que consegue fazer porque está bem atrás de mim. Ou talvez seja o contrário: sou eu que estou sentada entre suas pernas abertas, porque contei dezoito pessoas aqui e não há lugares suficientes. – Ela pode sentar aqui comigo enquanto eu jogo a primeira partida – diz ele a Diego. – Pra aprender.

Todos podem ver como a mão de Jack desliza sob minha camisa e se espalma contra minha barriga, um peso firme e agradável na minha pele. A maneira como ele se esquece de mover as peças porque está ocupado olhando para mim.

– Cara – chama Diego na segunda vez que isso acontece.

– Certo – responde Jack, imperturbável, e passo as duas rodadas seguintes corando e me remexendo em seu colo, até que ele me aperta mais forte contra seu corpo e fala distraidamente em meu ouvido: – Se comporta.

Algo escaldante e líquido floresce dentro de mim.

Jack ganha mesmo assim. E acho que peguei o jeito, porque ganho minha partida também. Ganho uma partida-treino contra George, que comprou quatro tipos de queijo porque Jack disse a ela que é tudo que eu como. Venço Sunny. Venço outra pessoa cujo nome não lembro. Venço Andrea em apenas alguns lances.

– É fácil ir passando de fase quando se é a única pessoa sóbria no recinto – murmura ela, com um tom um pouco mordaz.

Mas, quando eu respondo "Errada você não está", ela cai na gargalhada, erguendo a taça na minha direção, e eu tenho certeza de que sua hostilidade foi fruto da minha imaginação. Há vinho, cerveja, shots, histórias acadêmicas de terror, um quadro branco em frente à lareira de George com a pontuação escrita e, por volta da meia-noite, o *Blitz Go* se torna minha coisa favorita no mundo. Estou me divertindo. Me divertindo *de verdade.*

Quando Sunny anuncia a partida final, sua voz está arrastada. Com dificuldade, ela equilibra na cabeça um porta-retrato com uma foto do casamento de George.

– As duas pessoas que ainda não perderam um jogo são... Jack, é claro... vai à merda, Jack, por tornar nossas vidas tão chatas, seu garoto-propaganda do movimento periódico... e... rufem os tambores, por favor... Elsie! Elsie, por favor, pelo menos uma vez na vida eu quero ter a oportunidade de ver esse arrogante perder em alguma coisa.

– Eu perdi foi a conta das amostras de urina que apareceram na minha mesa – comenta ele.

O porta-retrato cai suavemente no tapete. Sunny agarra minha mão.

– Me vingue, Elsie. *Por favor.*

Assinto solenemente, sentando-me junto das pedras pretas. Jack pega uma pedra e se recosta na cadeira, os olhos fixos em mim, o azul brilhante como o mar, um pequeno sorriso nos lábios.

– Aqui estamos novamente – diz ele, alto o suficiente para todos ouvirem, e então não escuto mais seus amigos assobiando e torcendo por mim, ou o silêncio deles enquanto gastamos cada segundo de cada jogada.

Sempre que levanto o olhar, Jack já está me encarando. Lembro-me da primeira vez que jogamos, na casa de Millicent, e me pergunto se foi a primeira de muitas. Eu me pergunto se Jack tem um tabuleiro. Se ele o mantém em seu escritório. Me pergunto por que, quando ele olha para mim, me esqueço do quanto sinto medo de ser vista.

Me pergunto por que, quando ganho, ele parece tão feliz quanto eu.

– Bom jogo – diz Jack, ignorando a maneira como todos o provocam depois de sua sequência de oito meses de vitórias ter sido quebrada.

Assinto. De repente, *mais uma vez*, estou com o coração acelerado.

Entro no banheiro, ainda sentindo a empolgação da vitória. Quando saio, George está bem do lado de fora e me dá um susto imenso.

– *Cacete.*

– Admito totalmente que te segui até aqui – diz ela, encostando-se casualmente na parede.

– Você estava me ouvindo fazer xixi?

– Não. Bem, sim. Mas esse não era o objetivo principal. Foi só um bônus agradável. – Ela sorri. – Eu pensei em te assediar em relação à proposta de emprego.

– Ah. – Pigarreio. – Ainda não tenho uma resposta. Desculpa.

Ela semicerra os olhos.

– Jack está tentando te influenciar de alguma maneira? Porque desse jeito eu vou ter que pegar pesado com ele. Ah, quem eu quero enganar? É óbvio que ele ia tentar te convencer a aceitar o emprego. Tenho quase certeza de que noventa por cento das fantasias dele têm a ver com te levar pro trabalho e comprar um café com leite no caminho.

– Tenho certeza de que ele não…

– O que *você* acha?

Engulo em seco. Então olho em volta do corredor, como se a obra de arte feita de macarrão da sobrinha de George pudesse ser a chave para o meu futuro acadêmico.

Não é.

– Eu… – Respiro fundo. – Eu adoraria aceitar.

George parece atônita. Então sorri. Em seguida, repete:

– Aceitar?

– Mas... – digo, me forçando a continuar diante de seu sorriso de orelha a orelha. – Não posso aceitar formalmente até falar com o meu mentor. Mas não se preocupa – acrescento logo, já que o sorriso dela está desaparecendo depressa. – Tenho certeza de que vou conseguir a aprovação dele na semana que vem! Vou explicar o quanto quero aceitar esse emprego e ele vai concordar que é a melhor opção.

George me encara por um segundo, parecendo consideravelmente menos animada.

– Muito bem. – Ela meneia a cabeça. E, quando estou prestes a sair, acrescenta: – Só pra constar, eu adoraria continuar sua amiga. Mesmo que você acabe não aceitando. – Seu sorriso é um pouco tenso. – Agora vaza daqui. Eu tenho que fazer xixi, e não, você não pode ficar ouvindo, sua esquisita.

Estou voltando para a sala de estar, me perguntando por que tenho a impressão de que George simplesmente se resignou ao fato de que não vou aceitar o emprego quando entreouço "… deu pra se envolver com teóricas agora?".

É a voz de Andrea na cozinha, e paro no corredor. Só consigo ver metade de Jack: costas largas, cabelos claros encaracolando na altura do pescoço, mãos grandes colocando pratos sujos na lava-louças. Eu deveria entrar e ajudar, mas algo me diz para me esconder, como se fosse alguma espiã industrial em um filme do James Bond.

– Como é que é? – diz ele, confuso.

– E aí, ela sabe?

– Quem?

– Elsie. – Um quarto de Andrea aparece em meu campo de visão. Apenas o seu sorriso, contido e íntimo, apontado para Jack. – Ela sabe que você odeia pessoas como ela?

– Andy, você está bêbada?

– Um pouco. – Ela ri, meio nervosa. – Você não está? Só pode ser por causa da Elsie. Ela deve ser muito boa de cama pra você ter ferrado o Pereira e o Crowley por causa dela. Ok, ela é gata, mas de um jeito sem graça...

– Eles se ferraram sozinhos. E você devia voltar pra sala, ficar com o pessoal – diz Jack com firmeza. – Deve estar um pouco bêbada demais pra achar uma boa ideia chamar a namorada de alguém de sem graça.

– Ela não é sua *namorada.*

– Se ela quiser ser, ela é, sim. Ela pode ser a porra da minha esposa se ela quiser.

Jack está perdendo sua calma de sempre. Apesar de sua presença dominante, ele raramente fica irritado de verdade, e Andrea também sabe disso. O rosto dela desmonta, mas ela disfarça com outra risadinha que dói em meus ouvidos.

– Uma *teórica*, Jack? Seu ano está devagar, é isso?

– Você está falando sério...?

– Você perdeu pra ela no *Go* – interrompe Andrea, petulante, mesmo enquanto tenta manter o tom ameno. Eu deveria ficar ofendida com o que ela diz, mas algo me impede. Algo que me parte o coração. – Você *nunca* perde no *Go*. Você disse que *nunca* perderia no *Go*.

– Eu jamais disse isso. – Jack também reconhece no tom de Andrea a mesma coisa que eu reconheci. A voz dele se suaviza.

– Aposto que você perdeu de propósito. Se quer essa garota tanto assim...

– Ela ganhou de forma justa. – Tem algo mais nessa conversa. Algo que não tem a ver com *Go* nem com nada do que aconteceu esta noite. *Ela gosta muito dele*, percebo. *Mais do que gosta.* – Mesmo que eu tivesse perdido de propósito, você não tem nada a ver com isso.

– Acho que tenho, sim.

– Andy. – Ele suspira. – Eu sempre fui sincero sobre os meus sentimentos. Você disse que entendia…

– Meu Deus, Jack. Ela é uma *teórica*.

– Ela é uma excelente cientista, muito melhor do que eu e você jamais seremos. Você está magoada, e eu estou tentando te dar um desconto por isso, mas você já passou dos limites…

– Por que você agora virou defensor dela? Você é *você* e… ela *inventa* coisas. É porque você está *dormindo* com ela?

– É porque eu *conheço* o trabalho dela.

– Mas faz quinze anos que você fala mal de pessoas como ela. Você é o grande motivo para a área dela ser desacreditada… Você acabou com várias carreiras, Jack. E agora está me dizendo que *ela* é a pessoa por quem está disposto a *sentir* alguma coisa?

– Para com isso – ordena Jack. – Já chega.

– Você…

– Estou falando sério. A gente pode conversar quando você estiver sóbria. Mas você precisa me dar um espaço antes que eu acabe dizendo alguma coisa de que vou me arrepender.

– Se…

– Andy.

Um segundo depois, Andrea aparece no corredor, os olhos marejados. Ela me encara por um segundo doloroso e constrangedor, depois segue sem dizer uma palavra. Eu me recosto na parede, tentando parar a centrífuga em meu cérebro.

Ela sabe que você odeia pessoas como ela?

Ele não me odeia. Odeia? Não. Sinceridade, certo? Não, Jack não me odeia.

Mas não é de surpreender que Andrea acredite nisso. É exatamente o que *eu* pensava em relação a Jack, até duas crises atrás no apartamento dele. Ele é Jonathan Smith-Turner. O que ele fez com a física teórica há uma década e meia está na Biblioteca do Congresso e tem um verbete na Wikipédia.

– O que você está fazendo? – pergunta George, aparecendo no corredor.

– Ah, nada. Só… olhando pra esse quadro. – Aponto para o quadro de uma flor à minha direita.

– Quer pra você? A minha esposa fez esse quadro com a ex em uma dessas oficinas envolvendo tinta e vinho. Faz tempo que quero me livrar dele.

Dou uma risada trêmula.

– Hmm, quem sabe da próxima vez.

Ela se encaminha para a sala, e eu vou até Jack, que está olhando pela janela, com as costas tensas e os músculos contraídos.

– Emburrado porque perdeu? – pergunto, embora eu saiba que não é isso.

Só quero ver a tensão abandonar o corpo dele. Porque talvez abandone o meu também.

– Elsie.

Eu ouvi vocês, eu deveria dizer. *Você realmente me odeia?*

Você disse "namorada"...

O que ela quis dizer com...

Mas não tenho tempo para isso. Jack se inclina, suas mãos tocam meu pescoço, e ele me beija profundamente por um bom tempo. Pessoas passam, fazem piadas, olham para a gente, mas ele não para. Eu também não quero que ele pare.

– Tudo bem? – pergunto quando ele se afasta.

Jack desvia o olhar. Pega sua garrafa na bancada e bebe o que sobrou.

– Quer ir embora?

– Sim. Claro.

A viagem até minha casa é silenciosa. Estou toda gelada, exceto pelo joelho, onde a mão de Jack repousa, a pegada um pouco mais forte do que casual. Não sei por que o convido para subir. Talvez eu saiba o que precisa acontecer. Talvez eu apenas não queira que ele vá embora, deseje prolongar esse ponto de contato.

Ceci não está, provavelmente saiu para algum encontro do Faux, e fico levemente aliviada. Nossa casa está uma bagunça, porque a última vez que limpamos foi quando a Sra. Tuttle veio para tentar nos convencer de que a mancha verde na parede era apenas tinta e que com certeza *não era* mofo. Tento ver o apartamento pelos olhos de Jack, mas preciso admitir que ele não age muito como um Smith em relação às condições em que vivo. Em vez disso, faz algo tão *Jack* que meu peito quase explode: ele ergue a parte de cima do aparador como se não pesasse nada. Seus bíceps se contraem enquanto ele a coloca no lugar, perfeitamente centralizada com a parte inferior.

Três segundos. Para fazer algo que Ceci e eu estamos adiando há três anos.

– Legal a sua casa – diz ele, limpando a poeira das mãos na calça jeans.

Eu rio baixinho.

– Não é, não.

Ele se encosta na mesa onde trabalhei, comi, ri e chorei nos últimos sete anos.

– Então você realmente deveria morar comigo.

Rio de novo. Deveria agradecer a ele por ajeitar o móvel. É só que…

– Eu não estava brincando. Esse lugar é… – Tem um inseto no chão, virado de barriga pra cima. – Esses bichos não vivem em zonas tropicais?

– Hmm. A nossa teoria é que esse lugar faz ponte com uma quarta dimensão onde há múltiplas regiões climáticas ao mesmo tempo e… Você estava falando sério? Sobre morar com você?

Jack dá de ombros.

– Você economizaria um dinheiro.

– Tenho certeza de que metade do seu aluguel é mais do que a metade desse aqui.

– Meu apartamento não é alugado. Então você não teria que me pagar nada. Eu não ligo pra isso.

Claro. Ele não se importa com dinheiro. Porque ele tem dinheiro.

– Não posso deixar a Ceci – digo baixinho. – Quer que ela vá também?

– Eu tenho um quarto sobrando.

Dou uma risada. Então percebo o olhar dele. Como se estivesse *mesmo* falando sério. E aguardando uma resposta.

– Eu não posso morar com você. Nós não somos nem…

Não somos nem o quê? Desvio o olhar. Eu me sinto uma merda e não consigo entender se ele está brincando, embora deva estar, mas ele parece estranhamente sério, e…

Alguns passos pelo chão de vinil barato, e ele está bem na minha frente. Estou presa entre Jack e a pia da cozinha, e dedos fortes sobem até meu queixo, erguendo-o.

– Acho que somos, *sim*.

Meu coração estremece. Seu olhar me corta como uma faca, e o que deixo escapar é:

– Acho que a Andrea não concorda.

Eu não queria mencioná-la. Na verdade, pretendia evitar o assunto para sempre. Mas acho que essa coisa de sinceridade é um pouco viciante. Jack fecha os olhos e xinga baixinho.

– Você ouviu o que ela disse.

– Eu... – Liberto meu queixo e ele entende que preciso de espaço. Jack dá um passo para trás, mas ainda não consigo respirar. – Não foi minha intenção. Eu... – Solto o ar com força. – Sim, ouvi.

Jack suspira.

– Eu sinto muito. Vou conversar com ela quando ela estiver mais calma.

Meneio a cabeça, concordando, e isso deveria ser o suficiente, uma boa resposta.

Em vez disso, pergunto:

– E o Crowley e o Pereira? E o Cole. E o resto dos seus alunos. Você vai falar com eles também?

Jack aperta os lábios, a expressão mudando para algo sombrio. Como se ele estivesse se preparando para alguma coisa.

– O que está havendo, Elsie?

De repente, as milhões de bolas que vêm rolando preguiçosamente no fundo da minha cabeça ao longo das últimas duas semanas estão quicando contra o meu crânio. E elas *machucam*.

– Quer saber qual é o problema? Essas pessoas admiram você. Elas realmente gostam de você, de verdade. Seus alunos, seus colegas, seus amigos. Todos eles querem te agradar. E, pra maioria deles, agradar significa mostrar que não gostam do que *você* não gosta. E, simples assim, tudo remonta ao artigo da *Anais*.

Ele solta o ar.

– Elsie...

– Pra ser justa, eu fiz a mesma coisa. – Começo a andar de um lado para outro pela cozinha. – Gosto tanto de você que tenho evitado pensar nisso o máximo que posso. E, mérito seu, você é ótimo em me fazer esquecer. Você nunca *parece* a pessoa que escreveu aquilo, e assim fica mais fácil fingir que você não existia antes de eu te conhecer, que suas atitudes passadas não importam. Mas o que a Andrea disse hoje... Eu preciso lembrar, devo isso ao meu mentor. Não posso esquecer que o Laurendeau era o editor da *Anais* na época. Que ele foi censurado. E... – Sinto o mesmo misto de raiva e constrangimento que sempre sinto quando penso no que aconteceu. – A questão é a seguinte, Jack... Você vive a sua vida com a "confiança de homem rico", sem nunca questionar suas atitudes. Mas muita gente acabou sendo vítima do que você fez, mesmo sem intenção...

– Não foi o caso do Laurendeau – diz ele categoricamente.

– Foi, sim. A carreira dele foi extremamente impactada por...

– No caso dele, não foi *sem intenção.*

– Ele... – Eu paro de andar. Não assimilo as palavras de imediato. E, quando assimilo, continuo confusa. – O quê?

Jack umedece os lábios.

– Laurendeau *era* o alvo.

– Não entendi.

– Eu escrevi o artigo *porque* queria acabar com a carreira do Laurendeau. – Ele engole em seco. – Todo o resto é que foi *sem intenção.*

Minha cabeça gira, fazendo um milhão de círculos, então para abruptamente.

– Todo o resto?

– Eu não queria virar o garoto-propaganda da disputa entre teóricos e experimentalistas. – Ele gesticula, impaciente. Por um momento, sinto hesitação, mas seus olhos endurecem, teimosos de forma quase... juvenil. Ele voltou aos 17 anos. – Eu não estava defendendo um *ponto.* Só queria tirar o Laurendeau da física, e claramente fracassei... Desde que ele fodeu com a carreira da minha mãe, ele tem estado ocupado fodendo com a vida da única pessoa por quem eu me apaixonei na vida.

O quê... A mãe dele? A única pessoa por quem ele...

– Eu...

– Ele era o principal colaborador da minha mãe, Elsie. *Ele* foi a razão para ela não poder voltar a trabalhar depois que eu nasci. *Ele* foi o motivo de ela se sentir... Isso era a coisa mais importante da vida dela, Elsie. O trabalho a *definia*, e ele tirou isso dela e... – A voz dele foi ficando mais alta, mais alta, e então ele se calou de maneira abrupta, como se de repente tivesse percebido que estava gritando.

– Por que ele...?

– Porque ele é invejoso. Porque se sentia superior. Por *controle*. Ele também age assim com você.

– O quê? – Eu balanço a cabeça. – Não. Não, ele me *ajuda*.

– A ponto de você sentir que não pode aceitar o emprego dos seus sonhos sem a permissão dele? Essa não é uma relação normal de orientador-orientanda.

– Você não sabe do que está falando.

Jack simplesmente não entende. O Dr. L. é a única razão pela qual consegui entrar no doutorado. A razão pela qual fui capaz de correr atrás dos meus sonhos. A razão pela qual não estou desempregada neste momento.

Jack dá um passo à frente.

– Laurendeau isolou você de um jeito que te impossibilitou de perceber isso. Assim como fez com a minha mãe. – Ele esfrega a testa, e me pergunto quando foi a última vez que falou sobre todas essas coisas. – Está tudo nos diários dela.

– Ah, meu Deus. – Eu não posso acreditar. – Foi por isso que você escreveu o artigo? Por causa desses diários?

Ele solta uma risada, embora não haja nenhum humor.

– Não. Eu escrevi o artigo porque fui até a Northeastern e tentei denunciar o Laurendeau. Me disseram que eu não podia apresentar uma queixa porque eu não era a vítima. Não deu em nada. E, Elsie, eu estava... – Seus olhos fitam os meus por um segundo, e enxergo tudo. Ele era jovem e estava cansado. Estava triste. Estava com raiva. Sentia-se solitário; estava sozinho. Ele era o Smith excluído. Estava desamparado. Ele queria vingança. – Só aí eu escrevi o artigo. – Seus grandes ombros sobem e descem. – Eu usei o que sabia de física pra tornar o conteúdo crível e, mesmo assim, não achava que seria aceito. Mas, de alguma forma, foi, e quando fiquei sabendo que o Laurendeau tinha sido destituído do cargo de editor... – Ele balança a cabeça. – Isso não me fez sentir nem um pouco melhor por não conseguir lembrar nada da minha mãe, ou quanto às coisas que a Caroline fazia comigo. – Seus olhos estão cheios de tristeza. – Então parei de pensar nisso. E, sempre que alguém me lembrava, eu ignorava. Até te conhecer.

Minha expressão endurece.

– Porque eu não parava de trazer o assunto à tona.

– Não, Elsie. – Sua voz é calma, firme. – Porque a ideia de o Laurendeau fazer com você o que fez com minha mãe começou a me aterrorizar.

Eu bufo.

– Por que você não me avisou, então? Nós conversamos sobre ele. Sobre a sua mãe. Você teve *inúmeras* oportunidades.

Parte de mim, bem no fundo da minha mente, sabe o quanto admitir sua vulnerabilidade deve ter custado para Jack. Mas uma parte maior achava que este era o primeiro relacionamento da minha vida baseado em sinceridade, e agora… eu me sinto incrivelmente idiota.

– Você *mentiu* pra mim. Várias e várias vezes.

– Você teria acreditado se eu tivesse te contado? – pergunta ele, dando um único passo para mais perto. – Na verdade, você acredita em mim *agora*?

– Eu… – Desvio o olhar, subitamente aturdida. – Eu acredito que *você* acredita. Mas… talvez você tenha interpretado mal os diários. Deve ter sido um mal-entendido, porque ele nunca faria isso… Eu devo muito a ele, e…

Jack aperta a ponte do nariz.

– É *exatamente* por isso que eu não te contei. Você idolatra ele e não estava pronta pra ouvir *nada* disso. Se eu tivesse tocado no assunto, teria te magoado e você teria recuado.

– Não cabe a você decidir isso! E, de todo modo, por que você acha que *eu* passei a vida inteira mentindo pras pessoas, Jack? – explodo. – Por que você acha que eu nunca falei pro Laurendeau que odeio dar aulas, ou pra Ceci que os filmes dela são piores do que um protetor de tela do Windows, ou pra minha mãe que eu sou a porra de um ser humano de verdade? Porque tenho medo de *magoar* as pessoas com a verdade e elas me *abandonarem*. Por que só é uma boa justificativa quando se trata de *você*?

Eu me afasto da mesa, de Jack. Respiro fundo, com a intenção de me acalmar, olhando para as luzes da rua cintilando contra a neve do telhado.

Jack mentiu para mim. Depois de tudo, foi *ele* que mentiu para *mim*. Não sobre um filme ou sobre querer comer sushi – ele mentiu para mim sobre algo muito importante.

– O que eu acho é o seguinte, Jack – digo olhando para o horizonte de

Boston, com raiva, abatida. – Você gosta de chamar a atenção dos outros pelas merdas que fazem, mas ninguém nunca fala nada de você.

– Das *minhas* merdas?

Eu me viro, sem saber o que dizer. No entanto, quando olho para ele, está bem ali na ponta da língua.

– Você tomou uma atitude impulsiva quando era adolescente, movido pela raiva, e isso... *isso* eu entendo. Mas depois você acabou construindo uma carreira brilhante que legitimou suas atitudes... e, mesmo assim, *nunca* se preocupou em consertar as coisas. Mesmo depois que cresceu e deveria agir com mais noção. – Seco a bochecha com a palma da mão, porque estou chorando. Claro que estou. – As suas atitudes... As *suas* atitudes afetaram muito mais gente do que só o Laurendeau. Embora você não tenha pensado muito sobre o artigo, eu passei mais de dez anos pensando nele todos os dias. Ele trouxe consequências terríveis pra algo que eu realmente *amo*, e quer saber de uma coisa? Fiz o possível pra evitar pensar nisso, mas não sei se consigo continuar assim. Não sei se consigo parar de sentir raiva de você. Não sei se eu... – Minha voz falha e meus olhos se enchem de lágrimas, e não suporto ficar aqui, com Jack, nem mais um segundo.

– Você está com raiva? É isso mesmo? – A mão dele toca minha bochecha, forçando meus olhos na direção de seu rosto embaçado. – Ou você só está com medo? Porque tem sido mais sincera comigo do que jamais foi?

– Talvez. – Eu me afasto e vejo na contração de seus dedos que ele quer vir atrás de mim, mas não. Não. – Talvez eu esteja com medo. E talvez você seja um mentiroso. E onde é que isso vai dar agora?

Ele me lança um olhar longo e indecifrável.

– Não sei. Aonde?

Você sabe onde a gente vai dar, disse ele inúmeras vezes. E eu disse que não sabia, depois disse que sabia, e *é* onde eu quero estar. Mas ele me pediu sinceridade e mentiu em troca e atacou cruelmente tudo aquilo em que acredito, e eu só...

Eu preciso de espaço. Eu preciso pensar.

– É melhor você ir embora, Jack.

Ele solta um suspiro e se aproxima. Como se quisesse me envolver em seus braços. Dá para ver, na maneira como seus músculos se contraem, o impulso de cuidar de mim.

– Elsie, por favor. Você não está…

– Estou, sim. – Começo a soluçar. Quero que ele me toque, mas não suporto a presença dele. – Você sempre fala sobre o que eu quero, Jack. Você me ajudou a aprender como comunicar o que eu quero. Então… – Eu me forço a olhá-lo diretamente nos olhos e mostrar que estou falando sério, embora eu não tenha certeza se estou. Há um calor ardente em meu peito, escaldante, doloroso. – Neste momento eu não quero estar com você. Preciso que me dê um pouco de espaço.

Consigo ver em seus olhos o momento em que Jack percebe que estou falando a verdade. E, no segundo em que ele se vai, sinto uma dor excruciante que jamais experimentei antes.

24

ELETROMAGNETISMO

JACK ME LIGA DOIS DIAS DEPOIS, durante meu horário de trabalho, mas estou ocupada explicando a uma veterana da Universidade de Massachusetts que, se ela realmente precisa colar um parágrafo inteiro da Wikipédia em seu artigo, deveria ao menos remover os hiperlinks embutidos. Ele tenta mais uma vez na sexta à noite, quando estou corrigindo as provas de termodinâmica que chegaram em cima da hora, e uma última vez no sábado de manhã, enquanto estou na cama olhando para o teto chapiscado, pensando nele.

Nunca penso em atender. Nem uma vez. Nem mesmo quando não consigo dormir. Nem mesmo depois de passar a semana inteira de mau humor, distraída, inútil por não conseguir parar de reviver nossa briga, esmiuçá-la, repassar o que eu disse, o que *ele* disse, quais são nossos argumentos, quais algoritmos poderiam ser usados para resolver a confusão em que estamos e as coisas que eu sinto. Nem mesmo quando Ceci comenta sobre o aparador agora montado, o que me faz sentir falta dele de uma forma visceral e raivosa.

Preciso de respostas. Na segunda-feira de manhã, meu alarme toca às cinco e meia, mas já estou acordada, assim como passei o resto da noite. Eu me visto depressa, sem me olhar no espelho, e saio o mais silenciosamente que consigo, parando apenas para dar um punhado de comida para uma Ouriça desconfiada. É cedo o suficiente para que o ônibus para a Northeastern esteja semideserto – o motorista, eu e uma garota de jaleco. O pé da moça batuca ao som de uma música que não consigo ouvir, e focar nela ajuda a tornar minimamente suportável o que estou prestes a fazer.

O Dr. L. ainda não está no escritório. Ele chega cerca de vinte minutos depois e me encontra encostada ao lado da placa com seu nome – é a primeira vez em seis anos que isso acontece. Observo suas mãos enquanto ele abre a porta, me perguntando como falar sobre Grethe Turner.

Fiquei sabendo que...

Tenho certeza de que é tudo um mal-entendido...

Sei que são acusações sérias, mas...

Por favor, você não poderia...

– O que você queria me dizer, Elise? – A cadeira verde pinica minhas coxas. O tom do Dr. L. é, como sempre, encorajador. Compassivo. – Você mencionou no seu e-mail uma oportunidade de emprego. Onde seria?

Eu não... me esqueci, exatamente, da oferta de George, mas o assunto parece trivial, irrelevante, comparado à minha necessidade de saber o que realmente aconteceu entre Laurendeau e a mãe de Jack. Ainda assim, foi por isso que originalmente marquei esta reunião. Como não faço ideia de como abordar o assunto que desejo, dou um pigarro e começo com a parte mais fácil.

– No MIT.

– Ah. Entendi. – Seus lábios finos se curvam em um sorriso satisfeito. – O departamento percebeu que havia cometido um erro. Fico feliz em saber que...

– Não. Eu... Não é isso. Georgina Sepulveda quer que eu pegue uma bolsa no grupo de pós-doutorado dela. A vaga paga bem, inclui plano de saúde e uma das linhas de pesquisa da George envolve cristais líquidos.

Ele arregala os olhos e então imediatamente os semicerra.

– Georgina Sepulveda roubou seu emprego e você está pensando em trabalhar *para* ela.

– Ela não *roubou* meu emprego. – Sinto a irritação borbulhar, mas a reprimo. – Ela merecia a vaga. E posso aprender muito com ela. Sinceramente, parece uma oportunidade perfeita e estou inclinada a aceitar. – O Dr. L. não diz nada e apenas me encara. O sorriso satisfeito sumiu, e quase estremeço. – O que acha?

Ele fica em silêncio por mais alguns segundos. Então se recosta na cadeira, os lábios em uma linha reta, e pergunta:

– O que você veio fazer aqui, Elise? Pedir minha bênção para aceitar essa vaga?

Respiro fundo. Mais uma vez. *Sinceridade*, repito a mim mesma como um mantra. *Sinceridade. Posso manter minha autenticidade. As pessoas que gostam de mim ficarão, mesmo quando eu não for a Elsie que elas desejam.*

– Sim. Entendo suas reservas e respeito sua sabedoria, mas...

– Se você de fato entendesse, não ia nem considerar aceitar.

Meu cérebro tropeça e se esvazia por um minuto.

– Eu... O quê?

– Sem contar a humilhação de trabalhar pra pessoa que ganhou de você em um processo seletivo, eu pesquisei essa Georgina Sepulveda. Ela não apenas é uma experimentalista, como também colabora frequentemente com Jonathan Smith-Turner.

Não sei ao certo qual é o golpe mais doloroso: o tom cortante do Dr. L. ou o choque de ouvi-lo dizer o nome de Jack.

– Isso não tem nada a ver com ele. George é uma cientista de renome por mérito próprio e...

– Chega, Elise. – Ele levanta a mão, como se eu fosse um animal de estimação bem treinado que ficará em silêncio com um simples gesto. De repente, ele parece cansado, como se estivesse esgotado diante da birra de uma criança indisciplinada. – Você *não vai* aceitar essa vaga.

Franzo a testa. Por um longo momento, não tenho ideia do que fazer. Porque, de um lado, está a simples sabedoria semântica do que a Elsie de Laurendeau deve fazer: concordar. Desculpar-se. Atribuir sua teimosia a uma meningite, ir embora depois de algumas genuflexões chorosas e seguir a vida do jeito que ela tem sido pelos últimos seis anos. Do outro, está a Elsie que *eu* quero ser.

E as coisas que ela escolhe dizer.

– Dr. Laurendeau, eu *vou aceitar* a vaga se achar melhor. – Minha voz sai surpreendentemente firme. – Embora eu compreenda suas reservas e seja grata à sua orientação, no fim vou decidir...

– Garotinha boba e teimosa.

Seu tom, ao mesmo tempo áspero e condescendente, é como um balde de gelo sobre a minha cabeça.

– Você não tem o direito de falar comigo desse jeito.

O Dr. L. se levanta lentamente, como costuma fazer durante nossas conversas. Pela primeira vez em seis anos, também me levanto.

– Enquanto seu orientador acadêmico, posso falar com você do jeito que eu quiser. – Ele se inclina para a frente. Tenho que travar meus joelhos para não recuar. – Se está convencida de que quer trabalhar com uma experimentalista – prossegue ele friamente –, talvez a gente possa repassar alguns dos físicos que me abordaram perguntando sobre você no passado, mas…

– O que foi que você disse?

– Estou aberto a rever outras propostas, mas a da Dra. Sepulveda não é…

– Outras… propostas? Você disse que não houve nenhuma proposta.

– Houve algumas. De físicos experimentais. Absolutamente *inaceitáveis*. No entanto, trabalhar com eles ainda seria melhor do que com…

– Mas você nunca me contou.

– Porque nenhuma delas era digna de ser levada em consideração.

A sala gira. Tomba. Para, provocando uma rachadura dentro de mim – uma ruptura nítida.

– Você… – Não consigo falar. Encontrar as palavras. – Isso... Era eu… Quem tinha que decidir isso era *eu*. Você sabia das minhas dificuldades financeiras. Que trabalhei pouco na minha pesquisa no ano passado. E você não me contou?

A boca dele se curva para baixo.

– Sou seu mentor. É meu trabalho te guiar na direção do que é melhor para você.

– Você *passou dos limites* – digo, em um tom tão firme, tão diferente dos meus protestos suaves ou das minhas concordâncias relutantes de sempre, que por um momento ele parece surpreso. Mas se recupera rapidamente, e seu sorriso é assustador.

– Elise, se não fosse por mim, você não teria entrado para o doutorado. Eu *escolhi* você. Qualquer carreira que venha a ter, você deve a mim, e trate de não se esquecer disso.

Não acredito no que estou ouvindo. Desta vez, dou um passo para trás, mais um, e de repente me dou conta de que...

– Jack tinha razão sobre você.

– Não faço ideia de quem é Jack, nem me importo. Agora, por favor, sente-se. Vamos discutir esse assunto de forma civilizada e...

– Você é controlador. E manipulador. – Tento engolir o nó em minha garganta. – Jack tinha razão. Você realmente arruinou a carreira de Grethe Turner.

Os olhos dele se tornam fendas amargas.

– Ah. Então esse é o Jack. – Ele balança a cabeça duas vezes, como se eu o houvesse decepcionado profundamente. – Você anda se envolvendo com Smith-Turner. O homem que colocou em risco a existência da *sua* área.

– O que você fez com a Grethe?

– A mãe dele não importa – diz Laurendeau, revirando os olhos impacientemente. – Grethe Turner não tem a menor importância, nunca teve. O comportamento dela deveria no máximo servir de aviso para você: não há espaço para garotinhas bobas e teimosas na física. E por que você acreditaria em qualquer coisa que Smith-Turner te falou? – Suas narinas dilatam. – O artigo que ele escreveu foi uma farsa mal-intencionada que arruinou e descarrilou várias carreiras, além de ter dificultado exponencialmente a vida dos teóricos no que se refere ao financiamento de suas pesquisas. Nós viramos motivo de chacota no mundo acadêmico.

– É verdade – disparo. – Mas isso não apaga o que *você* fez com Grethe Turner...

– *Chega* de mencionar o nome dela. – Nunca ouvi Laurendeau falar de maneira tão áspera. – E mostre um pouco de gratidão a quem te deu uma carreira.

Balanço a cabeça, sentindo-me à beira das lágrimas. Mas não vou chorar aqui.

– Pensei que você quisesse que eu fosse a melhor física possível.

– O que eu quero, Elise, é que você faça o que eu digo...

Uma batida. A porta se abre antes que eu possa me virar.

– Dr. Laurendeau? Eu tenho um papel para o senhor assinar... Elsie, oi, não te vejo há algum tempo. Como você está?

Reconheço a voz dos meus tempos de doutorado: Devang, o coordenador do departamento. Eu me viro e aceno para ele, me sentindo entorpecida. Minha mão não parece minha.

– Entre, Devang – diz o Dr. L.

Me sinto enjoada, tonta.

Nos últimos seis anos, tentei ser a Elsie que o Dr. L. queria. Talentosa, esforçada, incansável. Tudo de que eu precisava – dinheiro, insulina, tempo, descanso, maldito espaço mental –, tudo isso eu colocava abaixo do meu trabalho. Botava os conselhos dele acima dos de qualquer outra pessoa, achando que meu mentor levava em consideração o que era melhor para mim, achando que ele merecia uma Elsie que lutasse por brilhantismo.

E, o tempo todo, tudo que ele queria era alguém que pudesse controlar.

– Prefere que eu volte mais tarde? – pergunta Devang.

– Não – diz o Dr. L., os olhos fixos em mim, os lábios contraídos. – Elise já estava de saída.

Eu o encaro de volta, sabendo que a primeira vez que fui verdadeiramente sincera com ele provavelmente será a última vez que o verei.

– Dr. Laurendeau – digo antes de me virar –, já passou da hora de você me chamar de Elsie.

25

DUCTILIDADE

De: michellehannaway5@gmail.com
Assunto: POR QUE VOCÊ NÃO ATENDE O CELULAR? JÁ FAZ TRÊS DIAS.

[Não há mensagem no corpo do e-mail.]

. . . .

De: marioluvr666@gmail.com
Assunto: Re: Falecimento na família não posso ir à aula

oi sra. hannaway como assim *quem* morreu? tenho quase certeza de que você não pode me perguntar isso, é uma questão de sigilo profissional

. . . .

De: Dupont.Camilla@bu.edu
Assunto: Re: Não sou quem você acha

Dra. Hannaway,

Me perdoe! Eu confundi você com o Dr. Hannaday, professor de uma outra disciplina que eu curso, "Shakespeare entre quatro paredes: na cama com o Bardo".

Ele é um homem na faixa dos 70, com umas costeletas volumosas e meleca crônica no nariz, então... oops kkk. Muito obrigada por responder às minhas perguntas mesmo assim! Eu segui sua sugestão de observar como *Amanhecer*, da Stephanie Meyer, é vagamente baseado em *Sonho de uma noite de verão* e no fim das contas tirei 10! Anexei o artigo, caso você esteja interessada (o título é "Crepúsculo vs. Shakespeare: que o mais safado vença"). Também pesquisei seu nome no banco de dados da universidade, e você dá aula de Introdução à Termodinâmica? Estou pensando em me matricular na sua disciplina ano que vem! Preciso puxar uma matéria de ciências exatas, e você foi tão legal comigo. Se existe alguém capaz de me ajudar a entender coisas como gravidade ou divisão longa, é você.

Cam

. . . .

De: greenbergbern@northeastern.edu
Assunto: Reclamação formal

Prezada Elsie,

Gostaria de agradecer mais uma vez por nossa conversa sobre seu ex-orientador. O padrão de comportamento que você apontou é altamente preocupante, e demos início a uma investigação sobre o assunto. Por ora, quero garantir a você que parte do meu compromisso como novo presidente do Departamento de Física da Northeastern é neutralizar o ambiente acadêmico tóxico, não regulamentado e dissimulado que permitiu que o Dr. Laurendeau a isolasse ao longo dos anos.

Manterei você atualizada.

Atenciosamente,

Bernard Greenberg, Ph.D.

Minha decisão já está tomada na terça-feira à noite, mas só na sexta de manhã pego o metrô e sigo em direção a Cambridge. Ando pela Harvard Square, o casaco aberto no meio de um dia deliciosamente ensolarado de fevereiro – o termômetro marca quinze graus –, que provavelmente só é possível às custas do branqueamento de quilômetros de corais em algum lugar do mar Vermelho. Eu me sinto basicamente como me senti durante o resto da semana: à flor da pele, frágil, um pouco desajeitada. Como se estivesse cautelosamente experimentando a vida de outra pessoa.

É a primeira vez que entro no prédio, mas encontro o escritório com facilidade. Quando bato, uma voz grita lá de dentro:

– Não estou! Não entra! Vai embora!

Eu rio e abro a porta mesmo assim.

– Ah, meu Deus, Elsie! Entra, achei que fosse um dos meus colegas. Ou um aluno. Ou um parente. Basicamente, qualquer outra pessoa.

George parece muito feliz em me ver. Seu escritório se parece com ela: um pouco caótico, mas aconchegante e confortável. Ela começa a tirar uma pilha de documentos da cadeira, mas balanço a cabeça.

– Não precisa. Na verdade, não tenho tempo pra me sentar. Queria falar com você pessoalmente. Sobre o emprego.

– Ah. – Sua expressão muda brevemente para uma cara séria. Em seguida, volta a ser um sorriso discreto e reconfortante. – Você não precisava vir até aqui pra isso. Entendo perfeitamente que trabalhar pra uma experimentalista pode não ser a carreira ideal pra você. E não tenho dúvidas de que vai conseguir um cargo fixo em breve. E, como eu disse, acho que mesmo assim eu e você deveríamos...

– Na verdade – pigarreio –, eu vim aqui pra aceitar.

Ela hesita. Por vários segundos.

– Pra... aceitar?

Respiro fundo, sorrio e aceno com a cabeça.

– Sim.

– Aceitar… o emprego?

– Sim.

– Sim?

– Sim.

– Só pra ficar claro: você *quer* o emprego.

– Sim.

Ela dá um grito. E me abraça apertado. E, depois de um momento de susto, eu a abraço de volta. E, cerca de dez segundos depois, algo rompe a névoa nebulosa dos últimos dias: sinto-me feliz, de um jeito egoísta e belo. Apenas escolhi algo por conta *própria*, por *mim mesma*, sem primeiro construir um modelo teórico sofisticado envolvendo conselhos, preferências e necessidades de outras pessoas. Sem a sensação incômoda de que o único caminho a seguir era aquele que alguém já havia trilhado para mim.

Esta decisão é cem por cento minha.

– Eu queria te dizer pessoalmente – explico quando nos soltamos. – E queria agradecer pela oportunidade. – Meu sorriso oscila um pouco. Estou emocionada, mas me controlo. Primeiro, tenho coisas a dizer. – E eu adoraria marcar uma reunião, talvez para a semana que vem. Não sei se cheguei a mencionar, mas venho trabalhando em vários algoritmos relacionados ao comportamento de cristais líquidos bidimensionais há… bem, já faz anos. Tenho muitos projetos incompletos que quero terminar. Adoraria te contar mais a respeito. Saber a sua opinião. – Mordo o lábio inferior. – Quem sabe isso também possa fazer parte da nossa pesquisa colaborativa?

– Sim. Com certeza eu adoraria conversar sobre isso. – Ela sorri. E então, quase abruptamente, para. – Eu realmente achei que você não fosse aceitar.

Assinto.

– Eu sei. – Meu coração bate um pouco mais forte. – Mas, no fim das contas, foi uma decisão fácil. Porque eu queria aceitar.

Vou embora com a promessa de nos encontrarmos para beber alguma coisa na semana seguinte, quando sua amiga Bee estiver na cidade. A volta para casa ainda é difícil, mas dói um pouco menos. Quando toco a tela do celular em busca de uma boa música, as antigas notificações das chamadas não atendidas de Jack me encaram, inabaláveis.

Ele não tentou mais entrar em contato comigo desde o fim de semana, e me pergunto se está com raiva de mim. Se está triste. Se está decepcionado.

Então lembro: *eu* estou com raiva. Triste. E decepcionada. Sim, Jack estava certo sobre Laurendeau, mas ainda estou furiosa – com *os dois*. Eles mentiram, esconderam informações, presumiram saber o que era melhor para mim, e uma nova e vingativa versão de mim gosta da maneira como esses dois homens que se odeiam estão agora emaranhados na expansão da *minha* raiva. A raiva não é uma emoção nova *em si*, não para mim, mas pela primeira vez na vida me permito *vivenciá-la*.

As Elsies perfeitas nunca tiveram permissão para ter sentimentos negativos. Mas a Elsie que estou descobrindo que sou está cercada de vários deles, e em vez de tentar canalizar, dissolver, jogar fora, esquecer, enterrar, transformar, sufocar, apagar, sumir com cada um desses sentimentos – em vez de fazer *qualquer* uma dessas coisas –, ela só permite que eles existam.

Respira fundo. Solta o ar. Depois repete.

O terapeuta com quem conversei uma vez, ao qual nunca mais voltei porque a consulta era muito cara, mesmo com o plano de saúde do meu pai, provavelmente chamaria isso de *remoer*. Nada saudável. Destrutivo. Mas não tenho tanta certeza assim.

Valorizo esses sentimentos recém-descobertos. Me apego a eles. De vez em quando, os analiso, viro-os para um lado e para outro, olho para eles como se fossem uma fruta madura, colhida de uma árvore misteriosa que nem deveria estar crescendo no meu quintal. Quando os coloco na boca para engoli-los inteiros, têm um sabor ao mesmo tempo amargo e delicioso.

Por motivos que provavelmente têm a ver com dopamina, oxitocina e outras substâncias químicas idiotas na minha cabeça, Jack é onipresente. Uma sombra na fila da farmácia enquanto compro minha insulina, o homem alto esperando no ponto de ônibus, a risada grave em meu caminho rumo à reunião do corpo docente da Universidade de Massachusetts. Nunca aparece de verdade, sempre some no ar. Mas tudo bem.

Pela primeira vez, ao me deparar com uma situação de conflito com alguém de quem gosto, não sinto vontade de amenizar nada. E é irônico, no estilo meio Alanis, que o principal motivo seja a voz do próprio Jack na minha mente, perguntando: *O que* você *quer, Elsie?*

Quero arranhar sua cara, Jack. Depois quero morder seu ombro enquanto você me abraça forte. Mas vou me contentar em apenas sentir raiva, de forma constante e explosiva.

Então me permito fazer isso, e a ideia se espalha para outras coisas também. Ignoro o pânico de mamãe em relação à possibilidade de meus irmãos se endividarem para comprar uma caminhonete melhor que a do outro. Nego-me a cuidar do estande da Sociedade de Física na Feira Extracurricular de Boston. Quando Ceci pergunta se há algo errado (estou distraída, perdida demais no fato de Jack ter passado quinze anos agindo como um merdinha irresponsável e mimado e *depois* tido a ousadia de me enxergar por inteiro e me fazer rir como ninguém) e se oferece para assistir a *Delicatessen* comigo – "Para relaxar um pouco!" –, eu respondo com "Não, obrigada" e me tranco no quarto com uma peça de queijo para ler minhas fanfics favoritas de Bella e Alice.

É uma tarde amena de quarta-feira, acabei de avistar Jack no meio da multidão (mas no fim das contas era só uma escultura pós-moderna no meio da calçada), meu coração dói de fúria e de alguma outra coisa que não me permito nomear, e percebo uma coisa: a última vez que me senti tão triste foi depois que J.J. me expulsou de casa e minha vida inteira se desfez em pedaços feito um cookie ruim. Só que, na época, saí convencida de que precisava me esforçar mais para ser a Elsie que os outros queriam. Desta vez…

O que você *quer, Elsie?*

Talvez eu não esteja avançando aos tropeços pela vida de outra pessoa. Talvez eu esteja apenas vivendo a minha pela primeira vez.

Quando chego em casa, Ceci está vestindo:

- um body de renda
- um avental
- uma meia ¾ em só um dos pés
- mais nada

Ela está cozinhando e dançando ao som de algo que não consigo ouvir, às vezes se virando para cantar, desafinada, na direção de Ouriça, que está rolando em uma tigela de ração seca para filhote de gato.

É muita energia caótica. Até para os parâmetros dela.

Quando me aproximo, Ceci tira um dos AirPods e sorri.

– Achei dez dólares no chão do banheiro do Boylston Hall e fui ao supermercado, amiga! Vamos comer tartiflette, mas sem bacon e com queijo extra…

– Eu preciso te falar uma coisa.

O sorriso dela não vacila.

– Manda!

– É bem rapidinho.

– Está bem. – Ela tira o outro fone. – Manda!

Eu abro a boca e…

Nada acontece. O ar entra e não sai. Fecho os olhos com força.

– Não precisa "mandar" se não quiser. – Há um tom de preocupação em sua voz. Uma ruga entre os olhos. – Pode botar pra fora, gritar…

– Eu quero, sim. É que… – *Não está sendo fisicamente possível.*

Ceci deve perceber, porque cruza os braços, inclina a cabeça daquele seu jeito compassivo e me diz:

– Quem sabe é mais fácil se você falar com um sotaque engraçado? Pode ser australiano? Não quero ser culturalmente insensível, mas é porque o jeito como falamos os "e"…

– Eu odiei *Amor à flor da pele* – disparo. – E também não ligo muito para a filmografia do Wong Kar-wai.

Ceci se sobressalta. Fisicamente. Espiritualmente.

– Mas… mas eles são *incríveis.*

– Eu sei. Quer dizer… Eu *não* sei. Eles *parecem* algo que eu deveria achar incrível, mas para mim são só tristes e meio lentos. Ainda são melhores do que os russos dos anos 1970, que me dão vontade de esfregar espinhos nos olhos, e eu *realmente* acho que os produtores deveriam parar de dar dinheiro pro Lars von Trier e, em vez disso, escolher uma boa instituição de caridade. Ou só jogar a grana no triturador de lixo, francamente. E isso sem falar de *2001: Uma odisseia no espaço…*

Ela arfa como se estivesse em uma peça de teatro.

– Você disse que *adorou*!

– Eu... Talvez. Na maioria das vezes, só repeti coisas que encontrei na internet.

Ceci encara a parede, o cenho franzido.

– A sua crítica soou *mesmo* muito parecida com a do Roger Ebert – murmura para si mesma.

– Eu odeio todos esses filmes autorais.

Minha boca está seca feito um deserto. Então fica *ainda mais* seca quando Ceci me pergunta, de cara amarrada:

– Do que você gosta, então?

Eu tento engolir. Não consigo.

– *Crepúsculo* é o meu filme favorito.

Ceci arregala os olhos. Abre a boca. Fecha. Abre. Fecha. Abre uma última vez.

– Qual deles? – pergunta, parecendo engasgada.

– Não sei. – Eu me retraio. – Todos eles. O quarto?

Isso é um gemido? Talvez. Sim. E não sei que reação eu esperava de Ceci, mas não era essa. Não esse olhar dela e depois algo me acertando no meio da testa. E de novo. E de novo.

– Isso aqui é... – Ergo as mãos e dou um passo para trás para me proteger. – Você está jogando cubos de cheddar em...

– Sim, senhora. *Estou, sim!* – Ela faz uma pausa de dois segundos para desligar o fogão e recomeça. Com pontaria e vigor melhorados. Recuo até que a bancada me impeça de avançar. – Eu *sabia* que você não estava vendo hentai daquela vez! Eu *sabia* que tinha visto aquele branquelo na tela, eu sabia, eu sabia, eu...

– O queijo, não, Ceci!

O apedrejamento para. E, quando espio por entre meus dedos, Ceci está lá, agarrada a um saco de cheddar em cubos, me encarando.

Seus olhos estão úmidos.

– Por quê? – pergunta ela, e meu coração se parte, e quero retirar tudo que disse.

Era brincadeira. Eu amo Wong Kar-wai, e Kubrick é o melhor de todos. Ainda sou a Elsie que ela quer, e esta noite podemos fazer uma maratona de Jodorowsky. É só uma mentirinha no imenso universo da nossa amizade.

Só que construí toda a minha vida sobre mentirinhas. E, com o tempo, todas cresceram e ficaram enormes. E, acima de tudo, a Elsie que Ceci deseja não é uma mentirosa.

– Porque eu…

Balanço a cabeça. Não consigo nem dizer. Ah, meu Deus.

Meu. Deus.

– Porque... – Tento falar com um sotaque australiano. – Eu achava que, se você soubesse que nós não gostávamos dos mesmos filmes, você… – Não consigo concluir.

Uma única lágrima escorre pela bochecha dela.

– Por favor, não me diz que você achava que eu fosse parar de te amar.

Só consigo olhar para ela, arrependida.

– Ah, amiga…

Meus olhos também estão ardendo.

– Me desculpa.

– Elsie. Elsie.

Ela dá um passo lento em minha direção. Então outro. Depois mais dois e estamos nos abraçando como não fazíamos há muito tempo, talvez pela primeira vez, e estou pensando que ela cheira a queijo e flores e a algo inefavelmente caseiro e reconfortante.

– Eu vou te amar pra sempre – diz Ceci no meu cabelo. – Mesmo você sendo um animal selvagem de péssimo gosto.

– Eu sei. Eu sou só…

Ela se afasta para me encarar.

– Totalmente esquisita?

– Sim. – Minha risada sai embargada. – Isso.

– Tudo bem. Eu não sou muito melhor – diz Ceci em um tom sombrio, e dá de ombros. – Tem mais alguma coisa que você finge?

– Acho que não. – Coço o nariz. – Não é uma boa jogar lenços umedecidos na privada.

– Ah. – Ela inclina a cabeça. – E você... estava fingindo que sim?

– Não exatamente, mas você devia parar de usar esses lenços.

– Está bem. – Ela assente. – Tadinha da minha bunda.

– Ah, e eu e a Ouriça nos odiamos.

Ceci semicerra os olhos.

– Agora você já está inventando coisas.

– Eu uso a palavra com P pra chamar ela quando você não está.

– A palavra com P?

– Porta-alfinet...

– Não se atreva a dizer isso. Nós somos as mães dela!

– Eu me considero mais uma madrasta malvada.

Ceci dá um tapa no meu braço.

– *Quem é você?*

Tento engolir em seco, mas minha garganta está fechada. Então me contento em estender a mão e olhar Ceci nos olhos pelo que parece a primeira vez.

– Eu sou a Elsie. E realmente gosto de queijo, de física de partículas e de filmes com vampiros brilhantes.

Ela aceita com um sorriso choroso.

– Eu sou a Celeste. – Seus dedos estão pegajosos, um pouco nojentos até. Eu te amo *tanto*. – Tenho certeza de que seremos melhores amigas.

26

CRISTAIS LÍQUIDOS

LAVO OS CUBOS DE CHEDDAR RESGATADOS DO CHÃO, pensando *Acho que deveríamos varrer a cozinha com mais frequência, tomara que a gente não pegue tétano*, enquanto Ceci, triunfante, segura os últimos três bloquinhos na mão e diz:

– Esse chão está surpreendentemente limpo!

Sorrio, encarando o ralo enquanto a água desce.

– Então… – Ela se apoia na pia, os braços cruzados. – Isso de você assumir que era uma mentirosa é por influência do Jack?

Volto a ficar séria e fecho a torneira.

– Não é… – Balanço a cabeça. – É confuso.

– O que é confuso?

Meu coração aperta.

– Tudo.

– Mas vocês fizeram uma maratona de sexo no fim de semana passado.

Meu rosto fica vermelho.

– A gente não… – Percebo sua sobrancelha levantada e aborto a missão Negar o Óbvio. – Você tem visto o Kirk?

– Essa é uma tentativa tão ridícula de mudar de assunto que vou fingir que nunca aconteceu. Então, o que exatamente *não está* rolando entre você e o Jack?

– Tudo que parecia que... Onde parecia que a gente ia dar... – Pego o pano de prato. Provavelmente deveríamos lavá-lo também. – Acho que não vamos chegar a lugar nenhum.

– Por quê?

Não quero olhá-la nos olhos.

– Ele mentiu pra mim. E, antes que você diga qualquer coisa, eu sei que é ridículo da minha parte criticar as pessoas por mentirem. Mas...

– Hmm. – Ela tamborila na pia. – Isso tem a ver com o artigo?

– Tem. – Eu suspiro, dobrando o pano surrado. – Cansei de varrer as coisas pra debaixo do tapete. Se alguma coisa me deixa irritada, vou me permitir ficar irritada. E há quinze anos esse artigo tem sido a munição que as pessoas usam para zombar do meu trabalho...

– Não, eu estou falando do... artigo que ele escreveu hoje.

Ergo o olhar.

– O quê?

– Você não viu?

– Viu o quê?

– O mundo acadêmico do Twitter só fala disso. Até o pessoal de humanas... e você sabe como nós estamos sempre ocupados demais implorando aos conselhos administrativos que não fechem nossos departamentos. Você não viu *mesmo*? Jack publicou um artigo. Hoje. Na *Anais da Física Teórica*.

Tenho certeza de que um pato-selvagem entrou voando em casa e comeu o cérebro de Ceci.

– Peraí. Eu me enganei – admite ela, e eu relaxo. – Não é um *artigo*. É mais tipo uma coluna de opinião?

Será que ela está chapada? Inalou fumaça de Tauron?

– Não existe coluna de opinião na ciência.

– Existe opinião sobre tudo. Pesca de truta, líquido refrigerante, ternos de veludo, a insustentável leveza do ser...

– Tá. Beleza. Mas Jack não escreveu uma coluna de opinião e, se tivesse escrito, não a teria publicado na *Anais*.

Ceci franze a testa, teimosa. Pega o celular. Toca na tela algumas vezes, murmurando algo sobre a incredulidade de Tomé, depois o enfia na minha cara.

– Ceci, é impossível ler uma coisa que está a um milímetro do meu nariz.

– Aqui. – Ela solta o celular na minha mão e volta para o tartiflette.

Deixo que meus olhos foquem nas palavras e...

O chão treme. Sacode. Em seguida, se abre sob meus pés.

Na página inicial da revista que publicou Einstein, Feynman, Hawking, há uma carta aberta escrita por Jonathan Smith-Turner.

Uma carta aberta dirigida à comunidade científica.

Dou alguns passos para trás, parando quando minhas coxas atingem a mesa. As palavras na tela parecem algo que Jack está sussurrando em meus ouvidos.

Na última vez que publiquei na *Anais da Física Teórica*, eu tinha 17 anos, e fui motivado por algo que nada tinha a ver com ciência: vingança.

Minha mãe, Grethe Turner, que já morreu há muito tempo, era uma brilhante física teórica. No meio da adolescência, comecei a criar uma afinidade com a física e, como consequência, li seus diários e procurei seus ex-colegas, na esperança de compreender melhor o que uma carreira na física poderia envolver. Foi assim que descobri as terríveis experiências pelas quais ela passou com seu antigo mentor, que a forçou a deixar a academia.

Esse homem era Christophe Laurendeau, e na época ele era o editor-chefe da *Anais*. Quando tentei denunciá-lo pelo que havia feito à minha mãe, disseram-me que não havia fundamentos para a abertura de uma investigação. Então resolvi cuidar do problema por conta própria.

Eu tinha noção do tipo de artigo que o Dr. Laurendeau aprovaria e sabia que ele era conhecido por ser negligente no que tange à revisão por pares de trabalhos capazes de promover seus próprios interesses científicos. Então escrevi algo que se encaixava nesses critérios. Repito: meu objetivo era sabotar a carreira de Laurendeau e, por mais antiético que isso possa parecer, reafirmo minhas atitudes. Ele passou por reveses e, ao longo de vários anos, não conseguiu financiamentos nem orientandos – um resultado do qual não me arrependo.

Mas não foi só isso que aconteceu. Depois de explorar uma fraqueza específica em uma publicação específica para atingir um indivíduo específico, a comunidade científica começou a usar meu artigo como um exemplo do declínio da física teórica. E meu arrependimento é de ter ficado em silêncio enquanto isso acontecia.

Por mais de quinze anos, não fiz nada para dissipar a ideia de que eu acreditava que a física teórica era inferior. Tornei-me um símbolo da inimizade entre a física teórica e a física experimental, e disso me envergonho. Tenho vergonha de como isso deve ter feito meus colegas teóricos se sentirem e tenho vergonha de ter passado mais de uma década sem fazer nada para negar essa suposição. Acima de tudo, tenho vergonha de ter constrangido uma pessoa que respeito profundamente a ponto de ela precisar me explicar as consequências de minhas próprias atitudes, porque fui orgulhoso, raivoso e egocêntrico demais para me dar conta delas.

Gostaria então de enviar uma mensagem para qualquer um que ainda cite meu artigo como arma em meio a uma guerra mesquinha travada em nossa disciplina: não faça isso. Jamais acreditei que a física teórica fosse menos rigorosa ou um campo menos importante do que a física experimental. E, se você acredita nisso, está enganado e deveria ler alguns dos trabalhos teóricos mais significativos das últimas décadas. Citarei alguns deles abaixo...

– Meu Deus do céu. – Minhas mãos estão tremendo. Minhas pernas também. E o chão, tenho certeza. – Meu Deus *do céu.*

– Pois é.

Ergo os olhos. Tinha me esquecido de que Ceci existia. Tinha me esquecido de respirar. Tinha me esquecido do resto do mundo.

– Isso é, tipo, o equivalente científico de pedir alguém em casamento com um flash mob.

– Não. – Balanço a cabeça com força suficiente para sacudir tudo dentro dela. Um mingau, provavelmente. – Ele não está me pedindo em casamento... Ele só está... – Desabo em uma cadeira.

– Finalmente acertando as contas com o legado maligno que ele construiu por décadas porque quer que você seja a namorada dele, mande emojis fofos de coração e faça um meia nove com ele dia sim, dia não?

Balanço a cabeça de novo. A verdade é que *parece* que é isso. Como se a carta fosse dirigida a *mim.*

– Não... Ele... Ele *não*...

– Ele, sim. Ele tem essa cara. Dá pra ver que é desses que gostam de putaria. – Ela sorri. – De qualquer forma, lendo isso aí, Srta. "Pessoa que Ele Respeita Profundamente", não me parece que vocês dois não vão chegar a *lugar nenhum*.

Minha mente está girando. Não. Sim.

– É complicado.

– O que é complicado?

– Jack. Jack é complicado. – Massageio as têmporas. – Ou talvez não seja. Talvez não seja, mas... *eu* sou complicada. Complicada demais.

– Sim. Totalmente. Eu não vou te poupar e mentir dizendo que você não é complicada. Você passou sete anos mentindo pra mim sobre gostar de David Lynch... a menos que você *goste*...

– Não.

– Certo. Bem, esse homem acabou de escrever uma coluna de opinião que fará com que os senhores das áreas STEM atirem nabos nele até o dia que morrer, e tenho certeza de que ele fez isso por você, então é algo que você deve levar em consideração. Quer dizer, ele parece bem robusto. Consegue aguentar alguns nabos. Provavelmente aguentaria um campo inteiro de couves-flores. Além disso, o poder do amor vai entorpecer a dor...

– Cacete. – Cubro os olhos. – Merda.

– Elsie? – Ela se ajoelha na minha frente. – Qual é o problema?

– *Tudo.*

– Tá. Mas se você tivesse que ser específica...?

– Ele tem razão. Ele tinha razão. Eu estava com raiva porque ele mentiu, e Jack disse que eu estava com medo e... eu *estou* com medo. De ser confusa *demais* pra ele.

– Pro Jack?

Assinto com a cabeça apoiada nas mãos.

– Minto o tempo todo sobre quem eu sou. Enquanto Jack só...

– Ah, Elsie...

– Ele enxerga tudo...

– Elsie.

– ... e vai ficar cansado das minhas palhaçadas...

– Elsie?

– … e ele é alto demais pra mim… Ai! – Abaixo as mãos. Há uma marca vermelha no dorso de uma delas. Outro cubo de cheddar no chão. – O que…

– Pare de choramingar na minha cozinha – ordena Ceci. – Tirando o medo, você *quer* ficar com o Jack? Você *gosta* de estar com o Jack?

Muito.

Demais.

Muito, *muito* demais.

– Gosto. Mas talvez não devesse ficar com ele mesmo assim.

– Tem coisas que são assim. Que são boas e ao mesmo tempo ruins pra gente. Tipo MDMA ou cotonetes. Mas acho que o Jack não se encaixa nesse caso.

– Por quê?

Os olhos de Ceci estão sérios. Ela segura minha mão.

– Você me conhece, Elsie: eu *odeio* dar crédito pra um cara que provavelmente fez o jardim de infância em um castelo francês. Mas você está saindo com ele faz, o quê, algumas semanas? E não sei exatamente o que vocês têm feito um pelo outro. Mas ele acabou de expor uma merda bem grande que carregou durante metade da vida. E você… Sinto que te conheço melhor do que nunca. E estou com a impressão de que talvez deva um pouco disso a ele.

Olho para Ceci, deixando suas palavras girarem ao meu redor em padrões confusos, complicados e imprevisíveis. Então elas se assentam no meu cérebro e *experimento* sua veracidade.

Quatro semanas atrás, eu *era* outra pessoa.

Não: quatro semanas atrás, eu era um número *infinito* de outras pessoas. Já me coloquei em cem caixinhas, desempenhei mil papéis, me esculpi em um milhão de linhas suaves. Mas pela primeira vez na história estou lutando contra isso e…

O que você *quer, Elsie?*

Aperto a mão de Ceci com força. Então me levanto, pego meu casaco e corro porta afora.

Há algo novo na porta da sala de Jack.

Sob a placa maior, que diz JONATHAN SMITH-TURNER, PH.D., e a menor, em que se lê DIRETOR DO INSTITUTO DE FÍSICA, alguém colou uma impressão do artigo da *Anais* que Ceci me mostrou hoje cedo.

As duas páginas.

Incluindo as citações.

Uma delas é de um artigo meu.

– Dra. Hannaway?

Eu me viro e vejo Michi subindo pelo corredor.

– Ah… Olá.

– Oi! – Ela abre um imenso sorriso para mim. – Posso ajudar?

– Ah, eu estava… – Aponto para a porta, embora pareça muito que estou apontando para o papel. Rapidamente abaixo a mão. – Eu estava procurando o Jack.

– Acho que ele foi direto pra casa depois da reunião do corpo docente.

Merda.

Não. *Merda*, não. Isso é bom. Posso ir até a casa dele. Eu sei onde ele mora. Basicamente morei lá também nos últimos dois fins de semana. Então é perfeito – me dá mais tempo para pensar no que vou dizer a ele, já que não faço a menor ideia. Por que estou *aqui*? Fui apenas arrastada pelas correntes, como um salmão durante a época de acasalamento.

Dou um sorriso rápido para Michi e saio depressa pelo corredor. Tenho a impressão de que ela grita alguma coisa atrás de mim sobre ter começado a me seguir no Twitter, mas não paro para entender melhor. Em vez disso, ensaio minha conversa com Jack. "Oi. Ei. Olá. Eu li o artigo" parece um bom começo. Mas também poderia começar de um jeito mais suave. *Eu estava por perto e meu cachorro fugiu da coleira. Você pode me ajudar a encontrá-lo? É um terra-nova preto e branco com uma língua imensa para fora, e sim, se eu preciso inventar um animal de estimação imaginário, vou escolher um bem fofo…*

Penso tanto que mal percebo que há alguém me chamando. E é preciso que a pessoa diga "Dra. Hannaway, é você?" para que eu reconheça a voz.

Eu me viro.

É Volkov. E, atrás dele, Ikagawa e Massey. Ao lado deles, Monica, Sader, Andrea, mais meia dúzia de pessoas de cujos nomes não me lembro da entrevista e, ao fundo, uma cabeça mais alto, um milhão de quilômetros mais largo, saindo da sala de reunião…

Jack. Claro.

Michi estava enganada. A reunião do corpo docente *acabou* de terminar.

– Dra. Hannaway – diz Volkov carinhosamente, como se eu fosse uma sobrinha que deveria visitá-lo com mais frequência, e mesmo com vinte pessoas me olhando e mesmo querendo desaparecer em meio a uma floresta, levanto a mão e abro um sorriso fraco.

– Você é um oceano? – pergunta ele. – Porque parece estar... numa onda!

Ai, meu Deus. Quando foi que minha vida acabou nisso?

– Elsie? – Monica se intromete com cautela. – Está tudo bem?

Meu coração acelera de constrangimento. Aposto que ela está com medo de que eu faça um escândalo.

– Hmm, eu...

Eu me perdi. Esqueci meu kit para enema no banheiro umas semanas atrás. Você viu um cachorro preto e branco?

Não. Não. *Vamos lá, Elsie. Sinceridade.*

– Eu preciso falar com o Jack – digo em minha recém-descoberta voz firme.

Jack.

Que já me notou.

E está vindo na minha direção.

Parando na minha frente.

Assomando ostensivamente com uma expressão intrigada e imponente dirigida a mim.

Respira fundo. Tudo bem. Está tudo bem.

– Eu não sabia que vocês conversavam – diz Monica, olhando com ceticismo de mim para ele.

– Aprendi a falar alguns anos atrás – responde Jack calmamente, olhando apenas para mim. Ela não passa de uma mosca zumbindo ao nosso redor. – E a Elsie está no processo de dominar a arte de falar por si mesma.

Eu o observo. Sua boca se curva.

– Elsie, Jonathan está incomodando você? Porque eu...

– Não. Nada disso. A gente... – Estou da cor de um tomate. – A gente se fala, sim.

Os olhos dela se arregalam de surpresa, depois se estreitam, desconfiados.

– E essa *falação* de vocês tem alguma coisa a ver com o artigo do Jonathan? – pergunta ela. Para quem, não sei ao certo.

Jack continua olhando para mim, em silêncio por um tempo.

– Já tinha passado da hora de publicar aquele artigo.

– Certamente. – Monica bufa. – Ainda assim, isso parece... muito irregular.

– *Muito*, não. – Ele dá de ombros. – Está mais para meio.

O corpo dela enrijece.

– Jonathan...

– Monica? – chama Volkov. – Pode nos ajudar com as atas da reunião?

Ela se vai com um olhar ameaçador para Jack, e de repente fico muito, *muito* ciente de que vir aqui pode não ter sido a melhor ideia. Por uma série de motivos.

– Desculpa – digo.

Ele inclina a cabeça.

– Pelo quê?

– Sei lá, eu... – Gesticulo ao redor, então olho com atenção, e é uma má ideia.

As pessoas estão se demorando no corredor, e *acho* que *não conseguem* nos ouvir, mas com certeza estão olhando, e eu não queria que...

Espera.

Não. Eu não me importo com as pessoas nem com o que elas pensam.

– Achei que você estaria na sua sala.

– Não. A gente pode ir pra lá – sugere ele. – Mas se a gente entrar junto na minha sala...

Assinto. Certo, então eu me importo *um pouco* com o que as pessoas pensam. Só um pouco. Talvez eu não queira que me imaginem curvada sobre a mesa de Jack. Talvez eu ainda esteja confusa. Vou pensar mais sobre isso depois.

– Elsie?

– Sim?

Ele está rindo de mim. E eu odeio isso. E amo isso.

– O que você está fazendo aqui?

– Eu só... – Dou um pigarro. – Eu sei que a gente teve uma briga *muito* feia. E que eu não atendi as suas ligações, porque estava com *muita* raiva.

E sei que você achou que tinha acabado, e que nunca mais a gente ia se ver, mas...

– Eu não achei nada disso.

Ah.

– Não?

– Estava te dando o espaço que você pediu. – Ele parece pacientemente feliz. – E tinha uma coisa que eu precisava fazer.

– Claro. O artigo. Eu sei que você escreveu porque já tinha passado da hora, e não por minha causa, mas...

– Foi pelas duas coisas.

– ... mesmo assim, eu queria... O que você disse?

– Já tinha passado da hora. *E* foi por sua causa.

Minha boca está seca como areia.

– Por minha causa.

Ele assente, e seu olhar de divertimento muda para algo mais sério.

– O que você disse era verdade. E era a coisa certa a fazer. Mas também... Elsie, existem poucas coisas na vida que eu não faria por você.

Minhas bochechas ficam muito quentes e muito geladas ao mesmo tempo.

– Eu... Jack, preciso explicar uma coisa. Eu...

Meu celular escolhe o pior momento possível para vibrar. Olho para a tela – *Mãe* –, rejeito a chamada e olho imediatamente de volta para Jack.

– Desculpa, eu... Sinceridade. Estamos agindo com *sinceridade*. – Respiro fundo. – Eu vim porque tenho várias coisas sinceras pra te dizer.

Sua boca se contrai.

– Diga, então.

– Certo. Está bem. Então... Antes de mais nada, eu odeio o fato de você não ter gostado de *Crepúsculo*, e isso invalida todas as suas outras opiniões... principalmente em relação a filmes, mas não só.

Meu celular vibra de novo. Ignoro.

– Entendo.

– Você precisa comprar cortinas, porque o seu apartamento fica *muito* claro *muito* cedo. E seu queijo-quente é bom, mas poderia ser melhor se você colocasse aioli.

– Claro.

– E...

O iXota vibra de novo e... *droga*.

– Mãe – atendo. – Agora não, por favor.

– Elsie. Finalmente. Seus irmãos têm me dado muita dor de cabeça, e você anda sumida. Eu preciso que você...

– Eu disse *agora* não – repito impacientemente. – Estou no meio de uma coisa importante. Lucas e Lance são adultos... Se querem destruir as próprias vidas, deixa eles. Eu não dou a mínima e não dou a mínima pro que a tia Minnie posta no Facebook. Por favor, para de me ligar pra falar desse assunto.

Desligo.

Jack me encara com uma expressão impassível e impenetrável.

– Hmm. Desculpa por isso.

– Sem problema. Foi bem...

Fecho os olhos com força.

– Desequilibrada?

– Eu ia dizer *sexy*. Elsie, olha pra mim. – Seu tom é autoritário, mas de uma forma que não me importo. – O que você veio fazer aqui?

– Eu...

Fecho os olhos por um momento. Respiro fundo milhões de vezes.

– Eu aceitei a proposta da George. E vou trabalhar aqui no ano que vem. – O sorriso dele se alarga com uma felicidade inegável, então se fecha abruptamente quando acrescento: – E eu te odeio, Jack. – Sinto algo quente em meus lábios. Salgado também. – Eu te odeio, e isso é muito irritante, já que eu acho que também... – Balanço a cabeça. – E você tem razão... Estou *apavorada*, morrendo de medo de que quanto mais você me conhecer, menos vá gostar de mim, e eu simplesmente... *odeio* isso às vezes.

Ele me lança um olhar confuso, curioso. Como se soubesse que sou complicada, mas não se importasse. Como se preferisse passar o resto da vida estudando um centímetro de mim a descobrir os mistérios do universo.

– O que você odeia?

– O jeito como você consegue sempre me tirar do sério.

– Elsie. – Ele fecha os olhos por um breve momento. Quando os reabre, estrelas nascem. – Você acha que também não me tira do sério?

– Eu... eu não sei, na verdade. Eu *realmente* não te entendo. Você não me contou sobre o Laurendeau e... você sabe tudo sobre *mim*, mas eu não sei quase nada sobre *você*. Estou o tempo todo me expondo, mas você raramente retribui... Algumas vezes, sim, claro, mas muita coisa fica oculta, e não sei exatamente o que...

Ele se aproxima. Segura meu rosto. Há pessoas ao redor... Monica, Volkov, Andrea. Os atuais e futuros colegas de trabalho de Jack estão recebendo um show, mas ele se inclina mesmo assim, como se meu espaço fosse dele.

– Está bem, então. Sinceridade. – Ele inclina meu rosto para trás, os lábios roçando na minha orelha. – Eu quero você, Elsie. O tempo todo. Eu penso em você. A. Porra. Do. Tempo. Todo. Estou distraído. Estou indo mal no trabalho. E meu primeiro instinto, na primeira vez que te vi, foi sair correndo. Porque eu sabia que, se isso começasse, nunca mais ia parar. E é exatamente assim. Não existe nenhum universo onde eu desista de você. Quero estar com você, *em* você, a cada segundo, todo santo dia. Eu penso... eu *sonho* com coisas malucas. Quero que se case comigo amanhã pra poder entrar no meu plano de saúde. Quero passar semanas trancado no quarto com você. Quero ir no mercado e comprar as coisas que você gosta. Quero parecer tranquilo, como se estivesse atraído por você e não completamente obcecado, mas não é o que está acontecendo. Não mesmo. E eu preciso que você mantenha a gente sob controle. Preciso que você mantenha a gente na linha, porque não sei onde a gente vai dar... mas já cheguei lá. Eu já cheguei lá.

Jack se endireita. Ele dá um passo para trás, uma expressão intensa e calma nos olhos. Como se tivesse dito o que pretendia e jamais fosse se arrepender.

– Isso foi... – Dou um pigarro. – Sincero.

Ele fica em silêncio por um instante e então acena com a cabeça.

– É assim que eu quero ser. Com você. E me desculpa por ter mentido.

– Eu... Tudo bem. Desta vez. – Dou outro pigarro. – O que você... As coisas... O fato de... – Respiro fundo, de forma decidida, para clarear a mente. E enfim digo: – Eu também.

Ele inclina a cabeça.

– Você também o quê?

– Estou quase lá. Onde isso vai dar... Estou praticamente lá, na verdade. A tipo... um centímetro de distância. Eu só preciso... – Respiro fundo mais uma vez, agora estremecendo. – Eu só preciso recuperar o equilíbrio. Sentir o terreno.

Ele sorri, e meu coração bate acelerado. Em algum lugar da Galáxia do Girino, nascem cometas, surgem estrelas, cristais líquidos se retorcem, se alinham, se enfileiram em formações bem ordenadas.

– Eu já cheguei – diz Jack. Estamos sozinhos neste corredor, eu e ele. Só nós dois, nada mais importa. – Mas fica tranquila, Elsie. Vou esperar o tempo que for preciso.

EPÍLOGO

Oito meses depois

TRAÇO O PLANO EM UMA MANHÃ DE DOMINGO.

O sol está forte, não há cortinas, e as pálpebras de Jack devem estar mais resistentes à luz do que nunca, porque passo pelo menos vinte minutos fazendo um planejamento intenso antes que ele acorde e me puxe para mais perto. Então sua barba por fazer roça na minha barriga, e coloco meus planos de lado, guardando-os cuidadosamente em um canto organizado do meu cérebro, e me permito rir em seus braços.

– Você parece pensativa – comenta ele mais tarde, na cozinha, mas eu o distraio com um beijo.

Sua boca está doce de xarope de bordo, e o cheiro de waffles preenche o ar do início da manhã de outono.

A distração funciona.

É um plano que exigirá prática e organização, e será meio complicado em termos de logística. A melhor opção seria contratar alguém para me ajudar, mas não sei. Prefiro fazer sozinha. Só que Jack e eu passamos a noite de domingo da mesma forma que fazemos todos os domingos: cochilando no sofá enquanto colocamos os artigos em dia. Passamos a segunda-feira na casa de Millicent com o restante da família, o que envolve a rotina de sempre: Greg e eu conversando sobre os livros *young adult* que estamos lendo juntos, Jack jogando *Go* contra a avó, e o resto da família, incluindo Caroline, respeitosamente evitando mencionar que eu pulei de um irmão para outro. Não tenho certeza do que aconteceu por lá, ou do que levou o Universo Cinematográfico dos Smiths a estabelecer limites tão repentinamente. Suspeito que algumas conversas difíceis tenham acabado acontecendo. Provavelmente foram feitas ameaças e as pessoas foram encorajadas a calar a boca ou nunca mais aparecer na casa de Millicent.

Funcionou.

Terça à noite também é impossível, porque tenho terapia, pela qual agora posso pagar, um milagre. Nunca estive tão saudável – mental e fisicamente. As maravilhas de ter um plano de saúde.

– ... e na maioria das vezes eu realmente, realmente acredito que ele me enxerga como eu sou, mas às vezes me vem esse pavor de que talvez ele não enxergue – explico para Jada. – Vai que ele está enganado? Vai que ele muda de ideia? Vai que existe algum fator determinante e ele esteja a dias, *segundos* de descobrir qual é?

– E o que fazemos quando nos sentimos assim?

– Compramos dois quilos de pecorino?

Jada apenas me encara, sem achar a menor graça. Dou um suspiro.

– Comunicamos nossas inseguranças em relação ao nosso parceiro e ouvimos o que ele tem a dizer.

Mas isso não é fácil, *comunicar*. Está ficando mais simples, sim, mas algumas horas depois, quando estou deitada em cima de Jack no sofá, tudo que sai da minha boca é:

– Você não vai do nada perceber que não gosta de mim, certo?

Ele baixa o rosto para me encarar.

– Se meus sentimentos por você não mudaram depois de ler aquela fanfic de alfaverso de Bella e Alice, tenho certeza de que estamos seguros.

– É omegaverso... E você disse que era boa!

– Eu disse que era *sexy*. – Ele me corrige. A faixa azul de seu olho escurece. – Na verdade, você deveria ler pra mim de novo. Agora.

Reviro os olhos.

– Não, é só que… Eu juro que na maior parte do tempo eu… Mas às vezes sinto que… Não tenho certeza se…

Fico em silêncio. É impossível encontrar as palavras certas.

– A sessão com Jada foi difícil? – pergunta Jack.

Eu assinto até que ele me abrace mais forte. Assistimos em silêncio a um de seus filmes de homem branco raivoso, e em meio a uma perseguição de carro, a um estranho monstro em computação gráfica, e a suas mãos me prendendo contra seu corpo, talvez não haja coisa alguma, problema algum, fator determinante algum, nada de ruim que possa acontecer.

Talvez seja só isso, nós dois.

Então chega a quarta-feira. Quarta-feira deveria ser o dia em que executo meu plano, mas acordo com o e-mail mais legal da minha vida.

> De: editor@naturephysics.com
> Assunto: ID do artigo: 89274692
>
> Prezadas Dras. Hannaway e Sepulveda,
>
> Parabéns. Tenho o prazer de informar que, após a revisão, seu artigo intitulado "Organização supermolecular em cristais líquidos liotrópicos: uma nova estrutura teórica" foi aceito para publicação na *Nature Physics*. Abaixo, vocês encontrarão informações adicionais…

Naquela noite, a esposa de George faz *souvlaki* para comemorarmos. Está delicioso, mas George e eu estamos ocupadas demais lendo e relendo o e-mail e soltando gritos estridentes e irritantes para realmente saboreá-lo. Somos chatas, mas simplesmente não conseguimos evitar.

– Será que a gente devia terminar com elas? – ouço Dora perguntar.

– Com certeza merecemos coisa melhor – responde Jack.

Mas naquela noite ele me abraça por trás enquanto escovo os dentes e sussurra:

– Você é a coisa mais magnífica que já me aconteceu. – E eu sei que é verdade.

Eu sou um caos. Um trabalho em andamento. Dou dois passos para a frente e um para trás. Como muito queijo e não consigo colocar a louça na máquina de maneira eficiente e vou ter dificuldade de lidar com a verdade até o dia que eu morrer.

Jack sabe de tudo isso e me ama. Não *mesmo assim*, mas *por causa disso*.

Chega o dia seguinte – é hoje. Quinta-feira. Está muito em cima, mas funciona.

– Como está o trabalho? – pergunta mamãe ao telefone enquanto estou a caminho de casa.

– Está bom. Ótimo, na verdade.

– E aquele seu namorado? – Soa um pouco robótico, como se ela tivesse escrito uma lista de perguntas no bloco de notas do celular. Mas ela está tentando. E faz algum tempo que não exige que eu cuide de Lance e Lucas. – Ele já te pediu em casamento?

Dou uma risada.

– Mãe, não tem nem um ano.

– Já é bastante tempo!

– Eu não preciso que ele me peça em casamento – digo, distraída, revirando a bolsa em busca das chaves que quase não uso mais. Espero não ter deixado na casa de Jack.

– Por que não?

– Porque... – Rá! Encontrei. – Porque eu já sei que ele quer.

Ceci chega alguns minutos depois de desligarmos.

– Jack sabe *por que* você está aqui? – pergunta ela, as bochechas coradas do ventinho frio.

– Não. Eu disse pra ele que a gente só ia passar um tempo juntas. Uma última festinha antes de nos mudarmos de vez no mês que vem.

– Boa ideia. – Ela me observa misturar o pó na água. – Talvez eu devesse ter trazido a Ouriça? Pra nossa noite das garotas? Mas o Kirk vai gostar de ter um tempinho a sós com ela.

Não vai, porque ele tem tanto medo dela quanto eu. Finalmente alguém que me entende.

– É um pouco agridoce a gente não renovar o contrato – digo.

– Não se preocupa. – Ceci sorri. – Eu anotei a senha da HBO da Sra. Tuttle.

Dou uma risada e balanço a cabeça.

– É o fim de uma era, só isso.

– Não é, porque nossas casas novas ficam a só cinco minutos de distância uma da outra.

– Mesmo assim. – Olho ao redor. – Talvez eu sinta falta das aranhas--mandarinas-eremitas e dos fios expostos.

Volto a mexer o pó e passamos um tempo em silêncio. Então ela esbarra o ombro no meu.

– Elsie?

– Oi?

– Só pra você saber, você sempre vai ser minha pessoa favorita.

– Você também, Ceci. – O líquido vermelho no pote fica um pouco embaçado por um segundo. – Você também.

Na manhã seguinte, quando Jack entra em seu escritório, já estou lá. Esperando na cadeira atrás da mesa.

– Ora, ora, ora – diz ele. Surpreso. Contente. – Olha quem está...

Seus olhos recaem sobre os frutos do meu trabalho: seu pequeno modelo do Colisor de Hádrons está... bem, onde sempre está. Exceto que hoje está envolto por gelatina de cereja.

– Feliz aniversário – digo.

Estou um pouco sem fôlego. Ainda fico atordoada quando o revejo depois de um tempinho separados. Eu me pergunto se vai ser sempre assim. Me pergunto se todas essas coisas lindas e importantes que sinto por ele algum dia se transformarão em algo comum. Não consigo imaginar que isso vá acontecer.

– A gelatina é o meu presente de aniversário? – pergunta ele, como se fosse ficar muito feliz se fosse o caso.

– Não. – Aponto para o cartão bem ao lado. – Este é o presente.

A covinha faz meu coração palpitar.

– Outro vale-presente da Wayfair? Pra comprar mais cortinas?

Dou uma risada e giro na cadeira – os membros do corpo docente *têm* móveis melhores do que os pós-doutorandos. Eu o escuto rasgar o envelope simples e deixo meus olhos vagarem pelas janelas, na direção das árvores que estão prestes a ficar vermelhas e amarelas, dos alunos vivendo suas vidas, do céu azul. Então fecho os olhos e imagino o rosto de Jack enquanto ele lê minhas palavras.

Querido Jack,

Sei que andei devagar, mas só queria que você soubesse de uma coisa: cheguei lá. Estou com você.

NOTA DA AUTORA

Amor, teoricamente é, de longe, o livro mais "acadêmico" que já escrevi. Há algum tempo andava querendo contar uma história de amor tendo a politicagem do mundo acadêmico como pano de fundo, e para isso eu realmente me permiti mergulhar nas questões ruins. Talvez um pouco demais? Desculpe! Mas, como sempre, muitos elementos foram inspirados em minha própria experiência nessa confusão um tanto obscura que é a academia.

Processos seletivos acadêmicos podem ser extremamente exaustivos, extensos e esmagadores quanto Elsie os considera. As rixas entre as disciplinas são igualmente mesquinhas. O poder que os orientadores têm sobre seus orientandos é igualmente absoluto. A situação dos professores adjuntos no ensino superior, sem qualquer segurança empregatícia ou financeira, é igualmente assustadora. O artigo que Jack escreveu é muito vagamente inspirado em um acontecimento real: o caso Sokal aconteceu em 1996, quando um professor de física da Universidade de Nova York escreveu e enviou um artigo "absurdo" para a *Social Text*, uma importante revista acadêmica sobre cultura, para provar seu argumento a respeito do desleixo editorial e da falta de rigor intelectual. O artigo foi aceito, e as controvérsias, implicações e brigas acadêmicas que se seguiram entraram para a história (e estão documentadas no verbete da Wikipédia se você quiser fazer uma pipoca).

De todo modo, espero que tenham gostado desta história. E se estiver se perguntando por que alguém iria querer seguir carreira acadêmica depois de tudo isso… bem, existem muitos acadêmicos por aí que amam seus empregos – e ainda se perguntam o mesmo!

AGRADECIMENTOS

Escrever é difícil mesmo ou eu só não sou boa nisso? Neste ensaio, vou...

Para ser sincera, toda essa coisa de publicar não vem ficando mais fácil para mim, mesmo contando com vários trilhões de pessoas para me ajudar a colocar meu trabalho em ordem. *Amor, teoricamente* foi, ao mesmo tempo, um livro que eu queria muito escrever e um livro que foi muito difícil de escrever (vai entender!). Devo muito à minha editora, Sarah Blumenstock (obrigada por me deixar manter aquela quebra de capítulo; aliás, ainda estou chateada por você não ter me contado sobre o tal painel), e à minha agente, Thao Le (obrigada por ser a única que ri das minhas piadas!), que constantemente me apoiam em todos os meus empreendimentos literários e são a razão pela qual escrever é uma alegria para mim. Sinto-me realmente honrada por trabalhar tão próxima de duas pessoas de que *gosto* tanto. Além disso, todo o meu agradecimento a Liz Sellers por sua preciosa contribuição. Para minhas amadas Jen, Lucy, Margaret e Kelly, que trabalharam arduamente em versões medíocres deste manuscrito: isto é o que vocês ganham por serem minhas amigas, de nada (desculpa, amo vocês).

Agradeço aos meus leitores sensíveis (anônimos) por esse trabalho importante e difícil. Além disso, tenho muita sorte de ter as melhores pessoas trabalhando na arte (Lilith, que constantemente cria as capas dos meus sonhos, Rita Frangie e Vikki Chu), na produção editorial (Lindsey Tulloch) e na edição de texto (Janice Lee) dos meus livros. E, claro, a melhor equipe de marketing e publicidade. Para Bridget O'Toole, Kim-Salina I, Kristin Cipolla, Tara O'Connor: oi. Me desculpem se às vezes me rebelo e me desculpem por toda a choradeira no Zoom. Eu realmente sou grata por tudo que fazem por mim e talvez eu não mereça vocês, mas, por favor, não me abandonem. Além disso, agradecimentos especiais à minha grande editora, Cindy, e à minha grande agente de relações públicas, Erin.

Gostaria também de agradecer a todos os profissionais editoriais estrangeiros que adquiriram e publicaram meus livros no exterior. Fico muito honrada com o fato de *A hipótese do amor* ter alcançado tantos leitores e devo tudo a vocês! Em especial, todo o meu amor à minha equipe da Sextante/Arqueiro (e a Frini e Nana) por me receberem no Brasil e me proporcionarem uma experiência inesquecível, e à minha equipe da Aufbau (principalmente Stefanie e Sara) por encaixarem tantos *cat cafés* e Motel Ones à minha memorável visita à Alemanha.

Quando as pessoas me pedem conselhos sobre escrita, o que sempre digo é que o mais importante é ter uma boa rede de apoio, e a minha é fantástica. Devo muito aos meus Grems, às minhas Berkletes e a todos os amigos que me apoiaram tanto nos últimos dois anos. Em particular, agradeço a Lo, Christina, Adriana e Elena por sua constante amizade, mentoria e orientação. (Está bem, obrigada também ao meu marido, por preparar ótimos jantares.)

Por último, mas não menos importante: toda a minha gratidão a todos que já leram algo que escrevi. O tempo é um recurso finito e precioso, e fico constantemente emocionada com o fato de as pessoas optarem por gastá-lo com minhas palavras. Então, obrigada, obrigada, obrigada.

CONHEÇA OUTROS LIVROS DE ALI HAZELWOOD

A hipótese do amor

Olive Smith, aluna do doutorado em Biologia da Universidade Stanford, acredita na ciência – não em algo incontrolável como o amor.

Depois de sair algumas vezes com Jeremy, ela percebe que sua melhor amiga gosta dele e decide juntá-los. Para mostrar que está feliz com essa escolha, Olive precisa ser convincente: afinal, cientistas exigem provas.

Sem muitas opções, ela resolve inventar um namoro de mentira e, num momento de pânico, beija o primeiro homem que vê pela frente.

O problema é que esse homem é Adam Carlsen, um jovem professor de prestígio – conhecido por levar os alunos às lágrimas. Por isso, Olive fica chocada quando o tirano dos laboratórios concorda em levar adiante a farsa e fingir ser seu namorado.

De repente, seu pequeno experimento parece perigosamente próximo da combustão e aquela pequena possibilidade científica, que era apenas uma hipótese sobre o amor, transforma-se em algo totalmente inesperado.

A razão do amor

A carreira de Bee Königswasser está indo de mal a pior. Quando surge um processo seletivo para liderar um projeto de neuroengenharia da Nasa, ela se faz a pergunta que sempre guiou sua vida: o que Marie Curie faria? Participaria, é claro. Depois de conquistar a vaga, Bee descobre que precisará trabalhar com Levi Ward – um desafio que a mãe da física moderna nunca precisou enfrentar.

Tudo bem, Levi é alto e lindo, com olhos verdes incríveis. E, aparentemente, está sempre pronto para salvá-la quando ela mais precisa. Mas ele também deixou bastante claro o que pensa de Bee quando os dois estavam no doutorado: rivais trabalham melhor quando estão cada um em sua própria galáxia, muito, muito distantes.

Quando o projeto começa a ficar conturbado, Bee não sabe se é seu córtex cerebral lhe pregando peças, mas pode jurar que Levi está apoiando suas decisões, endossando suas ideias... e devorando-a com aqueles olhos. Só de pensar nas possibilidades, ela já fica com os neurônios em polvorosa.

Quando chega a hora de se decidir e arriscar seu coração, só há uma pergunta que realmente importa: o que Bee Königswasser fará?

Odeio te amar

Mara, Sadie e Hannah são três grandes amigas e cientistas tentando equilibrar razão e emoção. Embora seus campos de estudo as tenham levado para diferentes partes do mundo, todas elas concordam com uma verdade universal: quando se trata de amor e ciência, os opostos se atraem e algumas misturas podem ser perigosas...

Engenheira ambiental, Mara descobre que a casa que recebeu de herança é um presente de grego quando se vê obrigada a compartilhar o mesmo teto com o outro herdeiro – Liam, um detestável advogado de uma empresa petroleira que faz de tudo para atormentá-la.

Sadie é uma engenheira civil que se interessa por Erik depois de um encontro inesperado, mas ele acaba traindo sua confiança e os dois se afastam. Um dia, eles ficam presos juntos em um elevador de Nova York, e a rivalidade e o amor vão alcançar um novo patamar.

Hannah está trabalhando em uma remota estação de pesquisa do Ártico quando sofre um acidente. A engenheira aeroespacial da Nasa precisa ser resgatada antes que morra de frio... só não esperava que a única pessoa disposta a realizar a perigosa missão seja Ian, o sujeito que tentou arruinar sua carreira.

CONHEÇA OS LIVROS DE ALI HAZELWOOD

A hipótese do amor
A razão do amor
Odeio te amar
Amor, teoricamente
Xeque-mate
Noiva
Não é amor
No fundo é amor
Um amor problemático de verão